Les légendes de

Faöws

Catalogage avant publication de Bibliothèque et Archives nationales du Québec et Bibliothèque et Archives Canada

Constantineau, Daisy

    Les légendes de Faöws

    (Collection Littérature fantastique)

    ISBN 978-2-7640-2450-8

    I. Titre. II. Collection : Collection Littérature fantastique.

PS8605.O582L43 2015   C843'.6   C2015-940515-7

PS9605.O582L43 2015

© 2015, Les Éditions Québec-Livres

Groupe Librex inc.

Une société de Québecor Média

1055, boul. René-Lévesque Est, bureau 201

Montréal (Québec) H2L 4S5

Tél. : 514 270-1746

Dépôt légal : 2015

Bibliothèque et Archives nationales du Québec

Pour en savoir davantage sur nos publications, visitez notre site : **www.quebec-livres.com**

Éditeur : Jacques Simard

Conception de la couverture : Bernard Langlois

Illustration de la couverture : Thinkstock/IstockPhoto/
                       Shutterstock

Conception graphique : Sandra Laforest

Infographie : Claude Bergeron

Imprimé au Canada

Gouvernement du Québec – Programme de crédit d'impôt pour l'édition de livres – Gestion SODEC.

L'Éditeur bénéficie du soutien de la Société de développement des entreprises culturelles du Québec pour son programme d'édition.

Nous reconnaissons l'aide financière du gouvernement du Canada par l'entremise du Fonds du livre du Canada pour nos activités d'édition.

DISTRIBUTEURS EXCLUSIFS :

• Pour le Canada et les États-Unis :
  MESSAGERIES ADP*
  2315, rue de la Province
  Longueuil (Québec) J4G 1G4
  Tél. : 450 640-1237
  Télécopieur : 450 674-6237

  * une division du Groupe Sogides inc.,
  filiale du Groupe Livre Québecor Média inc.

• Pour la France et les autres pays :
  INTERFORUM editis
  Immeuble Paryseine, 3, Allée de la Seine
  94854 Ivry CEDEX
  Tél. : 33 (0) 4 49 59 11 56/91
  Télécopieur : 33 (0) 1 49 59 11 33

  **Service commande France
  métropolitaine**
  Tél. : 33 (0) 2 38 32 71 00
  Télécopieur : 33 (0) 2 38 32 71 28
  Internet : www.interforum.fr

  **Service commandes Export –
  DOM-TOM**
  Télécopieur : 33 (0) 2 38 32 78 86
  Internet : www.interforum.fr
  Courriel : cdes-export@interforum.fr

• Pour la Suisse :
  INTERFORUM editis SUISSE
  Case postale 69 – CH 1701 Fribourg
  – Suisse
  Tél. : 41 (0) 26 460 80 60
  Télécopieur : 41 (0) 26 460 80 68
  Internet : www.interforumsuisse.ch
  Courriel : office@interforumsuisse.ch

  Distributeur : OLF S.A.
  ZI. 3, Corminboeuf
  Case postale 1061 – CH 1701 Fribourg
  – Suisse

  Commandes : Tél. : 41 (0) 26 467 53 33
  Télécopieur : 41 (0) 26 467 54 66
  Internet : www.olf.ch
  Courriel : information@olf.ch

• Pour la Belgique et le Luxembourg :
  INTERFORUM BENELUX S.A.
  Fond Jean-Pâques, 6
  B-1348 Louvain-La-Neuve
  Tél. : 00 32 10 42 03 20
  Télécopieur : 00 32 10 41 20 24

DAISY CONSTANTINEAU

Les légendes de

Faöws

La maîtresse de Feu

LES ÉDITIONS
Québec-Livres
Une société de Québecor Média

À mes amours et ma famille, vous qui bouleversez
continuellement ma vie et avez fait de mon
imaginaire de l'inoubliable !

Lexique du monde de Faöws

Abaël : Vampire sous les ordres de Miryano.

Aeyns : Village dévasté, séparant le royaume de Shimrae du royaume de Nomelhan.

Ahamhs : Désert en dehors des royaumes connus, au-delà de la forêt de Tykquarr.

Banshal : Appartement luxueux du château, constitué d'un atelier de travail, d'une chambre et d'un bain.

Bemyrl Seyrguh : Général du roi Shoëg Shimrae, il est à la tête des archers.

Cyrm : Yrshu de Feu.

Dr Weils : Médecin ayant veillé sur Olivia jusqu'à sa mort.

Faöws : Monde évoluant en parallèle à notre Terre, où les Sitays acquièrent leurs dons.

Faurg : Un des vampires-mages sous les ordres de Sorik.

Feyll : Yrshu de l'Air.

Fortulgh : Lieu où les âmes se retrouvent à la mort des humains.

Fylia Olsheä Shimrae : Reine et épouse de Shoëg Shimrae, décédée en couches.

Gehona Seyrguh : Épouse du général Bemyrl Seyrguh.

Heelu : Yrshu de l'Eau.

Hezyr Olsheä : Souverain du royaume d'Olsheä. Frère de Fylia Olsheä.

Hiur : Plaine à l'orée de l'ancien royaume de Nomelhan.

Jeerdhs Lëanoläk: Aîné des vampires toujours vivants, créé par Kahinë.

Jeremy: Serveur du pub irlandais ayant séduit Olivia.

Jerym: Paysan du hameau de Tyurn, assassiné par Miryano.

Jourm: Hameau voisin de Tyurn, là où les survivants se sont réfugiés.

Joyssa Quiryan: Épouse du général Novan Quiryan.

Jyram: Un des vampires-mages sous les ordres de Sorik.

Kahinë Nostera: Premier vampire, créé par les Dieux afin de servir au passage des âmes vers Fortulgh.

Kelm Hirms: Paetrym du royaume de Shimrae.

Korsacq Adojhs: Conseiller politique du roi Shoëg Shimrae.

Kurtoh: Éclaireur au service de Viktor Balyhn.

Lamellya Nevyll: Première vampire créée par Viktor Balyhn; à la tête de ses armées et sa maîtresse.

Loers Hourkoth: Conseiller politique du roi Shoëg Shimrae.

Lorn: Yrshu de la Terre.

Lyams: Éclaireur au service du roi Shoëg Shimrae.

Maëlay Mornëot: Sitay de la Terre.

Martyne Larose: Amie proche d'Olivia Saint-Pierre.

Mathyas: Rédacteur en chef du journal où travaille Olivia Saint-Pierre.

Mearik: Un des plus éminents médecins du royaume de Shimrae.

Merryl Lorywann: Gouvernante au service du roi Shoëg Shimrae; s'occupe personnellement du confort d'Olivia Saint-Pierre.

Mi sayl – suyl: Mon amour (sayl – féminin, suyl – masculin).

Mireph: Un des vampires sous les ordres de Lamellya.

Mirrle: Forêt bordant la région sud du royaume de Shimrae.

Miryano Judarfin: Grand général des armées de Viktor.

Nizar: Un des vampires sous les ordres de Miryano.

Nomelhan: Royaume ayant été détruit près de deux siècles auparavant. Lieu choisi par Viktor pour y installer ses armées.

Novan Quiryan : Général au service du roi Shoëg Shimrae, à la tête de la cavalerie.

Olissan Dyhmaull : Épouse du général Zoguar Dyhmaull.

Olivia Saint-Pierre : Sitay de Feu.

Olsheä : Royaume voisin de Shimrae, sous la gouverne d'Hezyr Olsheä.

Paetrym : Mage guerrier attitré à la protection rapprochée du souverain d'un royaume.

Parshh : Chaîne de montagnes bordant la plaine de Sihayll.

Peyns : Chaîne de montagnes longeant la forêt de Tykquarr.

Reesom Tylh : Conseiller politique au service du roi Shoëg Shimrae.

Ryjns : Jument andalouse qui fut d'abord offerte à Maëlay, puis à Olivia Saint-Pierre.

Shimrae : Royaume de la terre de Faöws, sous la gouverne de Shoëg Shimrae.

Shoëg Shimrae : Souverain du royaume de Shimrae ; sa famille y règne depuis des siècles.

Sihayll : Plaine sur laquelle débouche la forêt de Mirrle, adjacente à la chaîne de montagnes Parshh, là où Olivia Saint-Pierre rencontre Cyrm.

Sitay : Être partageant les pouvoirs des Yrshus, contrôlant les éléments.

Sorik : Vampire-mage au service de Viktor Balyhn.

Tollym : Jeune palefrenier du royaume de Shimrae.

Tykquarr : Forêt sous le joug d'un maléfice.

Tyurn : Hameau dévasté par Miryano et son contingent.

Viktor Balyhn : Dernier des sept vampires créés par Kahinë. À l'origine de la haine de sa race envers le genre humain.

Ymalt : Fête du solstice d'été.

Yrshu : Être créé par les Dieux. Au nombre de quatre, ils contrôlent chacun un élément nécessaire à toute vie sur les mondes.

Ysandrell : Lieu où vivent les Yrshus.

Ysaph : Un des vampires sous les ordres de Miryano.

Zoguar Dyhmaull : Général au service du roi Shoëg Shimrae, à la tête de l'infanterie.

Chapitre 1

— Nous n'avons aucune autre possibilité, commença Heelu.

Cela faisait maintenant près d'une heure que la discussion durait entre les quatre Yrshus.

Le silence qui s'ensuivit était révélateur de la véracité de cette simple phrase.

Voilà maintenant plusieurs semaines que les événements se précipitaient sur la terre de Faöws, et malheureusement, malgré tous leurs pouvoirs, ils n'étaient que spectateurs du désastre depuis le plan d'Ysandrell. Ils étaient nés Yrshus : créés par les Dieux, ils devaient veiller sur l'équilibre des quatre éléments qui maintenaient toute vie sur les mondes placés sous leur gouverne.

S'ils n'avaient chacun la charge que d'un élément, l'ampleur de leur tâche ne cessait de grandir. Les hommes et les femmes consommaient une quantité croissante d'énergie naturelle, peu importe le monde d'où ils venaient. Clairvoyants, les Dieux avaient prévu l'avènement de cette ère. Aussi puissants fussent-ils, les Yrshus ne pouvaient plus suffire à la surexploitation des mondes. Certaines planètes étaient sous le signe de l'Air ou de l'Eau, d'autres sous celui de la Terre et du Feu. Il y avait peu de mondes où les quatre Yrshus avaient su créer une parfaite harmonie. Si pour les humains des siècles s'écoulèrent, les Maîtres des éléments eurent l'impression qu'un souffle à peine était passé lorsque l'un d'eux eut enfin à ses côtés un être qui partagerait ses tâches et ses pouvoirs.

Il était impossible de savoir tout ce que les Dieux avaient planifié pour les mondes, toutefois ils savaient tous qu'une aide leur serait offerte : une Sitay. Deux des terres d'équilibre servaient les desseins divins : sur la première, nulle forme de magie n'était autorisée. C'était là que prendrait

naissance le corps de leurs promesses ; la sagesse acquise dans leur vie survivrait à leur mort physique. Le deuxième monde abritait leur réincarna-
tion, là où elles pourraient enfin acquérir leurs dons. Il faudrait attendre
la fin de cette seconde étape pour qu'elles les rejoignent dans le plan
d'Ysandrell. Alors, pour chaque élément qu'un Yrshu maîtrisait, une Sitay
viendrait partager son existence. Mais eux-mêmes demeuraient dans l'ignorance de la nature et de l'ampleur des dons qui seraient attribués à ces
femmes. Yrshus et Sitays étaient liés par une synergie assurant une puissance accrue sur tous les mondes.

Une seule Sitay avait vu le jour jusqu'à présent, mais la discussion entre
les quatre Yrshus concernait la naissance de la deuxième Sitay. Cette dernière n'en était encore qu'à son état d'humaine, sans aucune forme de don
ou de pouvoir. Malgré tout, leurs espoirs se tournaient vers elle.

— Ma Sitay de Feu est en apprentissage de la vie de mortelle, renchérit Cyrm à l'attention de Lorn, de qui venait ce plan défendu par Heelu.

— Son intrusion n'est pas préparée au royaume de Shimrae, ajouta
Feyll, lui aussi visiblement soucieux.

Cyrm et Feyll échangèrent un regard lourd de sens : provoquer le passage d'une Sitay d'un monde à l'autre était un privilège normalement dévolu aux Dieux. Tous les quatre savaient qu'afin d'y déroger, une autre
Sitay devait céder sa place, ouvrant ainsi le portail à la nouvelle venue.
D'ailleurs, cette règle immuable préservait l'équilibre des mondes mortels, évitant la présence de deux Sitays dans le même monde, ce qui était
proscrit par les Dieux eux-mêmes. Dans un tel cas, les éléments risque-
raient de subir une altération irréversible. L'apprentissage d'une Sitay se
faisait normalement sur plusieurs vies, car l'élément qu'elle devait contrôler et protéger de concert avec son Yrshu nécessitait une sagesse qu'une
seule existence ne saurait combler. Voilà ce que les Yrshus devaient
contourner pour la deuxième d'entre elles.

Eux-mêmes ne pouvaient interférer directement sur les événements
de l'une ou de l'autre des terres, mais une Sitay le pouvait, grâce à ses an-
técédents de femme mortelle.

— Lorn, crois-tu que ta Sitay est préparée à cela ? demanda Heelu.

— Je le suis !

La voix provenait de la seule porte, qui s'ouvrit sur ces mots, laissant entrer la Sitay. Son teint brunâtre créait un contraste surnaturel avec ses cheveux blonds clairs qui cascadaient jusqu'à ses reins. Les trois Yrshus, surpris, ne se retournèrent pas vers la nouvelle venue, mais fixèrent le visage impassible de Lorn, sachant très bien que ce dernier avait planifié cette mise en scène.

Leurs traits ne manifestaient aucune animosité, bien qu'il ne fût pas coutume de laisser des invités pénétrer en ce lieu. Chacun connaissait l'urgence de la situation, leurs négligences et leurs indolences les ayant menés à cela. Lorn avait bien agi en convoquant sa Sitay à cette rencontre.

L'Yrshu de la Terre se contenta de sourire à la nouvelle venue, dont seul le froissement de la robe vert sombre venait troubler la quiétude de la salle. Même les pieds nus de la Sitay paraissaient ne pas atteindre le sol tandis qu'elle marchait jusqu'à Lorn qui, d'un simple mouvement de la main, matérialisa une lourde chaise de bois à sa droite. Il était le premier à avoir reçu ce bonheur des Dieux, et depuis la venue de sa Sitay, il pouvait se sentir enfin entier, comme s'il n'avait jamais réalisé auparavant qu'il lui manquait une partie de lui-même.

Finalement, ce fut Feyll qui rompit le silence.

— Bonjour, Maëlay.

Bien qu'elle ait déjà rencontré les quatre Yrshus à de nombreuses reprises, Maëlay Mornëot était subjuguée de les voir autour de cette table, tous tendus par la gravité de la situation. Malgré cela, elle s'évertuait à paraître impassible. Les quatre Maîtres des éléments affichaient une prestance digne de leur essence divine, mais c'était bien la première fois que la Sitay décelait une angoisse palpable, qui régnait dans la pièce.

Le plancher de verre laissait paraître, sous chacun des Yrshus, leurs éléments respectifs. Sous Lorn et Maëlay se trouvait la Terre. Mais depuis que la Sitay avait pris place près de son Yrshu, un enchevêtrement de vignes venait traverser cet élément, complétant ainsi l'essence même de leurs pouvoirs.

Heelu, fort en carrure, mais plus petit que les autres, portait ses cheveux courts d'un brun tirant sur le blond. Son regard bleu perçant semblait atteindre l'âme de quiconque s'y attardait trop longuement. Maître de l'eau, il se trouvait au-dessus d'un torrent, cascadant dans un lit imaginaire et intarissable.

Malgré la nervosité qui lui tenaillait les entrailles, la Sitay demeurait maîtresse de ses émotions et son regard passa ensuite à Feyll. Grand et élancé, son visage gracieux était encadré de longs cheveux gris, de la même couleur que ses yeux, telle une brume ayant envahi son regard. Il régnait sur l'Air, et un souffle sans fin sévissait sous ses pieds.

Finalement, c'est un regard empli d'émotions qui cueillit Maëlay : celui de Cyrm. L'Yrshu de l'élément du Feu était le principal en cause dans cette entreprise. La Sitays qui lui était chère, qui vivait sa vie d'humaine mortelle, était finalement celle qui devait vaincre le tourment qui grandissait sur le monde de Faöws ; cette terre où toutes les Sitays apprenaient à maîtriser leurs dons. Les flammes qui léchaient le sol irradiaient la pièce en entier. La mâchoire crispée de l'Yrshu n'enlevait rien à la beauté de son visage encadré par des cheveux marron. Sa peau était tel l'ivoire et son regard sombre demeurait d'une profondeur abyssale.

Les trois Yrshus, les yeux rivés dans ceux de la Sitay de la Terre, qui attendait, imperturbable, hochèrent la tête signifiant l'acceptation de sa présence, la rassurant enfin. Témoignage de l'affection qui les liait, Maëlay posa une main sur l'avant-bras de Lorn, d'un mouvement d'une naturelle sensualité. Malgré cela, leurs caractéristiques physiques auraient pu les faire passer pour frère et sœur.

Soutenant le regard de l'Yrshu de Feu, c'est Lorn qui reprit la conversation.

— Cyrm, je sais ce que tu ressens. Nous savons tous que ta Sitay n'est pas prête pour son passage. Ce que je te propose, mon frère, c'est de permettre à Maëlay un retour sur la terre de Faöws. Elle sera ainsi en mesure de préparer la venue d'Olivia, qui ne pourra bénéficier d'une naissance maternelle. Maëlay prendra contact avec ceux qui accompagneront ta Sitay dans cette guerre, chacun aura son rôle pour la protéger et l'aider dans son apprentissage.

Heelu regarda les autres, se rangeant lui aussi derrière l'idée soulevée par Lorn.

— Les Dieux eux-mêmes nous ont mandatés afin d'assurer la pérennité de ces mondes. Par contre, nous devons respecter leur volonté. En aucun cas nous ne devons intervenir directement sur les terres des vivants, dit-il toujours aussi pragmatique.

— Même Maëlay devra être restreinte dans ses actions et ses propos, ajouta Lorn d'une voix grave. L'apprentissage d'Olivia devra suivre son cours. Par sa présence, il faudra uniquement préparer le peuple de Shimrae à cette venue précipitée, continua-t-il.

Les quatre Yrshus continuèrent à diriger Maëlay pour son retour dans le monde de Faöws. Son mandat était d'offrir aux personnes devant accompagner Olivia dans sa quête toutes les informations nécessaires afin de combler la brèche qui s'ouvrirait dans la chronologie de ses vies.

Cyrm prit la parole.

— Je sais que je n'ai pas le droit d'être égoïste : je voudrais protéger ma Sitay, comme vous tous le feriez...

Il laissait déjà entrevoir la difficulté qu'il aurait à être impassible face à la guerre qui se dessinait devant sa Sitay.

— Lorn, reprit-il, tu te souviens certainement à quel point tu aurais voulu anéantir tous ceux qui ont blessé Maëlay...

Tout en écoutant parler l'Yrshu de Feu, Maëlay fut bouleversée de voir jusqu'à quel point les Maîtres des éléments pouvaient ressentir les mêmes émotions que les mortels ! S'ils avaient eu tout pouvoir sur leurs actes, ils auraient eux-mêmes éradiqué l'ennemi qui menaçait l'équilibre de Faöws.

La voix tendue de Cyrm ramena brusquement ses pensées au moment présent. Ce dernier captiva l'esprit tout entier de Maëlay en y plongeant son regard sombre :

— Nous pouvons, dès maintenant, ouvrir le portail qui te permettra de rejoindre ton ancien monde. Je sais que tu feras tout pour que ma Sitay s'harmonise rapidement avec le royaume de Shimrae, mais tu n'auras que trente lunes dans le royaume de Shimrae. Après ce délai, nous te rappellerons auprès de nous dans le plan d'Ysandrell. De là, tu pourras continuer à veiller sur l'évolution de ma protégée, avec nous, lui dit-il.

Le silence qui s'ensuivit était lourd de sens. Chacun des Yrshus venait de donner son accord tacite, celui de Cyrm était primordial.

C'était évident qu'il autorisait l'intrusion de sa Sitay à contrecœur, mais il n'avait pas la possibilité de choisir. L'avenir de tant d'hommes et de femmes se jouerait bientôt.

Se levant d'un même mouvement, les quatre Maîtres des éléments firent disparaître tout objet présent dans la pièce. Chacun d'eux se tenant immobile au-dessus de leur élément respectif, ils entreprirent une incantation commune, de leurs voix graves qui s'entremêlaient dans l'air.

— *Uyl mae fanuryea yl Faöws* !

Cette simple phrase fut répétée quatre fois, ouvrant chacun des éléments au cycle de la magie, mais le sort n'était pas complété pour autant. Les quatre Yrshus appelèrent à eux les éléments, leurs voix s'entrecoupèrent et les mêmes phrases résonnèrent encore dans ce lieu. L'Air, l'Eau, la Terre et finalement le Feu se manifestèrent autour d'eux. Alors, au centre de la pièce apparut un portail constitué de l'enchevêtrement des quatre éléments et les voix se turent. L'incantation se répercuta tel un écho, pour finalement mourir dans le silence.

Lorn se tourna doucement vers sa Sitay. Leurs deux existences vibrant à l'unisson depuis qu'elle avait rejoint Ysandrell, il ressentait parfaitement sa nervosité et la comprenait. Lentement, il cueillit les lèvres de Maëlay, lui transférant ainsi de sa force vitale, qui serait nécessaire à cette intrusion au royaume de Shimrae. Il savait que ce genre d'expérience était très épuisante et qu'elle aurait besoin d'être alerte dès sa réception dans le château.

— Sois prudente, *mi sayl*, lui souffla-t-il en un murmure, son visage rapproché du sien.

Sans rien ajouter, le regard maintenant confiant, Maëlay se dirigea d'un pas ferme vers le portail et y entra sans aucune hésitation.

Elle savait très bien ce qu'elle avait à faire, et c'était fort simple. Les embûches qui devaient être surmontées n'avaient pas été mises sur sa route à elle. Mais en premier lieu, une rencontre avec le souverain du royaume de Shimrae s'imposait.

***

D'un mouvement brusque, elle se retrouva assise dans son lit. Les couvertures qui s'étaient emmêlées dans le tourment de son sommeil retombèrent sur ses genoux. Une douleur devenue malheureusement familière lui transperça l'omoplate gauche, pour finir par atteindre chacune de ses côtes.

Elle avait le souffle court. La souffrance faisait naître des larmes qui ruisselaient sur sa peau. Olivia se leva péniblement du lit, rattrapant la respiration qui semblait vouloir lui échapper, et se dirigea vers la cuisine. Un verre d'eau froide m'aidera à me calmer, se disait-elle.

Depuis quelque temps, chacune de ses nuits se terminait dans la douleur, et son corps ne supportait plus le traitement que lui infligeaient ces affres nocturnes. Pourtant, les urgentistes qu'elle avait consultés au cours des derniers mois avaient semblé formels ; après des examens approfondis, rien ne permettait de poser un diagnostic. En somme, tout était normal.

Normal... Une colère se mêlait maintenant à la douleur qui l'engourdissait.

— Eh bien, cinq heures ! Autant mettre le matin à profit et travailler ! grommela-t-elle, la voix engourdie par la souffrance.

Comme chaque matin depuis que ces crises avaient débuté, les douleurs finirent par s'estomper après un long moment sous la douche. Combien de nuits allait-elle endurer ce manège sans sombrer ? Cette question, elle se la posait trop souvent.

Une lourde vapeur enveloppa peu à peu la pièce. Olivia s'appuyait contre la céramique de la douche, laissant chaque filet d'eau brûlante délier les muscles de son dos endolori. La jeune femme n'arrêta le jet de la douche qu'au bout de longues minutes, puis s'enroula dans une serviette de bain. Le miroir lui rendit l'image floue d'une femme au visage blafard. Ces courtes nuits avaient fini par marquer ses traits et bien qu'elle n'ait aucune envie d'y remédier, elle s'efforça néanmoins de masquer la profondeur des cernes qui creusaient son regard. Avec une moue de découragement, Olivia tortilla quelques mèches de ses cheveux blonds ; jusqu'à sa teinture qui se trouvait dans un triste état, laissant voir une repousse brune.

— Comment vais-je pouvoir rendre des articles décents dans un état pareil ? se questionna-t-elle. Mais au fond d'elle-même, les pensées qui régnaient étaient beaucoup plus noires : au point où elle en était, il était question de survivre et non plus de travailler.

Moins d'une heure plus tard, après avoir enfilé un jean moulant ses jambes fuselées, un chemisier prune et une paire d'escarpins, elle fut prête à partir. Olivia se retrouva calée dans la banquette d'un restaurant servant un café que seules des papilles engourdies par le sommeil sauraient apprécier. Son ordinateur portable ouvert sur la table, elle avait toutes les cartes en main pour remettre un article au rédacteur en chef. Il était facile de trouver de la documentation sur la politique actuelle, mais plus difficile de montrer l'envers de la médaille : les aléas des multiples décisions à prendre, les normes gouvernementales qui se resserrent sans pourtant offrir plus de soutien ou de formation. Tous ceux à qui elle avait parlé avaient semblé timorés à l'idée de partager le fonctionnement à l'interne de leurs institutions. Et bien que les sujets affluent dans une grande ville, tout lui semblait fade et monotone. Elle réussit machinalement à créer ce qui lui parut satisfaisant, compte tenu des circonstances.

Comme à son habitude, quel que soit l'endroit où elle s'installait pour travailler, la table était recouverte d'une multitude de documents : articles de loi, données ministérielles ainsi que plusieurs extraits venant de sites Internet de municipalités d'un peu partout au Québec. La jeune femme travaillait depuis plusieurs semaines à la collecte d'informations, ne rendant pendant ce temps à son patron que des textes sur des sujets légers.

Portant sa tasse à ses lèvres en un énième mouvement machinal, Olivia constata avec un frisson désagréable que son café était devenu froid. Elle entreprit donc de plier bagage et de prendre le métro la menant au travail... avec une demi-heure d'avance. C'est son patron qui serait heureux ! Si elle entendait une fois de plus Mathyas prononcer que l'avenir appartient à ceux qui se lèvent tôt, il allait certainement l'achever !

Tout en marchant, elle ne fut pas surprise de constater que la rue fourmillait déjà de mille et un passants, rendant à la ville son âme désincarnée habituelle, qu'Olivia trouvait hautaine et individualiste.

Mais bon, sur ce dernier point, je ne fais pas exception ! se disait-elle. Vingt-neuf ans, aucune relation sérieuse, ne se concentrant que sur le travail, comment osait-elle blâmer les gens d'être égoïstes par rapport à son propre mode de vie ?

Son esprit flottant dans un état second, la pigiste s'étonna de reprendre contact avec son environnement une fois seulement dans l'édifice qui abritait le journal de seconde zone qui l'avait embauchée. Chaque jour, la souffrance l'épuisait. Olivia sentait la réalité devenir de plus en plus amère autour d'elle. Ces petits moments d'égarement commençaient sérieusement à l'inquiéter.

***

Après quelques heures passées dans son bureau, petit cubicule gris et terne, une lassitude la gagnait. Si peu de sommeil avait nécessairement des répercussions sur sa concentration. Elle ne réussissait pas à enchaîner les mots afin d'être productive. Son esprit s'égarait une fois de plus, et elle se retrouva à cogiter sur le pathétisme de ses collègues qui tentaient vainement d'apporter un peu de chez eux dans ces petits cachots. Tout en réfléchissant sur le sujet, Olivia portait son regard vers le poste de travail de Claude où des photos de sa famille envahissaient le peu d'espace exempt de paperasse.

La jeune femme devait s'avouer qu'elle était envieuse. Quand on n'avait plus rien dans la vie qui valait la peine d'être exposé au vu et au su de tout le monde et que la seule chose qui mobilisait l'énergie était le travail, du matin jusqu'au soir, il ne restait immanquablement que cette jalousie.

Tout à coup, la douleur revint à la charge, encore plus forte et envahissante. En un mouvement brusque et désincarné, son corps se raidit entièrement. Sans le vouloir, elle fit tomber le pot de crayons qui roulèrent tout autour de son bureau. La souffrance prit naissance dans son omoplate gauche et sembla irradier de façon démesurée dans toute la zone gauche de son thorax. C'est à peine si ses poumons arrivaient à se gonfler d'air.

— Ça suffit ! Olivia se leva subitement.

Ramassant rapidement les crayons qui étaient à sa portée, elle ne se soucia guère de ses collègues qui l'interrogeaient du regard. Il ne lui fallut que quelques secondes avant de s'élancer vers la sortie. La douleur laissait la peau de sa nuque si humide que ses longs cheveux clairs s'y collaient.

Voûtée et endolorie, elle n'arrivait pas à remettre son manteau tant son épaule gauche la faisait souffrir, alors elle se résigna à le traîner sur son sac en bandoulière. Sans attendre, elle sortit du vieux bâtiment pour héler un taxi. Par chance, l'attente fut courte et elle put demander au chauffeur de la conduire à l'hôpital le plus proche. Olivia ne se souciait nullement des regards anxieux que lui lançait l'homme d'origine hispanique. Ce dernier demeurait respectueux, n'osant déranger le mutisme dans lequel sa passagère s'était enfermée.

Arrivée à destination, Olivia paya la course, mais le chauffeur ne se contenta pas de prendre l'argent, il cueillit au passage la main tendue, plantant un regard soucieux dans celui d'Olivia, et lui parla enfin.

— Madame, je vous en prie, prenez soin de vous, dit-il avec un accent prononcé dans la voix, avant de reporter son attention sur le trafic.

Se réfugiant derrière la carapace que les années de solitude avaient créée, visiblement mal à l'aise, Olivia esquissa un faible sourire, puis sortit du taxi pour s'enregistrer aux urgences.

Les longs corridors blafards trop éclairés ajoutaient à l'inconfort de la jeune femme : l'allée qui menait à l'inscription était bondée de gens qui la lorgnaient d'un œil torve, se demandant si cette nouvelle inconnue allait les déloger du classement leur permettant l'accès à un médecin. Les heures passèrent ; des enfants hurlaient ; les gens attendaient : un sexagénaire souffrant d'un rhume attendait, un travailleur qui semblait avoir perdu son combat à mains nues contre un outil denté. Les corridors et les zones d'attente regorgeaient de multiples cas surchargeant le système des urgences. Quand, enfin, Olivia entendit appeler son nom par la voix déformée de l'interphone, elle dut faire un effort pour se relever. Non seulement sa douleur n'avait pas disparu, mais tout son corps était maintenant engourdi par les heures où elle était restée assise sur une chaise inconfortable. Ce fut une jeune femme qui l'accueillit d'un air hautain dans la salle d'examen. Sans la moindre empathie dans la voix, elle se présenta.

— Je suis la docteure Archambault. Qu'est-ce qui vous amène ici, Madame Saint-Pierre ? demanda la médecin, débitant ces mots tel un automate, levant à peine les yeux du dossier qu'elle tenait dans les mains.

On avait beau savoir que l'humanisme sociétaire était à des lieues de son apogée, Olivia sentit le sang affluer à son visage sous l'effet de la froideur de cet accueil. Devant le regard peu attentif de la docteure Archambault, elle avait décrit ses symptômes et les douleurs qui ne la quittaient plus. Il était difficile d'expliquer autrement qu'en donnant la seule image qui lui venait en tête.

— Je ressens un étirement à mon omoplate gauche, comme si on tentait de me l'arracher, en plus d'avoir la sensation qu'afin de respirer je devrais ouvrir mes côtes à l'aide de mes mains! expliqua-t-elle.

L'image sanglante ayant franchi ses lèvres lui provoqua un léger frisson, qui parcourut son cuir chevelu.

— Hum… je vois. Pourriez-vous lever votre bras et exécuter une rotation? demanda la médecin, sans faire guère plus d'examens.

Olivia s'exécuta, sachant très bien qu'elle ne subissait aucune perte de mobilité. Lentement, l'évidence qu'elle se trouvait là en vain s'insinua en elle.

— Vous voyez bien que votre épaule n'a aucun problème. Si vous aviez une atteinte quelconque, vous auriez une diminution de votre amplitude articulaire. Je peux néanmoins vous donner un relaxant musculaire pour votre retour à la maison, finit par dire la médecin, après un long regard suspicieux à l'attention d'Olivia. Visiblement, elle avait catalogué la jeune femme comme une junkie à la recherche de sa dose!

— Sans plus? Et pour ma respiration douloureuse? interrogea Olivia, tout en espérant recevoir enfin un peu d'aide.

La jeune médecin laissa échapper un soupir un peu trop sonore, jetant un malaise palpable dans la petite pièce jaunâtre mal éclairée.

— Quand je regarde tous vos symptômes, Madame Saint-Pierre, je ne peux que vous dire que vous souffrez d'anxiété. Apprenez à vous calmer un peu et vous verrez que vous irez beaucoup mieux! répondit-elle, la voix détonnant d'ennui et d'empressement à passer au prochain numéro.

Olivia était sidérée. Comment, après si peu de tests, cette femme osait-elle poser un diagnostic aussi fermé? Elle quittait déjà la salle d'examen, laissant la place à une infirmière aux traits tirés par la fatigue. Olivia contenait à peine sa colère, mais elle accepta sans rechigner le comprimé que l'infirmière lui tendit.

Réfrénant les pensées qui se bousculaient, Olivia reprit un taxi afin de regagner son appartement, désirant se reposer enfin. Elle se maudissait intérieurement, sachant très bien qu'elle aurait dû réclamer plus de soins, mais elle n'avait jamais pu s'habituer à faire valoir ses propres droits. Ses articles et essais littéraires regorgeaient de convictions, mais elle-même n'en était qu'une pâle caricature. Il lui faudrait maintenant bien profiter du seul comprimé que la docteure avait daigné lui laisser. Aucune prescription dans son dossier. Comment allait-elle survivre dès que l'effet bénéfique de ce comprimé de Dilaudid serait dissipé ?

Quelques heures de sommeil avec moins de douleur, cela serait déjà ça de gagné. Maigre gain après six heures d'attente aux urgences ! Néanmoins, il lui faudra bien s'en contenter. Le trajet se fit dans une pénombre totale. Seul le bruit des gouttes de pluie se fracassant sur les vitres de la voiture venait troubler ses pensées.

Verrouillant la porte derrière elle, Olivia laissa tomber sac à main, clés, veste, et ce, tout en se dirigeant vers la salle de bain. Elle s'arrêta net devant le miroir : elle avait réellement une mine affreuse. Ses traits étaient tirés et des cernes profonds assombrissaient son regard. Le pauvre chauffeur de taxi avait bien raison de lui lancer des regards inquiets, elle semblait sur le point de s'écrouler à tout moment.

— Profitons de cette accalmie ! dit-elle à voix haute, puis d'une longue gorgée d'eau elle avala ce comprimé qu'elle chérissait tant.

Il fallut quelques minutes avant qu'elle ne sente diminuer l'intensité de la douleur, mais Olivia ressentait toujours ce déchirement physique. Grâce à ce léger soulagement combiné à l'épuisement, elle eut à peine le temps d'enfiler une tenue de nuit qu'elle s'écroula sur le lit, endormie.

Chapitre 2

— Monseigneur, des hommes disparaissent. Les corps de leurs femmes et de leurs enfants sont retrouvés, vidés de leur sang.

Le plus âgé des conseillers du roi Shoëg, Korsacq Adojhs, parlait rapidement, de sa voix rouillée par les années.

La salle du trône était vaste et largement éclairée par des fenêtres à guillotine, ornées de part et d'autre par d'immenses linceuls arborant les armoiries du royaume de Shimrae : un blason où se croisaient deux lourdes épées, armes de prédilection des armées du royaume, le tout surmonté d'un massif étalon. Les chevaux étaient protégés et élevés par chacune des générations des souverains du royaume.

À cette heure avancée de la matinée, le roi Shoëg Shimrae rencontrait quelques membres de son conseil, soit les trois qui représentaient le volet politique. Ceux-ci le harcelaient de questions relativement au mal qui grandissait dans le royaume. En plus des gardes postés à la grande porte, le Paetrym du roi était présent et, comme à son habitude, il se tenait adossé au mur de pierre. Ce mage installé en retrait analysait chaque propos de la discussion. Ce rôle lui avait été dévolu dès sa naissance. Kelm Hirms avait ainsi été choisi afin de succéder au Paetrym précédent. Possédant des pouvoirs innés, il avait été préparé, par son éducation, à veiller jour après jour sur la vie de tout souverain du royaume de Shimrae.

Devant lui, la discussion gagnait en nervosité.

— Conseiller Korsaqc ! La voix du roi se voulait imposante. Prenez note que j'ai conscience de notre devoir de protection envers notre peuple. Lever une armée, soit ! Mais contre qui, ou contre quoi, nous battrons-nous ?

L'esprit enivré par la chaleur de la discussion, aucun des interlocuteurs ne prêta attention au courant froid qui envahissait les lieux, aux linceuls et aux rideaux qui, tout à coup, ondoyaient avec légèreté.

Ces changements, quoique subtils, n'échappèrent pas aux sens magiques du Paetrym. Lentement, ce dernier se releva de son appui. Kelm avança d'un pas ferme, en prenant soin d'éviter le centre de la salle du trône, où était situé l'épicentre de cette manifestation. Il se positionna directement devant le roi Shoëg, intimant ainsi le silence à tous.

Le courant qui gagnait en ampleur dans la pièce créait de douces vagues sur la chemise sombre du Paetrym, même ses cheveux noirs suivaient le mouvement régulier et balayaient ses épaules. La crainte fit reculer les trois conseillers du roi, et cette attitude alarmiste fit accourir les gardes postés à l'entrée de la salle. Toutefois, d'un signe de la main, Kelm leur imposa d'arrêter leur course. Pour lui, il était évident que si une entité ennemie était à l'origine de ce qui allait pénétrer dans cette pièce, les aptitudes à l'épée, quoiqu'indéniable, des gardes ne leur serviraient guère à protéger le roi.

Préparant mentalement ses sorts de prédilection en combat, Kelm était prêt à assumer son rôle de Paetrym. De plus, l'épée à sa taille se verrait fort utile maniée par une âme magique. Il signifia aux soldats de rester en retrait, mais prêts à intervenir en cas d'attaque.

Achevant de créer la confusion, excepté pour le Paetrym et le roi qui avaient suffisamment de maîtrise pour en masquer l'ampleur, l'intrusion s'amorça.

Des quatre coins de la salle apparut une matérialisation des quatre éléments, longeant les larges pierres du plancher. Affluant vers le centre de la pièce, du nord une lisière de Terre, du sud un couloir de Feu, de l'est un tourbillon d'Air et de l'ouest un courant d'Eau, les éléments se fusionnèrent et s'élevèrent jusqu'à atteindre deux fois une hauteur d'homme. Lorsque finalement la pièce atteignit une température créant des frissons sur la peau, le courant stoppa sa course. Devant le regard inquiet de Kelm, un portail s'ouvrit à travers ce mur d'éléments divins. Les hommes présents étaient prêts à défendre leur souverain : leurs muscles s'étaient contractés, prêts au combat.

Aucun son ne fut perceptible.

À la surprise générale, ce fut une jeune femme à la peau hâlée, vêtue d'une légère robe vert émeraude qui contrastait avec le blond de sa longue chevelure ondoyant dans son dos, qui traversa le portail.

Maëlay ne fut pas étonnée de voir les gardes qui la cernaient lentement, alors que devant ses yeux se tenait, droit et impassible, un jeune mage n'ayant pas encore atteint la trentaine et dont les changements de couleur qui envahissaient son regard indiquaient bien qu'il était préparé à un affrontement de sortilèges. Quant à lui, le roi Shoëg, rigide sur son trône, accueillit d'un sourire la nouvelle venue : pour la jeune femme, cette attitude beaucoup plus détendue manifestait la connaissance qu'avait le souverain des pouvoirs des Yrshus.

Lorsque ses pieds nus atteignirent la pierre froide de la salle, Maëlay déposa un genou au sol, tête baissée, en une simple révérence qui fit cascader sa longue chevelure d'une pâleur captivante. Tous purent entendre la douce voix s'adresser directement au souverain de Shimrae, sans qu'elle relève les yeux vers lui.

— Seigneur Shoëg Shimrae, vous semblez savoir qui je suis, et moi je connais le mal qui ronge votre royaume, annonça-t-elle.

— Je sais qui vous êtes, *Sitay*. Par contre, je ne connais pas votre nom ni celui de notre ennemi. Relevez-vous, je vous en prie, ce n'est pas à vous de vous incliner en ces lieux ! répondit le roi, ne montrant plus aucune nervosité.

Il parlait doucement à la nouvelle venue. Ainsi, à l'annonce du titre de la jeune femme, le Paetrym annula les sorts d'attaque qu'il avait préparés et intima aux gardes de les laisser seuls.

— J'anticipe vos questions, dit le roi d'une voix ferme en s'adressant à ses conseillers.

Levant la main, il leur imposa le silence, puis enchaîna :

— Je vous demande, Messieurs, de bien vouloir nous laisser seuls. Je vous contacterai bientôt, soyez sans crainte.

— Mais, monseigneur... commença Reesom Tylh, un des conseillers interpellés.

Shoëg se releva, sans prêter attention aux trois hommes, sachant très bien que s'il ne les ignorait pas, il aurait à répondre sans relâche aux questions leur brûlant les lèvres. Comment les en blâmer ?

Le roi avait une carrure imposante, dont la musculature était évidente sous ses habits noir et rouge ; couleurs du blason du royaume de Shimrae. D'un pas décidé, il se dirigea vers l'inconnue et lui prit la main. Avec douceur, il se baissa pour en embrasser le dos.

— Venez avec moi dans la salle du conseil, nous y serons mieux pour discuter, l'invita-t-il d'un ton mielleux.

Le souverain avait toujours été un homme au charisme marqué. La femme qu'il avait aimée était décédée en accouchant, bien des décennies auparavant, amenant avec elle l'enfant qu'elle avait porté. Son mariage avec Fylia n'avait pas seulement été diplomatique, les époux s'étant aimés au premier regard. Depuis son départ, il avait séduit, mais jamais aimé à nouveau, préservant à l'intérieur de son âme la douleur de cette perte, aussi présente qu'au premier jour.

Gardant la frêle main de la Sitay dans la sienne, Shoëg se dirigea vers la sortie, mais Maëlay stoppa son mouvement en posant sa main libre sur le bras du souverain.

— Monseigneur, le jeune mage devrait être présent lors de notre entretien. Son rôle sera essentiel dans les événements à venir, dit la Sitay à voix basse à l'oreille de son hôte.

D'un regard entendu, le roi se tourna vers Kelm.

— Venez aussi, Paetrym Hirms. Nous aurons à discuter longuement.

Les trois conseillers, le visage blême, ébahis, restèrent seuls dans la grande salle du trône. La conversation qui allait révéler l'avenir du royaume se ferait sans eux, et les hommes étaient, au fond d'eux-mêmes, soulagés de ne pas être au centre de cette pagaille. Néanmoins, aucun d'eux n'aurait blessé son orgueil en l'avouant…

***

Le trio de marque s'installa à l'extrémité gauche de la salle du conseil et le roi prit place au bout de la longue table de chêne massif, invitant les deux jeunes gens à s'installer de part et d'autre afin de discuter sans être dérangés. D'un simple signe de la main, il ordonna à la servante de s'approcher. Cette dernière vint s'enquérir de la requête de son souverain qui, contrairement à son humeur habituelle, semblait soucieux. Il lui parla à voix basse, et elle s'en retourna tout aussi promptement.

— Alors, Sitay, peut-être pourriez-vous me corriger, mais selon mes lectures, vous êtes la première et la seule à avoir foulé le sol de la terre de Faöws ? commença le roi Shoëg d'une voix calme. Les coudes appuyés sur la table, il croisa ses mains en une posture signifiant son écoute et son intérêt.

La principale intéressée esquissa un sourire ravi en constatant le savoir du souverain du royaume de Shimrae : cela faciliterait grandement sa tâche.

— Je n'ai pas à vous corriger. Au contraire, Monseigneur, votre connaissance vous honore ! ajouta-t-elle d'une voix charmeuse. Je me nomme Maëlay Mornëot, Sitay de l'Yrshu Lorn, Maître de l'élément de la Terre, annonça-t-elle en un simple salut de la tête.

— Je suis flatté d'être l'hôte d'une invitée de marque telle que vous, Milady, renchérit le roi. Mais mon inquiétude grandit de constater que les Yrshus eux-mêmes se voient dans l'obligation de nous prêter main-forte !

Kelm, qui n'avait ni sourcillé à l'annonce du titre de cette inconnue ni même soufflé mot depuis l'arrivée de cette dernière, choisit ce moment pour sortir de son mutisme.

— Vous nous avez dit que vous connaissez l'identité du mal qui sévit en notre royaume et qui persécute nos citoyens.

Son regard bleu perçant semblait vouloir puiser la réponse directement dans l'âme de Maëlay.

Malgré l'insistance qui émanait de cette question, la jeune femme ne put répondre puisqu'à cet instant la servante revint, les bras chargés d'un grand plateau où trônait une carafe de vin accompagnée de trois coupes de cristal. La servante n'eut pas besoin d'écouter les propos qui s'échangeaient autour de cette table pour en mesurer la gravité. Une hâte de les laisser à leur réunion lui empoigna les entrailles, alors une fois le plateau déposé sur la table à la droite du roi, elle se retira rapidement.

Shoëg reprit la parole, soutenant le regard de son Paetrym, puis celui de Maëlay.

— Avant d'écouter le récit de notre invitée, prenons à boire ! dit-il, tout en versant un vin rouge à l'arôme de baie prononcé. Je pressens que ce que nous allons entendre nous donnera suffisamment de raisons d'alléger nos âmes de ce bon vin !

— Je me ferai patient alors, renchérit Kelm. Il reconnaissait bien là son souverain, et cela ne servait à rien de signifier davantage son empressement.

Lorsque la douceur de ce vin enveloppa la gorge de Maëlay, elle ne put retenir un léger gloussement de plaisir.

— Monseigneur, je n'avais pas eu la joie de boire de ce nectar depuis bien des années, ajouta-t-elle d'un ton léger à l'attention de Shoëg.

Mais ce petit plaisir ne dura pas, son visage se durcit tout en tournant les yeux vers Kelm.

— J'ai été envoyée en votre royaume afin de vous permettre de vous préparer. Je suis mandatée par les Yrshus pour vous apprendre le nom de votre ennemi.

Elle prit une gorgée supplémentaire, déposa sa coupe sur le bois de la lourde table, puis enchaîna :

— Laissez-moi, s'il vous plaît, remonter aux origines. Vous comprendrez mieux les causes de ce qui décime les villages de votre royaume.

Sur ce, Kelm et Shoëg, d'un hochement de tête, indiquèrent à Maëlay qu'ils étaient prêts à l'écouter aussi longtemps qu'il le faudrait, et ce, sans l'interrompre.

Préparée à ce récit, elle leur parla de Kahinë Nostera et de ses origines, du moins de ce qu'elle en savait.

***

À la venue des hommes et des femmes sur la terre de Faöws, les Dieux planifièrent que le passage de leurs âmes à la fin de leur vie humaine ne serait pas du ressort des Yrshus. Le passeur, un être doté du pouvoir de recueillir l'âme des mourants, leur permettrait enfin d'accéder au repos dans le plan de Fortulgh.

Ainsi vint au monde le premier vampire : Kahinë Nostera.

Cet être fut l'élu des Dieux, et sa venue sur la terre avait été faite dans cet ultime but. Grand et fort, Kahinë avait reçu une empathie sans bornes qui lui permettait, une fois vampire, d'accompagner avec douceur les hommes et les femmes dans leur mort. Même si certains mourants honnissaient sa venue, désireux de s'attacher à cette vie qui les quittait, pour d'autres, la vue qu'il imposait par la douceur de ses traits, encadrés par une longue chevelure blonde striée d'argent, leur rappelait une icône angélique.

Les Dieux avaient pensé aux moindres détails. Tous ses mouvements étaient d'une rapidité insoupçonnée, ses sens exacerbés lui permettaient de déceler le moindre détail de la vie... et de la mort. Ses crocs, acérés, lui permettaient de savourer le goût du sang. C'était d'ailleurs par ce médium que les âmes pouvaient être prélevées et c'était pourquoi il ne pouvait se nourrir que de cela.

Les siècles passèrent et Kahinë ne pouvait plus espérer remplir la mission que les Dieux lui avaient confiée sans recevoir une aide. Trop d'âmes attendaient d'être moissonnées et les humains souffraient dans l'attente d'une mort libératrice. Alors, à sa demande, les Dieux lui permirent de donner naissance à de nouveaux vampires : en leur offrant de son propre sang d'origine occulte, il put choisir ses fils.

Plusieurs centaines d'années s'écoulèrent encore sans que l'harmonie entre le monde des vivants et celui des morts soit perturbée. Kahinë avait veillé à ce que ses sept fils d'adoption, qu'il avait choisis au fil du temps, respectent tous les préceptes d'après lesquels les Dieux avaient permis la création de leur race. Mais vint le jour où Kahinë entra dans une torpeur sans fin, laissant un deuil profond parmi les vampires de la deuxième génération. En sa mémoire, ces derniers continuèrent chaque nuit d'ouvrir le passage menant à Fortulgh, et ce, bien longtemps encore après le départ de leur père.

Avec les siècles, sur les sept qui eurent l'honneur de s'abreuver du sang de Kahinë, deux n'avaient pas décidé de sombrer dans la torpeur. Passer l'éternité à soutirer la vie à des mourants désireux de vivre malgré la souffrance ; voir la haine et la peur, et les sentir s'écouler dans la plus petite molécule de leur hémoglobine finirent par corrompre leurs âmes damnées.

Viktor Balyhn, le cadet, était un des deux survivants. Son frère aîné, dont le nom fut oublié avec les années, décida de se retirer et de vivre en ermite. Lui seul continuait de respecter le don qu'il avait reçu de Kahinë lui-même. Le dernier qu'il avait choisi pour recevoir ce don avait été, le temps de sa vie humaine, un homme simple se nourrissant de ce que la terre lui apportait. Pauvre, sans mère ni patrie, il avait accueilli la mort et l'éternité avec avidité.

Lorsqu'en prenant les âmes des mourants la haine et la terreur s'écoulaient dans la gorge de Viktor, il ne réussissait pas à laisser ces émotions s'évacuer. Pourtant, tous les autres vampires faisaient abstraction de la colère des hommes. Désirant s'attacher à cette vie qui les quittait, chacune des âmes qu'il visitait le maudissait et le haïssait. Très rares étaient les vivants souhaitant cette caresse de la mort. Néanmoins, cet état d'esprit devait quitter la terre de Faöws en même temps que leurs âmes. Viktor aurait dû comprendre le tourment des hommes et des femmes. Mais il n'essayait plus d'assimiler les raisons de leurs tourments. Tout cela ne faisait que s'accumuler en une rage qui lui torturait les entrailles.

De quel droit osaient-ils maudire sa présence, lui qui était pourtant envoyé par les Dieux !

Les siècles s'étaient succédé, mais jamais son corps n'avait flétri. La force qui avait séduit Kahinë, sa carrure imposante et son regard noir comme la nuit, tout avait été bien plus que préservé, cela avait été amplifié... tout comme sa rage.

Viktor s'abreuvait du sang des mortels avec un appétit féroce, sans fin.

Si l'homme qu'il avait été avait possédé une âme cruelle, s'imprégnant de chaque frisson d'inquiétude et de peur, maintenant qu'il était vampire, tout en lui s'était endurci. La noirceur de son regard avait fermé tout accès à son âme. Les années où il avait accumulé la rage et la haine qu'éprouvaient les hommes au moment de mourir firent de Viktor le premier vampire désirant s'affranchir de sa tâche. Sa fureur devint peu à peu sa raison de vivre, et chaque vampire qu'il créa reçut en son corps ce désir de tuer.

Maëlay se tut sur ces mots. Le silence résonnait dans la grande pièce sous les regards inquiets du roi et de son Paetrym.

Chapitre 3

La pièce était complètement dans la pénombre, aucun son ne venait troubler la quiétude qui régnait en ce lieu. Il aurait pu entendre battre son cœur au fond de sa poitrine... s'il en avait possédé un.

— Entre !

Viktor pouvait sentir la présence de Lamellya Nevyll. Elle avait été la première à goûter de son sang. Il se souvenait encore de cette crinière rousse collée contre sa peau moite après qu'ils eurent fait l'amour, et elle l'avait fait en sachant ce qu'il était... Au point culminant de la jouissance de son amante, Viktor avait plongé ses crocs dans sa jugulaire, créant dans l'esprit de Lamellya une confusion fusionnant la mort et l'orgasme. Ce qu'il ressentait pour elle, était-ce cela l'amour ?

La porte s'ouvrit pour laisser passer une femme élancée. Ses longs cheveux roux semblaient flamboyer sur une peau si blanche qu'elle pouvait sembler translucide. Lamellya se mouvait avec la grâce habituelle des vampires. Roulant les hanches tel un félin, elle faisait ondoyer sa robe de satin lavande.

Elle était belle. Son regard vert perçant et meurtrier, elle le riva aux yeux de son amant.

Viktor déposa le livre qu'il était en train d'étudier et recula sa chaise, laissant la belle s'asseoir sur ses genoux. En un seul mouvement, elle était confortablement lovée contre lui, ses lèvres épousant déjà celles du vampire. Malgré tous les hommes et tous les vampires qu'elle avait connus depuis sa transformation, c'était au creux des bras de son mentor qu'elle pouvait réellement sentir toute la puissance qui coulait dans ses propres veines.

— Les préparatifs évoluent rapidement ! lui annonça-t-elle.

— Nos rangs continuent de se gonfler? demanda-t-il.

— Oui, nous sélectionnons les humains les plus perfides, ceux ayant déjà le goût du sang, ajouta-t-elle, se passant sensuellement la langue sur ses canines.

De son pouce, il caressa les lèvres de Lamellya, rougies par l'intensité de leur baiser. Avec elle à la tête d'une partie de ses troupes, il était confiant. Il avait réussi à lui transmettre, de manière plus intense qu'aux autres vampires, sa haine pour la race humaine.

Elle se releva lentement et se dirigea vers la seule fenêtre de la pièce afin de ramasser le lourd rideau sur le côté, permettant ainsi à la faible lueur de la lune de transpercer la noirceur ambiante. Lamellya se retourna, un large sourire de fierté laissait voir ses crocs. Elle renchérit, voyant que Viktor était désireux d'informations.

— De surcroît, nous avons maintenant quelques mages devenus vampires; leurs pouvoirs nous seront grandement utiles. J'ai autorisé la construction d'un atelier réservé à leurs expérimentations, dans l'aile sud du château, lui annonça-t-elle.

— C'est l'emplacement idéal, cette partie du château étant moins fréquentée. Si cela tourne mal pour eux, cela ne mettra pas en péril l'ensemble de la garnison, ajouta-t-il avec sarcasme, car en vérité il ne se souciait guère de ces novices.

Viktor se leva et rejoignit sa protégée pour regarder par la fenêtre. Il admirait, çà et là, bon nombre de vampires: son armée! Tous s'affairaient à partir à la chasse. La faim les tenaillait, l'appel du sang frémissait dans chacune des fibres de leur corps.

— Je ressens leur soif… et la tienne, Lamellya. Chassons ensemble cette nuit.

D'une main, il écarta délicatement les cheveux de feu de sa compagne pour caresser du bout des lèvres la fine musculature de son cou, là où jadis il avait pris soin de lui soutirer la vie. Il engendra par cette marque d'affection un frisson de désir, qui traversa le corps de Lamellya.

Les deux amants partirent donc tuer, pas seulement dans le but d'assouvir leur soif, mais pour calmer la pulsion meurtrière qui les tenaillait. Comme ils l'avaient toujours fait quand ils chassaient ensemble, ils trouvèrent la proie favorite de Lamellya : une jeune femme à peine entrée dans l'âge adulte. La pauvre se trouvait malheureusement éloignée de la maison de ses parents. Bientôt en âge de se marier, elle était plutôt jolie avec ses longs cheveux blonds qui lui flattaient les hanches, et sa peau était encore chaude du soleil maintenant couché. Après avoir veillé à ce que les enclos soient adéquatement verrouillés, la jeune fermière décida d'aller se rafraîchir rapidement au ruisseau non loin de la limite sud des terres familiales.

Ce fut trop tard qu'elle sentit une présence se glisser derrière elle. L'image qui s'imposa à elle en ce moment de pure panique fut une cascade de cheveux tel un ravage de flammes encadrant un sourire meurtrier. Elle eut beau pleurer, hurler, leur parler de son fiancé, rien n'y fit. Ils burent autant son sang que ses larmes. Chacun d'eux lui soutira la vie sans se soucier de l'avenir qu'elle aurait pu avoir. Son âme tourmentée alla rejoindre Fortulgh, mais son repos resterait troublé dans l'attente que sa mort soit vengée, comme tant d'autres maintenant en ce monde.

Cette jeune femme était belle, et tant Viktor que Lamellya raffolaient de ce type de proie. Les deux amants laissèrent tomber le corps inerte, qui s'effondra telle une poche de semailles sans aucun tonus. Ils échangèrent un baiser de sang. Si leur soif était temporairement assouvie, leur passion en était redoublée. Leurs corps ainsi fusionnés, le sang de la pauvre fermière tachant toujours leurs lèvres exacerbait leurs pulsions. La nuit était jeune, ils auraient tout le temps de vaquer aux tâches de préparation qui occupaient toutes leurs nuits. L'amour de la guerre qui se préparait était pour eux une passion contagieuse.

Viktor laissa sa protégée profiter du reste de cette nuit fraîche. Il préféra retourner au château, tandis que la vampire le quitta pour chasser dans les villages environnants. Viktor ne la quitta pas des yeux, le voilage lilas qui flottait sur le haut de son corps lui donnait un air angélique. Un ange de la mort ! se dit-il tout en se dirigeant vers sa demeure.

Force était d'admettre que le vampire était troublé, ce qui était très rare ! Voilà maintenant quelques nuits qu'il avait ressenti une nouvelle force magique dans le royaume de Shimrae. Sans se soucier de qui que ce soit, il se rendit rapidement dans son sanctuaire.

La large pièce était séparée par un mur de pierre ouvert à ses deux extrémités. Malgré son don de nyctalope, Viktor préférait allumer quelques bougies, laissant la lueur des chandelles se refléter sur les différents ornements d'or : chandeliers, statues et mobiliers. Avec les siècles, le vampire avait pris goût à l'opulence.

De l'autre côté du mur, un bassin creusé dans la pierre était rempli d'une eau chaude et parfumée, le tout préparé à sa demande. Sans attendre, il retira ses vêtements faits d'un tissu riche et léger, qu'il plia avec soin avant d'immerger son corps musclé dans le bassin d'où s'échappait une douce vapeur odorante. Le vampire ne désirait pas seulement se nettoyer des traces de la dernière chasse, mais se libérer l'esprit et dénouer son corps.

Viktor profitait de ces moments de quiétude. Habituellement, il utilisait ses nuits à commander ses troupes et à veiller à l'augmentation de ses effectifs aussi bien qu'à la conversion des esprits mages à sa cause. Mais, pour le moment, *j'ai besoin d'obtenir les réponses à mes questions, et seuls mes sens de vampire me permettront d'y arriver*, pensa-t-il.

Le bassin était éclairé uniquement par le doux reflet des bougies allumées. Viktor n'avait pas l'intention de s'y attarder. Dès qu'il jugea son esprit suffisamment reposé, il sortit de l'eau, laissant la froideur de la pièce mordre sa peau rougie par la chaleur. Il préféra laisser son corps subir le choc du changement de température, n'enfilant qu'un pantalon noir qui retomba sur le bas de ses hanches. Au centre de son sanctuaire reposait un fin coussin de velours noir ; il s'y agenouilla, gardant son dos aussi droit que le plus fort des chênes.

Viktor laissa son esprit parcourir le royaume. Après plusieurs nuits à tenter de retrouver l'épicentre de ce changement dans l'essence de la magie, il comptait ce soir percer la barrière magique qui entourait le château du roi Shoëg : il avait récemment localisé le lieu où se cachait ce qu'il cherchait.

C'est uniquement après plusieurs heures qu'il trouva enfin une faille, très infime. Il n'eut que quelques secondes, mais enfin la réponse fut claire en lui.

— Une Sitay ! Voilà donc la réponse des Dieux... S'ils me sous-estiment au point de m'envoyer une Sitay, la guerre sera un réel plaisir !

Viktor jubilait. Bien qu'aucune guerre ne puisse être jugée gagnée à l'avance, le résultat de ses intrusions laissa son esprit plus léger. Si la Sitay se doutait de ses recherches mentales, qu'importe, puisqu'elle recevrait encore ses visites nocturnes. Il devait en apprendre plus sur cette nouvelle ennemie.

Le vampire se leva et alla sur le balcon de sa suite, satisfait de cette nuit. La fraîcheur qui se dégageait de la pierre pénétrait dans sa chair telle une morsure. Mais cette tranquillité fut de courte durée : il sentit le retour de Lamellya. En se retournant, il s'adossa au rebord du muret qui surplombait les trois étages menant à la grande cour intérieure, d'où s'élevait le son du fin ruisseau qui la traversait. Assurément, cette nuit semble vouloir être parfaite, se dit-il.

Dès que Lamellya pénétra dans ses appartements, son odeur vanillée vint caresser le nez de Viktor. Sa peau avait retrouvé une teinte légèrement rosée, signe qu'elle s'était suffisamment rassasiée pour ce soir. Néanmoins, ses traits brûlaient d'un appétit profond, tandis que son pas chaloupé la rapprochait de Viktor.

La vampire avait troqué ses vêtements de chasse pour une fine lingerie de dentelle parsemée d'améthystes. De simples ficelles sur ses épaules maintenaient le savant voilage sur son corps et chaque roulement de hanches faisait scintiller les éclats lavandins. Viktor se délectait de la vue que cette dentelle laissait entrevoir de ses pâles mamelons. Toute sa peau lactée semblait brûler d'une flamme qu'irradiait l'ondoyante chevelure rousse se déployant dans son dos. Il se dit intérieurement que cette vampire était vraiment magnifique.

Il la laissa donc s'approcher langoureusement, ne se contentant que de la fixer, implacablement. Le vampire savait qu'il n'avait nul besoin d'attiser l'appétit qui émanait de son amante. Plus son expression restait de marbre, plus Lamellya en ricanait de plaisir. Alors, sans un mot ni une invitation, cette dernière vint planter ses lèvres contre celles de Viktor, qui ne manifesta aucune réaction lorsqu'il sentit sa langue le caresser. Lentement, il glissa sa paume vers la nuque de Lamellya et d'une main ferme il agrippa ses cheveux, lui renversant la tête vers l'arrière.

Son regard sombre rivé dans les yeux émeraude qui pétillaient devant lui, il esquissa un sourire dominant, le désir montant en pulsion dans son corps. Viktor répondit enfin aux avances et posséda durement la bouche qui s'offrait à lui. Contenir ses pulsions de chasseresse provoquait un combat intérieur chez la vampire, ce qui accentuait le désir de Viktor : il sentait de légers frissons tressaillir sur sa fine musculature.

Avec un mouvement d'une souplesse unique aux vampires de son âge, le frêle corps de son amante se retrouva appuyé contre le muret, exactement où il s'appuyait une fraction de seconde auparavant. Il maintenait fermement le bassin de Lamellya plaqué contre la pierre, sans toutefois libérer sa nuque de son emprise. Il fit basculer tout le haut de son corps dans le vide, la toisant d'un regard malicieux.

Loin de ressentir de l'effroi à se retrouver ainsi perchée dans la nuit, Lamellya savourait la brise qui caressait sa peau pratiquement nue et son regard brillait de provocation. Bien que la tenue de son amante serve sa beauté à la perfection, Viktor brisa les délicates bretelles et laissa tomber la lingerie jusqu'aux hanches de la vampire, toujours plaquée contre la pierre froide. Elle en profita pour repousser à son tour le tissu noir qui recouvrait son maître.

De sa bouche, Viktor effleura la peau parfumée qui s'offrait à lui ; il sentait bouillir de désir le sang d'emprunt qui coulait dans la jugulaire de Lamellya. Sa main glissa jusqu'à la gorge tendue et l'empoignant, il la caressa de son pouce tandis que ses lèvres continuèrent leur chemin.

Lamellya laissa échapper un long gémissement de supplication lorsqu'elle sentit la langue de Viktor dessiner le contour de son mamelon gauche, d'où le sang affluait sous l'excitation. Le gémissement haletant se métamorphosa en jouissance lorsque les canines du vampire percèrent son sein, laissant ainsi le sang chaud couler dans sa bouche. Lamellya se cabra violemment, s'agrippant au dos musclé de Viktor. Ce dernier relâcha son emprise afin de savourer la vue du sang qui perlait doucement sur la courbure du sein et lécha la peau d'ivoire tachée. Rivant son regard à celui de son amante, il se recula légèrement. Là où quelques secondes auparavant le sang avait perlé, il n'y avait plus aucune meurtrissure détectable, et ce, même pour sa vue acérée. La vitesse de guérison de Lamellya l'avait toujours stupéfait. Son don pouvait presque rivaliser avec ses propres capacités.

S'agenouillant devant elle, Viktor fit tomber la dentelle qui ornait toujours ses hanches et reprit le même manège. Il savoura une fois de plus le sang chaud qui coulait dans le corps de Lamellya, et lorsque sa morsure trouva la tendre chair à l'intérieur des cuisses de son amante, il put ressentir les soubresauts qui envahissaient son corps. La vampire sombrait lentement vers la jouissance lorsque la bouche de Viktor l'attira sauvagement contre ses lèvres.

Sous la pâle lumière du reflet de la lune, le vampire souleva doucement son corps afin de l'asseoir directement sur le muret. Son regard endurci par le désir obligea les yeux de Lamellya à se souder aux siens. Ses puissantes mains agrippées à la naissance de la courbe de ses fesses, Viktor plongea durement en elle, lui arrachant un cri de plaisir.

— Viktor ! hurla-t-elle, haletante. Rapidement, elle sentit ses muscles se crisper une dernière fois avant de retomber mollement au creux des bras de son amant.

— Je n'en ai pas terminé avec toi, ma chère, lui gronda-t-il à l'oreille.

Il franchit sans aucune gêne la distance qui les menait jusqu'à son lit, et chacun de ses pas soutirait un gémissement de plaisir de la gorge de la vampire, que Viktor n'avait nulle intention de libérer de son emprise. Sentant la respiration de son amante s'accélérer contre son torse, il la déposa lourdement sur le lit. Ensemble, ils reprirent leur danse, ondulant leurs corps sur le même rythme, jusqu'à ce que Viktor l'entraîne dans sa propre jouissance, plongeant sa morsure directement à son cou. Épuisés et repus, les deux vampires profitèrent des dernières heures de la nuit pour savourer, enlacés, la caresse de la brise fraîche. Le vampire reporta momentanément ses pensées vers la Sitay...

— Cette nuit répond à mes attentes, murmura Viktor d'une voix grave, ne laissant pas présager à Lamellya qu'il faisait principalement allusion à une autre femme qui lui avait malencontreusement laissé pénétrer ses pensées...

***

Plusieurs jours s'étaient écoulés depuis la venue de Maëlay, et Kelm semblait maintenant plus sombre que jamais.

— Des vampires ! Kelm parla à voix haute, lançant son dos contre le dossier de la chaise.

Seul dans cette immense bibliothèque, il en profitait pour parfaire ses recherches. Le Paetrym n'était pas le type d'homme à se lancer tête baissée dans la bataille... et surtout sans savoir contre qui ils auraient à se battre ! Tous avaient déjà entendu des légendes sur les vampires et des histoires plus horribles les unes que les autres, mais qu'en était-il de la véracité de ces récits ?

Voilà ce qu'il devait trouver : comment les exterminer ! Mais où trouver la réponse dans ces méandres de fantastique ? Il s'accorda enfin une pause après de longues heures à user tant ses yeux que son âme à tenter de lire à la lueur des chandelles. Seuls les plus vieux livres relataient diverses découvertes à propos de ces créatures de la nuit. Des montagnes de livres bordés d'or abîmés par le temps alourdissaient la longue table où il s'était installé. À dire vrai, cela faisait déjà plus d'une journée qu'il se concentrait sur les moindres détails que les anciens de ce monde leur avaient légués dans l'encre noire de ces pages.

Poussant un long soupir, Kelm se cala une fois de plus contre le dossier de sa lourde chaise tout en se passant les mains sur le visage, tentant en vain de relâcher ses muscles tendus. L'odeur du vieux papier tissé, de l'encre qui en suintait, mêlée à l'âcreté de la cire qui fondait lentement jusqu'à venir se figer sur le bois rugueux de la table, ces exhalaisons rehaussées par la fatigue et l'appréhension lui causaient à présent quelques étourdissements, lui qui habituellement adorait l'amalgame de ces fumets.

À voix basse, il chercha à éveiller en lui les réponses. Comment vaincre des êtres dont la célérité dépasse tout ce que nous avons jamais vu ? Dont la soif de sang et de mort est comparable à celle de loups affamés, et ce, tout en gardant l'apparence des hommes et des femmes ! se demanda-t-il.

— Pour l'œil attentif, ils sont facilement reconnaissables !

Ce fut la douce voix de Maëlay qui fit sursauter Kelm. Pour peu, il aurait lancé sa chaise à la renverse.

Kelm ne savait pas ce qui le dérangeait le plus : de s'être fait surprendre, ou l'étrange sensation de bien-être qui l'envahissait dès qu'il se retrouvait en présence de la Sitay. Se ressaisissant, Kelm indiqua à Maëlay de prendre place en face de lui. Il dut rapidement mettre un peu d'ordre en repoussant deux piles de livres. Il aurait fait preuve de manque de tact s'il n'avait pas libéré l'espace, tant la table se trouvait encombrée.

— Pardonnez-moi, Paetrym, il n'était pas dans mon intention de vous surprendre.

Maëlay était charmeuse et son sourire trahissait la douce malice qui l'habitait.

Le mage n'était pas friand de discussions superflues, et d'ailleurs il sentait la fatigue s'insinuer dans toutes les fibres de son corps. Alors, il préféra plonger dans le vif du sujet.

— Pouvez-vous m'éclairer sur vos connaissances à propos des vampires ?

— Je vous dirais bien que c'est avec plaisir que je vous viens en aide. Mais compte tenu des circonstances, je ferai tout ce qui est en mon pouvoir pour alléger votre fardeau, l'informa-t-elle, réfléchissant aux informations à lui transmettre.

Fidèle à ses prédécesseurs, Kelm avait déjà accumulé bonne quantité de notes concernant les ennemis du royaume, et les révélations de Maëlay allaient s'y trouver également. S'il lui arrivait quoi que ce soit durant les batailles à venir, il serait assuré que son peuple pourrait mettre au point des stratégies en toute connaissance de cause. À la pénombre que laissaient les chandelles éparses dans la pièce, la Sitay semblait plus sérieuse que jamais. Elle savait que ses interventions dans le royaume de Shimrae étaient limitées.

— Kelm, nous verrons bien assez tôt de ces êtres maudits. Bien que leurs âmes mortelles les aient quittés, ils n'en demeurent pas moins d'apparence humaine, lui confirma-t-elle d'un regard lourd.

— Alors, comment voir la différence... savoir si l'ombre qui nous couvrira sera celle d'un homme ou d'un vampire ?

Maëlay se pencha en avant tout en prenant appui sur ses coudes, si bien que la flamme des chandelles donnait une lueur d'or tant à sa peau qu'à ses cheveux.

— Pour commencer, Paetrym Hirms, si un vampire s'approche de vous, il n'y aura aucune ombre pour vous avertir de sa présence, murmura Maëlay, qui malgré la féminité de sa voix paraissait menaçante dans ses propos.

Ce furent les sourcils froncés de Kelm qui donnèrent le signal à la Sitay de continuer ses explications. Il était évident que, dans l'esprit du jeune mage, tout ce qui était de matière physique se devait d'interagir avec la lumière, alors avant de protester il désirait en entendre davantage.

— Comme vous le savez maintenant, les vampires sont des êtres créés pour la nuit. Leur corps est composé d'ombres ; ils les absorbent comme ils absorbent la vie et le sang des hommes et des femmes ! Si par chance... ou par malheur, ils ne vous tuaient pas et que vous croisiez leur regard, vous pourriez remarquer que le blanc de leurs yeux semble luire dans la pénombre. Même leurs ongles sont d'une blancheur immaculée. À croire que les Dieux, au moment de la création de ces êtres de mort, ont voulu leur offrir un minimum de clarté... Toutes divinités qu'ils soient, auraient-ils pu concevoir que le mal grandirait au cœur d'un enfant de Kahinë ?

Maëlay marqua une pause, car si Kelm assimilait toutes ces informations à bonne vitesse, elle désirait lui laisser le temps de mettre de l'ordre dans ses notes. Ce fut lui qui enchaîna, relisant ce qu'il venait d'écrire, l'indiquant à Maëlay de par la caresse de son index sur le papier fraîchement marqué par l'encre noire.

— Et c'est sans compter sur l'éclatant blanc de leur dentition... caractérisée par des canines allongées et meurtrières !

Ce fut plus fort qu'elle, la Sitay sourit jusqu'à en laisser voir sa propre dentition qui semblait elle aussi immaculée en cette nuit, à la lueur des chandelles.

— Je n'aurais mieux dit, Paetrym ! dit Maëlay d'un ton plus léger. Pour les avoir observés depuis le plan d'Ysandrell, je peux vous affirmer que les plus « jeunes » vampires, c'est-à-dire ceux dont la transformation est plus récente, ont des mouvements faits d'un étrange amalgame de souplesse et de saccadé. La vitesse et la célérité nouvellement acquises pourraient déstabiliser certains d'entre eux, continua la Sitay.

— Tant de pouvoirs acquis en une période de temps si courte... S'ils sont envoyés en mission aussi promptement, ils seront plus aisément détectables, comprit-il.

— Vous avez vu juste, Kelm, mais ce sont les seules marques de distinction que le commun des mortels pourra apercevoir. Par contre, les êtres dotés de dons tels que les vôtres devront se fier à leur instinct ! À la première rencontre avec l'un d'eux, vous comprendrez.

Le silence qui s'installa bien involontairement indiquait qu'ils étaient tous les deux perdus dans leurs pensées. La voix chargée d'épuisement, Kelm le rompit. Le mage désirait clore cette discussion : l'un comme l'autre avaient besoin de repos. Il sentait bien qu'ils avaient atteint leur seuil de fatigue pour la journée, et le matin arriverait bien assez tôt !

— Je crois savoir que le roi Shoëg vous a fait préparer un banshal à votre disposition. Est-ce que tout est à votre convenance ? demanda Kelm, ressentant toujours ce malaise au creux de ses entrailles.

— Oui, je vous remercie. Je dois avouer que je ne m'attendais pas à tant de gratitude ! répondit-elle.

Maëlay eut l'air franchement ravie de la question et elle envoya à son interlocuteur un léger sourire de reconnaissance pour alléger l'atmosphère. C'est d'ailleurs elle qui, en se levant et en l'invitant à l'accompagner pour marcher vers les banshals, continua sur ce sujet.

— Puisque je suis présente en votre royaume pendant ces temps de guerre, et ce, uniquement afin de préparer la venue de l'aide fournie par les Dieux eux-mêmes, je vous avouerai que ma préparation va jusqu'à son lieu de travail et de repos, l'informa la femme sans âge.

— Je dois confesser que tout cela me dépasse un peu : étant Paetrym, l'existence des Dieux est quelque chose de concret pour moi, ayant été choisi à la naissance pour catalyser leurs énergies.

Marquant une légère pause, tout en laissant une lente cadence diriger ses pas, il enchaîna :

— Les écrits relatifs aux Sitays sont extrêmement rares, au point qu'il devenait difficile de ne pas croire à des légendes. Et finalement, je me retrouve avec vous à planifier une guerre qu'une autre Sitay devra mener. Alors, en quoi consistent les aménagements pour la venue de cette dernière ? demanda-t-il, visiblement curieux.

Maëlay s'arrêta de marcher, puis s'adossa à la pierre froide du corridor éclairé par de lourds flambeaux de fer. Kelm comprit qu'ils étaient arrivés à son banshal.

— À cette guerre, je ne pourrai prendre part. Ma tâche ici est très limitée, cela contre ma propre volonté. Néanmoins, certains gestes vont au-delà des informations que je peux vous fournir sur les ennemis à vaincre. Préparer la venue de la prochaine Sitay est essentiel !

La Sitay de la Terre avait dit ces derniers mots avec tant de conviction que Kelm leva un sourcil, l'invitant à continuer ses explications.

— Sa venue sera pour elle un événement troublant. Sachez que si, pour vous, il peut être superflu de préparer jusqu'à son banshal, lui permettre de se sentir à son aise la mettra dans les dispositions mentales favorables pour apprendre ce que vous aurez besoin de lui enseigner. Le monde d'où viendra cette femme est à des lieues de celui-ci. Son dépaysement pourrait la mener au bord de la folie !

— Pardonnez-moi, je ne voulais pas sous-entendre que vos interventions n'étaient pas justifiées.

Kelm sentit qu'il était allé trop loin, et pourtant, il ne devait pas en être surpris, car il n'avait eu de cesse de tout remettre en question, au grand découragement de son maître Paetrym lors de son apprentissage.

— Continuez de toujours tout questionner ! Cela fait partie de l'essence même de votre rôle de Paetrym. Ainsi, vous apprendrez et vous évoluerez.

Maëlay se mit sur la pointe des pieds et s'étira pour déposer un baiser sur le front de Kelm, tout en replaçant une de ses mèches de cheveux.

La Sitay lisait en lui tel un livre ouvert. Cette faculté lui venait de ses dons, et s'il l'avait su, le jeune mage n'aurait pas eu la même attitude envers elle, Maëlay le savait. Ce dernier ressentait une attirance pour cette femme, dont la beauté le laissait sans voix. Malgré cela, une réticence qu'il ne comprenait pas le maintenait dans le désarroi. Par le geste que la Sitay venait de poser, il décela une affection plutôt maternelle. Comment réagir à cela, lui qui brûlait d'envie de souder ses lèvres aux siennes ? Il décida d'enfouir en lui-même ces émotions, cette femme semblait le deviner avec tellement de clairvoyance ! Réfléchissant aux événements à venir, il n'avait certainement pas le temps pour l'amour dans sa vie, et encore moins avec une Sitay qui affirmait n'être que de passage en ce monde, mais ses émotions étaient plus fortes que sa volonté.

Il inclina la tête en signe de remerciement.

— Merci, Sitay Mornëot, dormez bien.

Kelm tourna les talons, la perplexité au ventre, laissant là Sitay de la Terre à l'entrée de son banshal. Elle affichait le sourire de celle qui en sait plus long que ce qu'elle laisse paraître.

Chapitre 4

Près de trois semaines s'étaient écoulées depuis que le maelström des quatre éléments avait secoué la cour du roi Shoëg. Maëlay s'était affairée à donner les maigres informations qu'elle pouvait leur offrir. Elle aurait tant aimé pouvoir fournir plus de détails afin de préparer l'armée de braves qui affronterait les vampires qui déferleraient bientôt sur le royaume de Shimrae.

Assise sur l'unique banc d'un parc depuis longtemps déserté, elle méditait sur les derniers événements. Caché entre quatre murs de pierre de l'aile ouest du château, ce lieu avait été l'endroit de prédilection de la reine Fylia. Lorsque cette dernière avait porté l'enfant du roi, elle y était restée des heures sous les chauds rayons du soleil. Depuis son décès, les gens de la cour n'y venaient plus, bien que les jardiniers eussent continué, en sa mémoire, à maintenir le parc en état. Malgré tout, avec les années, les fleurs se firent moins nombreuses.

Maëlay en avait beaucoup appris lors de ses longues discussions avec la femme de chambre qui s'occupait d'elle : Merryl Lorywann. La Sitay ayant elle-même connu l'amour et les pertes dans sa vie de mortelle, elle ne connaissait que trop bien la douleur qui gardait une flamme vive dans le cœur du roi.

Désirant approfondir sa méditation, Maëlay se leva et s'adossa à un gros chêne. Grâce à son élément, elle pouvait communiquer avec Lorn. De longues racines sortirent du sol pour venir s'enrouler autour de son corps, froissant légèrement sa robe vert émeraude. Même si elle semblait prisonnière de ces liens, c'était en fait le contraire : Maëlay se sentait en parfaite harmonie. Comme chaque fois qu'elle désirait se recueillir de la sorte, une brume portant une odeur florale de muguet enveloppa ses sens, et lorsqu'elle ouvrit à nouveau les yeux, les lieux lui étaient familiers. Cette forêt tissée à l'image de la passion qui l'unissait à son Yrshu était la luxuriance même. Les feuilles des vignes créaient un véritable sanctuaire où les murs de végétation étaient parsemés de fleurs mariant divers tons d'orangés et offrant une brise sucrée.

Lorn l'attendait dans la position du lotus qui exprimait sa propre concentration. Son silence l'invitait à prendre place face à lui. Ils devaient discuter : les jours de Maëlay en ce royaume s'écoulaient rapidement.

— Maëlay, les préparations avancent bien !

Une quiétude l'envahit, comme chaque fois qu'elle se trouvait en présence de son Yrshu.

— Le royaume est prêt pour la venue de la Sitay de Cyrm. Tous les préparatifs afin de faciliter son intrusion tirent à leur fin, l'informa-t-elle.

Elle marqua un silence, remettant de l'ordre dans ses idées. La présence de Lorn lui manquait et elle espérait que son retour auprès de lui marquerait la réussite de sa mission, alors elle enchaîna :

— Lorn, j'aurais aimé apporter plus de réponses à leurs questions ! Je ne suis pas sans savoir que mon combat a eu lieu il y a maintenant bien des décennies, mais la sensation d'impuissance refuse de me quitter.

— Les raisons pour lesquelles nous t'avons insérée dans ce monde s'achèvent, énonça l'Yrshu comme une évidence qu'elle se devait d'accepter. *Mi sayl*, nous savons tous deux que le moment approche. Maintenant, il n'en revient qu'à toi d'entamer les connexions mentales permettant de devancer l'intrusion de la Sitay de Cyrm.

— J'arriverai aisément à établir la liaison psychique avec elle, *mi suyl*, mais jusqu'où dois-je l'éclairer à propos de son intrusion imminente sur la terre de Faöws ? l'interrogea-t-elle. Son regard persistait à capturer les yeux de son aimé, d'un gris strié de vert.

— Je suis conscient que ta propre intrusion reste floue et il doit en être ainsi ! Avant de me rejoindre, tu as eu la chance de vivre tes deux vies de mortelle ; malheureusement, la Sitay de Feu n'aura pas cette possibilité. Nous devons bousculer les étapes de ses deux vies et pour moins, certains sombreraient dans la folie. Ce qu'il te reste à effectuer est la partie la plus délicate de ta mission.

Lorn savait bien que Maëlay était consciente des enjeux, mais il vint lentement s'agenouiller devant elle, posant une main sur sa joue. Avec douceur, il ajouta :

— Si elle devait recevoir trop d'informations à assimiler, elle risque de se déconnecter de la réalité et le temps d'y remédier, il serait trop tard pour les gens du royaume de Shimrae.

Maëlay prit la main de Lorn et l'enveloppa de ses paumes.

— J'investirai alors son sommeil afin de l'habituer à ma présence. Nous avions raison de proposer ma présence au conseil des Yrshus. Je suis la mieux placée pour préparer ma jeune sœur grâce à ce que j'ai vécu.

Lorn se releva tout en laissant sa main au creux de la douce poigne de sa Sitay, l'invitant à reprendre appui sur ses jambes.

La brise parfumée qui s'éleva du même mouvement vint s'enrouler dans la robe émeraude de Maëlay ainsi que dans ses cheveux d'une blancheur surnaturelle. Lorn ne se fatiguait jamais de sentir les si légers contacts provoqués par la nature, qui portait jusqu'à lui la douce odeur de muguet qui émanait en permanence de sa Sitay.

— N'oublie jamais que j'ai toute confiance en ton jugement et en tes capacités, *mi sayl*, lui dit-il de sa voix douce et profonde.

Une brume se leva, annonçant son départ, alors il continua :

— Quand tu seras prête à venir me rejoindre dans le plan d'Ysandrell, je serai là.

Signant son départ, désireux d'insuffler son énergie à sa Sitay, il cueillit ses lèvres avec ivresse.

Lorsque Maëlay sentit s'effacer la pression de la bouche de Lorn et disparaître la caresse de ses mains, ses yeux s'ouvrirent sur le parc intérieur du château. Loin de s'attrister de cette séparation, elle fut soulagée de sentir l'angoisse qui l'avait poussée à venir méditer la quitter enfin.

En un bruissement de satin, les racines quittèrent lentement le corps de la jeune femme et bien que libérée, elle resta quelques minutes encore à profiter de la quiétude qu'offraient les chauds rayons du soleil. Les suites de sa tâche étaient claires, et elle commencerait dès lors à investir les rêves de sa jeune sœur. Il me faudra être d'une douceur calculée afin de ne point nuire à sa santé, se dit-elle.

Nuit après nuit, Maëlay se concentra longuement, créant des intrusions dans l'esprit d'Olivia. Malheureusement, pendant ces instants où son âme traversait les mondes, la Sitay de la Terre était vulnérable et le vampire en profitait.

La Sitay sentait les tentatives d'intrusions de Viktor dans ses pensées, mais elle ne pouvait protéger sa sœur en même temps qu'elle-même. Ce qui devait arriver arriva et Viktor finit par comprendre qui elle était. Peu lui importait, sa vie sur le monde de Faöws se terminerait bientôt. Olivia, elle, devait être en sécurité, et sa venue, une surprise pour leurs ennemis.

***

Une odeur florale voguait dans l'air, comme bercée par la brume qui enveloppait délicatement la forêt. Léger, mais perceptible, le bruit du froissement du feuillage des arbres se fit entendre dans son dos. Olivia se retourna lentement.

Au milieu des larges et majestueux troncs d'arbres, tous trop parfaits pour qu'il s'agisse d'une forêt naturelle, elle aperçut un long ruban d'un vert riche et profond, flottant au rythme d'une brise. Olivia s'approcha en laissant la quiétude de cet endroit la gagner entièrement. Subjuguée, elle sentait à peine la rosée qui perlait sur sa peau.

Elle n'eut pas à parcourir une grande distance que maintenant plusieurs rubans ondulaient dans l'air, paraissant n'avoir ni début ni fin, comme si la soie, en contournant les arbres, caressait leur écorce. Aucun son ne parvenait à ses oreilles, le bruit et les mots ne semblaient pas avoir leur place dans ce lieu, mais elle sentait bel et bien une présence, aussi clairement que la chair de poule qui apparaissait sur sa peau. Plus Olivia s'y enfonçait, plus la forêt semblait s'emplir de cette soie verte, dont la couleur était encore plus vive que le port des arbres. On dirait une immense toile d'araignée, se dit-elle. Cet enchevêtrement dont le centre demeurait toujours caché à sa vue l'appelait immanquablement à elle. Olivia se sentait attirée, ses pas la faisant contourner les arbres. Les gouttelettes de rosée avaient déjà humidifié sa légère chemise de nuit rouge qui lui collait à la peau.

Devant elle, les arbres semblaient la laisser passer, comme mus par une force au-delà de sa compréhension. Enfin, elle fut stupéfaite en voyant le centre de cette toile de soie : c'était une femme ! Elle n'aurait pu dire si cette dernière contrôlait les rubans ou si elle en était prisonnière.

Sous les yeux d'Olivia, seuls ces rubans de soie recouvraient son corps, se mouvant avec une sensualité incongrue et menaçant à chaque ondoiement de la laisser nue. Cette pudeur verte paraissait la soutenir, laissant son corps flotter au-dessus du sol. La couleur vive des tissus enlaçait sa peau d'un brun hâlé qui contrastait avec la pâleur de ses cheveux ; si pâles que le soleil perçant la cime des arbres leur donnait un effet de blancheur.

Olivia en eut le souffle coupé. Elle avait l'impression de se voir elle-même ! Non pas comme le reflet d'un miroir, car si cette femme avait ses traits, Olivia avait une peau d'ivoire. Cette inconnue avait elle aussi les cheveux longs jusqu'au creux des reins, et c'est à cet instant qu'Olivia fut surprise en constatant que sa propre chevelure avait retrouvé sa couleur marron d'origine.

Leurs regards se croisèrent enfin. Olivia sentit son âme prisonnière et perçut à ce moment dans les yeux gris parsemés de vert une flamme de vie y éclairer les traits de son visage. C'est à ce moment que tout se figea : l'air autour d'elle, la soie, ses mouvements, tout se trouva en suspens.

— Olivia, tu dois t'accrocher encore un peu... toi et moi ne sommes pas prêtes ! dit la voix, si douce, presque maternelle, qui résonnait au creux de sa tête.

Bien qu'aucun son ne parvînt à franchir ses lèvres, étrangement Olivia sut que cette femme entendrait sa réponse.

— Nous ne sommes pas prêtes pour quoi ? demanda-t-elle.

— Pour ton intrusion.

— *Mon* intrusion ? Pourriez-vous être plus claire ?

Olivia restait d'un calme qui la sidérait. À croire qu'elle s'imprégnait de la quiétude qui régnait autour d'elle. De toute façon, tout ça n'est qu'un rêve, se dit-elle.

— En temps et lieu, Olivia, tu sauras.

Son interlocutrice esquissa un sourire, ravie que sa jeune sœur soit aussi détendue en sa compagnie. Toutefois, elle n'avait pas l'intention de poursuivre davantage sur ce sujet. Son rôle était de l'accompagner jusqu'à sa venue sur Faöws et non de la tourmenter.

— Puis-je connaître votre nom? ajouta Olivia.

— Je me nomme Maëlay Mornëot, répondit la femme avec douceur.

Olivia avait la sensation de connaître ce nom, comme s'il avait toujours été imprégné dans son esprit. D'ailleurs, elle était certaine de l'avoir déjà entendu. Suis-je déjà venue ici? se questionna-t-elle, sans être en mesure d'avoir un souvenir précis.

Un frisson lui parcourut l'échine.

— Êtes-vous prisonnière de ces rubans de soie? demanda Olivia, qui cherchait à comprendre la cause du malaise qui prenait naissance en elle. La scène autour d'elle avait beau n'être qu'un rêve, elle se sentait liée à cette Maëlay.

— Moi aussi, je sens sa présence qui tente de s'insinuer en ces lieux. Ne sois pas inquiète, rien ne t'arrivera dans cette forêt, lui murmura-t-elle.

— De qui parlez-vous?

Ne laissant pas Olivia renchérir, voyant toutes les questions qui se bousculaient en elle, Maëlay poursuivit. Elle ne désirait pas l'inquiéter en lui relevant dès maintenant le nom de leur ennemi.

— Cette forêt, ces rubans comme tu les vois dans ton rêve, font partie de moi. Tu es ici, dans mon sanctuaire, l'informa Maëlay.

La brume qui l'avait accueillie quelques minutes auparavant refit son apparition, enveloppant lentement son champ de vision.

— Bientôt, Olivia, tu reviendras. Nous aurons besoin de toi... très bientôt!

La voix de Maëlay continua de se répercuter dans le crâne d'Olivia, lorsqu'une douleur à la poitrine la tira dans un tourbillon de noirceur et de malaise.

***

La Sitay de la Terre savait que les préparatifs annonçant son départ tiraient à leur fin. Olivia était maintenant accoutumée à sa présence ainsi qu'à son message. Déjà plusieurs jours avaient passé depuis son premier contact avec elle. De plus, la santé de cette dernière faiblissait à vue d'œil. Maëlay savait que c'était incontournable, mais elle était à des lieues de s'en réjouir.

Puisqu'elle devait, grâce à son départ, ouvrir le portail permettant l'intrusion de sa sœur, autant mettre à profit la mort de son enveloppe charnelle. Cela ne l'effrayait nullement. Les armées de Viktor recevraient très prochainement une petite visite impromptue. Et loin d'être inquiète, la Sitay vaquait à ses préparatifs, l'âme en paix.

Elle n'avait pas avisé Kelm, ni même le roi Shoëg de sa décision, toutefois cela ne devait plus attendre. Elle s'affairait donc à libérer peu à peu le banshal que le roi avait mis à sa disposition. Elle ne fut pas surprise d'entendre des coups francs à sa porte.

— Vous pouvez entrer, Paetrym Hirms, je vous attendais ! lui lança-t-elle.

Kelm entra donc dans les appartements de Maëlay, sachant que la Sitay avait capté sa présence.

— J'ai ressenti votre appel, Lady Mornëot, annonça-t-il.

Ce fut plus fort que lui, il fit discrètement un demi-tour sur lui-même. Il avait tant espéré se retrouver en ces lieux, en d'autres circonstances que cette guerre !

Bien que la première partie du banshal, constituée de l'atelier de travail, pût ressembler à n'importe quel autre appartement du château, il fut déconcerté d'apercevoir de lourds rideaux d'un rouge sang suspendus aux fenêtres. D'innombrables coussins du même tissu créaient un espace de détente sous les rayons du soleil. Seul le large lit restait d'un blanc ivoire.

— Pourrais-je être indiscret ? risqua le jeune homme.

Maëlay avait suivi son regard et lui signifia d'un simple sourire qu'elle avait compris la nature de la question qui allait suivre puisque plus de deux semaines auparavant, le mage lui avait fait part de son incrédulité face à ce type de préparatifs. Kelm ramena son regard sur la Sitay. Comme à son habitude, elle était vêtue d'une robe émeraude. Ses épaules brunes étaient dégagées et le corsage lacé surpiqué d'or soulignait sa fine silhouette.

Son estomac se noua, comme chaque fois qu'il posait les yeux sur elle.

— Posez votre question, n'ayez crainte, Paetrym, dit-elle en ramenant les pensées du jeune homme à la situation actuelle. Remarquant qu'il la fixait avec insistance, elle avait bien malgré lui lu son désir.

— Déjà bientôt quatre semaines que vous êtes parmi nous et, pardonnez mon insistance, je vous ai toujours vue arborant ce vert émeraude qui caractérise votre complément de la terre.

Kelm marqua une pause, se sentant finalement déplacé, mais il enchaîna :

— On m'avait dit que vous aviez fait apporter des modifications à l'aménagement de votre banshal. Je m'attendais à y retrouver vos couleurs significatives, et non ce rouge profond.

— Pourtant, Paetrym, vous savez que je ne suis que de passage sur cette terre. J'ai effectivement fait préparer ce lieu, mais pour ma sœur, non pour moi. Son Yrshu contrôle l'élément du Feu, il était donc de circonstance de choisir cette couleur, conclut-elle, pensive, tandis que sa main caressait un des pans de tissu qui ornait les fenêtres.

Elle souriait toujours, car, pour elle, c'était d'une logique implacable. Mais le regard perplexe de son interlocuteur semblait attester du contraire, alors elle renchérit :

— Mon mandat n'est pas uniquement constitué des préparatifs de guerre... La Sitay de Feu devra se sentir dans son milieu, et vous vous doutez que sa venue ici sera pour elle un événement traumatisant. Comme je vous en ai parlé, je dois tout mettre en œuvre pour alléger cette étape de sa vie.

Maëlay marqua une légère pause, puis elle plongea un regard d'une lourdeur qui coupa le souffle du mage, stoppant toute réplique.

— Kelm, quand je ne serai plus là, il vous reviendra d'être là pour elle.

Sur ces propos, sa voix se cassa.

Le jeune mage aurait aimé lui dire qu'il désirait plus que tout qu'elle reste sur cette terre, à ses côtés, et ce, pour bien davantage que cette guerre !

Néanmoins, il savait où était sa place, et jamais sa charge ne lui avait tant pesé. Il n'était pas question de faire passer ses pulsions personnelles avant la survie du peuple de Shimrae.

Le simple fait d'évoquer cette évidence lui rappelait que toute sa vie n'avait été que concessions et abandon de soi au profit d'une cause plus noble.

— Vous me donnez l'impression d'agir comme une mère pour elle, comme si vous confiiez votre protégée à un précepteur, constata Kelm, balayant les pensées qui l'envahissaient.

Le sourire de Maëlay se fit nostalgique. La profondeur du regard vert qu'elle plongea au fond de l'âme de Kelm mit ce dernier mal à l'aise.

— Il y a bien des années, j'ai connu la joie de vivre entourée de ma famille. Deux fils me comblèrent, et après cinq ans, ce fut une fille qui vint agrandir notre famille. Contrairement à la vie que j'ai eue avec mes enfants, la Sitay qui viendra en ce monde n'a pas eu le bonheur de connaître une vie familiale. Ne croyez pas que je laisse mes émotions prendre le dessus par rapport à la gravité de la situation. Ayez confiance en moi, si vous voulez qu'elle soit apte à son intrusion tout en demeurant maîtresse de sa lucidité. Tout ici devra apaiser son esprit, car elle aura peine à croire en la réalité de votre monde !

— Donc, tous nos rôles semblent avoir été entièrement établis à l'avance par les Dieux ! exposa Kelm. Pardonnez le scepticisme dont j'ai pu faire preuve, cela n'était pas mon intention. Vous devez savoir que ce genre de détail n'est habituellement pas prévu lors des préparations auxquelles je dois prendre part. Mais sachez que je suis conscient que ma tâche de Paetrym passe maintenant par la sécurité de la prochaine Sitay.

À la fin de cette tirade, Kelm inclina la tête, préférant signifier à la femme qu'il comprenait et abondait en son sens. À chacun son rôle dans cette guerre, se dit-il. Le jeune homme respectait et estimait utiles les interventions de Maëlay.

— Paetrym...

La Sitay posa délicatement une main sur son bras, puis se dirigea vers la fenêtre afin d'observer les gens du royaume de Shimrae. Tous s'affairaient à leur routine quotidienne sans se douter de l'ampleur des événements qui se dessinaient autour d'eux.

Kelm avait cet air résolu de l'homme qui assumait parfaitement sa tâche, même si les tenants et les aboutissants lui resteraient inconnus jusqu'au tout dernier moment. Il vint rejoindre Maëlay, s'adossant à la pierre dans sa posture pensive habituelle. Les bras croisés sur son thorax, il s'efforçait de réfréner les pulsions qui l'envahissaient, ne laissant que son regard caresser la peau de la Sitay.

— Qu'est-ce qui vous rend aussi soucieuse, Sitay ? demanda-t-il. Une nervosité transcendait les moindres mouvements de cette dernière. Kelm se questionnait sur les raisons de cet état d'esprit.

Maëlay prit une profonde inspiration, appréhendant la réaction du Paetrym, connaissant ses sentiments.

— Mon départ pour le plan d'Ysandrell approche. Viktor a établi son armée près du village d'Aeyns, là où les hommes et les femmes les plus à même de renforcer sa haine ont subi une transformation vampirique, et dont les plus malheureux servent de repas à ces êtres dénués de toute humanité.

— C'est là-bas que j'irai seule, dans deux nuits, annonça-t-elle de but en blanc après avoir marqué une courte pause.

Kelm ne la laissa pas s'expliquer davantage. Sous l'impulsion de la surprise, il lui agrippa le bras afin de la retourner, désirant lui faire face. Le bleu de son regard semblait devenu translucide par l'inquiétude. Il la fixait avec une telle intensité !

— Je vous en conjure, ne vous y rendez pas ! Renoncez à ce plan, vous vous lancez dans la mort, voire pire encore...

La voix de Kelm exprimait sa pensée dans un débit accéléré. Imaginer la Sitay subissant la morsure de Viktor lui était insoutenable.

— Kelm, ayez confiance ! Sachez que tout est prêt et que ce n'est pas la mort qui me cueillera. La voie choisie me permettra de porter un coup de force contre votre ennemi. Cette étape est essentielle et coordonnée : tout doit être fait dans les temps et ne saurait souffrir d'aucun retard ! réprimanda Maëlay.

Doucement, elle se retira de l'étreinte du jeune mage, reportant à plus tard l'adieu douloureux qu'elle anticipait de sa part.

Sachant très bien que cette dernière avait raison et que peu importât ce qu'il ferait ou dirait, rien ne changerait ses plans, Kelm se dirigea songeusement vers la porte. Il se tourna afin de faire face à la femme qui allait se sacrifier pour la survie de leur royaume.

— Je comprends que vos préparatifs soient terminés. Avez-vous tout de même besoin de mon aide ? demanda-t-il, coupant le silence qui pesait lourdement entre eux.

Malgré cela, le ton de sa voix affichait le contraire de ses propos. Il était rongé par la douleur face à la perte de cette femme, maudissant intérieurement le dessein des Dieux qui n'avait permis qu'un court passage de la Sitay dans sa vie. Maëlay elle, avait conscience du déchirement intérieur du Paetrym et ne désirait pas en augmenter la teneur. Les cheveux sombres de Kelm venaient partiellement couvrir son regard, ajoutant une ombre à son humeur.

— Je vous remercie de me soutenir malgré votre désaccord, Paetrym. D'ici à ce que mon départ soit imminent, je ne souhaite que dire adieu à tous ceux qui ont partagé ma visite au château du roi Shoëg, et ce, dans une simplicité absolue.

Elle insista sur ce dernier point, lui indiquant que l'information sur son dernier voyage devait rester à l'intérieur du château. Il fallait à tout prix éviter qu'un vent de panique ne souffle sur les gens du royaume. Le Paetrym la laissa donc seule, respectant sa volonté.

Chapitre 5

Le cellulaire à l'oreille, Olivia entendit la réponse de Martyne Larose avec un soupir de soulagement.

— Marts, je te jure que j'ai grand besoin d'un verre et quelque chose de fort ! lui lança-t-elle en guise de salutation.

L'épuisement se décelait aisément dans sa voix.

— Ma chérie, laisse-moi seulement le temps de me refaire une beauté et je passe te prendre... Je serai devant chez toi dans une petite demi-heure ! Ça te convient ? demanda Martyne.

— Préviens-moi lorsque tu arriveras ! Je te rejoindrai en bas, conclut Olivia. Juste une demi-heure pour te faire belle, tu en as de la chance, toi, se moqua-t-elle avant de raccrocher.

Les deux amies ne discutèrent pas bien longtemps au téléphone, elles auraient bien toute la nuit si elles le voulaient.

Ce fut donc après une rapide douche bouillante qu'Olivia se retrouva figée devant le miroir. D'une main lâche, elle stria la buée masquant son reflet, lui permettant de constater les dégâts de la fatigue. Les cernes qui marquaient ses yeux s'assombrissaient de jour en jour et la douleur constante tirait chacun de ses traits. Un peu de maquillage, au diable la coiffure, elle y remédia uniquement à l'aide de mousse coiffante. Olivia ne se souciait guère de plaire en ce moment.

Elles se retrouvèrent installées à une petite table du pub irlandais qu'elles appréciaient toutes les deux. La musique à saveur rock leur emplissait les oreilles.

— Bonsoir, Mesdames, que boirez-vous par cette belle soirée d'automne ?

Le serveur qui s'était approché d'elles semblait un peu trop jovial aux yeux d'Olivia, mais elle se dit qu'en temps normal elle y trouverait certainement quelque attrait... Martyne lui confirma cette hypothèse en esquissant un clin d'œil dans sa direction, connaissant bien ses goûts.

C'est Olivia, d'une voix mariant difficilement l'ennui et le charme mielleux, qui passa la commande pour toutes les deux.

— Bonsoir ! Nous prendrons quatre *shooters* de rhum brun et deux bières blanches à votre choix, dit-elle, le laissant s'en retourner promptement.

— Eh bien, ma belle, j'ai bien fait de te cueillir à ton appartement avec un taxi ! Tu n'as pas menti, tu sembles vraiment avoir besoin de quelque chose qui décape la gorge. Vas-tu enfin me raconter ce qui t'arrive, tu as une mine affreuse ? la questionna Martyne, après avoir marqué une courte pause.

Une moue se dessina sur le visage d'Olivia.

— Moi aussi, je suis contente de te voir, Marts ! Mais avant de commencer, laisse-moi prendre un verre... ou deux.

— Est-ce que cela a un rapport avec le fait que tu es de plus en plus solitaire ? Tu peux me répondre, nos verres arrivent déjà ! lança-t-elle avec un sourire, pointant sans aucune discrétion le jeune serveur qui s'approchait.

Voyant que les deux femmes ne désiraient pas entamer la conversation, il déposa les verres, remit la monnaie à Olivia, qui lui rendit un bon pourboire, et s'en retourna en les remerciant. Il aurait bien voulu simuler que la soirée était occupée, mais le bar n'était fréquenté qu'à la moitié de sa capacité.

Levant un premier *shooter* de rhum, Olivia porta un toast.

— À ta santé, Marts... La mienne est bien loin maintenant !

Et d'un trait, elle vida les deux *shooters* qui se trouvaient devant elle.

Olivia éclata de rire lorsqu'elle aperçut la grimace de son amie qui tenait son premier verre vide.

— Tu aurais pu choisir moins fort pour moi, ma chérie! finit-elle par lui dire en changeant le goût du rhum qui lui brûlait le fond de la gorge grâce à une gorgée de bière. Maintenant, parle-moi! ajouta-t-elle.

D'un long soupir, Olivia fit le vide dans son esprit. Elle ne voyait pas comment dire ce qu'elle avait sur le cœur, alors il ne lui restait qu'à tout lancer, en espérant que cela ait un sens pour son amie.

— Marts, je ne sais pas comment t'expliquer clairement ce qui m'arrive, mais je peux commencer par te dire que je suis épuisée. Cela fait déjà quelques semaines que je suis allée consulter à l'hôpital, mais les douleurs ne me quittent pas. Les médecins ne savent plus quoi me prescrire, et je vois bien dans leur façon de me parler et de me regarder que, pour eux, il n'y a pas de réponse. L'espoir de trouver une cause et une fin à tout cela diminue, ajouta Olivia d'une voix faible.

Puisque Martyne n'ajoutait rien, se contentant de la fixer gravement, Olivia renchérit, comprenant qu'elle attendait la suite. Elle se passa lentement la main sur le visage avant de poursuivre. Son amie ne soufflait toujours pas un mot, laissant toute la place à son interlocutrice, qui n'était habituellement pas du type à s'ouvrir lorsqu'il était question de ses émotions.

— Allez, prends ton autre rhum, tu en auras besoin autant que moi! l'avertit la jeune femme.

Sans prendre le temps d'observer la mine déconfite de son amie face à cette moindre épreuve, elle continua, lui détaillant les souffrances nocturnes qu'elle endurait, sans compter les douleurs qui ne semblaient plus vouloir lui offrir de répit.

— Martyne, je... je rêve, toutes les nuits, finit-elle par dire, lâchant ces mots sans réfléchir.

— Eh bien, je te dirais que ce n'est pas une surprise... Si je te racontais mes rêves, ça te dériderait! coupa Martyne, osant une tentative d'alléger l'atmosphère.

«La faculté de rêverie est une faculté divine et mystérieuse; car c'est par le rêve que l'homme communique avec le monde ténébreux dont il est environné.» Baudelaire a certainement écrit ce passage en pensant à moi! ricana Olivia.

— Toi et tes citations ! dit Martyne en levant les yeux au ciel. Je devrais pourtant m'y faire, tu es depuis toujours fanatique de ce genre de lecture ! Je porte donc un toast au monde ténébreux qui nous entoure ! badina-t-elle.

Martyne aurait voulu apaiser son amie, sachant bien que rien n'y ferait : l'écouter serait sa seule intervention. C'est d'ailleurs ce qu'elle fit tout le reste de la soirée, lui accordant son attention face à ses rêves, à ses craintes et à ses douleurs, tentant par moments de calmer l'ambiance et son âme avec certaines pitreries.

Près de deux heures s'étaient écoulées. La conversation avait enfin pris un autre tour au fil des verres qui s'étaient succédé. Avant que son esprit ne soit engourdi par l'alcool, Olivia avait pu donner tous les détails de ses affres nocturnes et dire à quel point la ligne traçant la limite entre le réel et le fictif devenait de plus en plus floue. Les visites de cette Maëlay Mornëot lui inculquaient la véracité de ce monde dont elle lui parlait, et ce, chaque nuit depuis plus d'une semaine.

— Ne pense pas que je sois folle, je sais que ce que je te raconte n'atteste pas de ma solidité d'esprit...

— Ma chérie ! Martyne lui coupa la parole d'un geste de la main. Personne ne pourrait te juger, certainement pas moi... Très peu, à ma connaissance, sauraient endurer avec autant de force ce que tu vis présentement.

Olivia lui lança un regard sombre et hocha la tête. Elle n'avait plus envie de discuter de tout ça : la nuit était bien avancée et l'ambiance était à la fête autour d'elles ; le bar s'était maintenant rempli et la musique se faisait invitante.

— Du reste, répliqua Martyne, ayant cerné le changement de sujet espéré, tu ne me diras pas que l'attention un peu trop prononcée de notre serveur t'a échappé ?

— Oh, je ne suis pas aveugle à ce point, lâcha Olivia tout en commandant une dernière tournée pour elle et son amie...

***

Le soleil se levait à peine, la matinée enrobait le ciel d'une brume qui semblait vouloir engloutir le château tout entier. Le soleil n'avait pas encore réchauffé l'air, et la brise qui se faufilait à travers la tunique de Maëlay laissait un léger frisson parcourir sa peau.

Le jeune palefrenier venait à peine de s'atteler à ses tâches matinales; il avait reçu l'ordre de seller la jument Ryjns et de la mener à la porte nord du château. Les vagues de fatigue quittèrent ses traits lorsque la Sitay lui fit ses adieux. Tous ceux qui avaient pu côtoyer cette femme étaient inexorablement tombés sous son charme, et du haut de ses seize ans, il n'y faisait pas exception.

À nouveau seule, caressant le museau couleur miel de sa monture, Maëlay revoyait l'affaissement dans les traits du roi lors de sa visite de la veille:

— La première attaque, me dites-vous?

La voix profonde du souverain débordait de surprise.

Assise face à ce dernier dans son luxueux salon privé, Maëlay était restée impassible.

— Nous savions tous que ma visite n'était que passagère...

— Mais de là à vous jeter dans les enfers, si je puis dire, murmura Shoëg.

Le regard du roi se perdit sur l'emblème de sa famille. Il aurait voulu, à l'instar du mage, trouver les mots pour la détourner de son projet, mais il n'ajouta rien, sachant qu'elle faisait ce qu'il fallait. La Sitay ne reprit la parole que lorsque son propre regard se replongea dans le gris des yeux de Shoëg.

— La mort de mon enveloppe corporelle est le moindre de mes soucis. D'ailleurs, le passage qu'ouvrira cet événement surnaturel permettra l'intrusion de ma jeune sœur, finit-elle par reprendre.

L'émotion qu'avait laissé transparaître le roi de Shimrae, s'étant levé afin de la prendre dans ses bras dans un mouvement paternel, revenait à sa mémoire, lorsque son retour à la réalité fut provoqué par les pas de Kelm dans l'herbe.

— Je vous attendais, Paetrym, l'accueillit-elle.

Elle se tenait, impassible, la main légère sur l'encolure de Ryjns. Il lui semblait que malgré son départ, non seulement du royaume, mais du monde de Faöws, elle était encore plus radieuse que jamais. Son regard étincelait telle l'émeraude. Comment aurait-il pu savoir que toutes les molécules du corps de la Sitay vibraient à la pensée de sa réunion imminente avec son Yrshu?

— Bien que je désapprouve la tactique autant que ce qui en résultera, il est de mon devoir de Paetrym..., et d'ami, d'être présent.

Sa voix était plus douce que les traits de son visage. Revêtu de ses habituels habits de lin sombres, il semblait intérieurement tiraillé par les émotions, mais fermement décidé à verrouiller le tout en son âme.

— Refusez-vous toujours que je vous accompagne? continua-t-il. Il s'arrêta de l'autre côté de la jument dorée, en caressant lui aussi sa robe. Son regard capta celui de Maëlay.

— Kelm, votre combat n'est pas encore arrivé, et il viendra malheureusement bien assez tôt, lui répondit la Sitay.

— J'appréhendais cette réponse, avoua-t-il. Je conçois bien que je ne pourrai aucunement vous faire changer d'avis.

— Je retourne là où est ma place..., le coupa-t-elle.

Le murmure de sa voix se perdit dans la brise, elle ne pouvait être triste de ce moment. Avant même de demander l'accord des frères de Lorn, elle connaissait les termes de son rôle auprès des hommes et des femmes de Shimrae.

Se rapprochant de la Sitay, Kelm s'arrêta à quelques centimètres d'elle. Leurs souffles se mélangeaient dans l'air frais du matin.

— Je ne peux concevoir que cela est un adieu...

— Kelm, je suis consciente de ce que votre esprit garde en espoir.

Maëlay souriait légèrement tout en posant une main douce sur le thorax du jeune mage, y appliquant une pression lui signifiant qu'il devait réfréner son envie de lui soutirer un baiser. Néanmoins, elle comprenait le coup du destin qui se jouait pour le Paetrym et en était sincèrement navrée.

Sa main se glissa jusqu'à la nuque du jeune homme, laissant ses doigts s'emmêler dans les mèches sombres de ses cheveux. Avec la délicatesse qui lui était propre, ses lèvres vinrent cueillir la joue de Kelm pour qu'enfin, d'une simple torsion du cou, sa propre joue se love contre la sienne.

— Allez-vous au moins me dire ce que vous avez prévu de faire ? demanda Kelm, en effectuant un pas de recul, l'esprit torturé et épuisé. Lui-même n'avait pas réussi à fermer l'œil la nuit précédente.

Un sourire illumina le visage de la Sitay, effaçant la lassitude qu'engendrait l'imminence de cette séparation.

— D'abord, il est essentiel que vous continuiez vos préparatifs. Les soldats doivent être prêts, car l'armée de Viktor s'organise. Jamais vous n'aurez connu d'ennemi aussi féroce.

Maëlay tourna le dos au jeune mage afin de vérifier une dernière fois l'attelage de sa monture. Moins Kelm aurait de détails, plus facile serait la séparation. Si l'inquiétude envahissait davantage l'âme du Paetrym, il en serait à jamais tourmenté. S'adossant contre le corps musclé de la jument, faisant enfin face au jeune homme, elle le jaugea du regard. Il était fier et robuste, et la témérité qui alourdissait son regard n'enlevait rien à la sévérité de ses traits. Il ne partirait pas sans explication, cela elle l'avait bien compris, alors elle continua.

— Par la terreur et la souffrance, Viktor souhaite semer la mort. S'il désirait simplement vaincre, il lui serait plus simple de lancer ses assassins sur tous les hommes et les femmes de votre royaume.

— Sa rage et son arrogance sont des armes dont nous devrons impérativement nous servir lors des batailles à venir, devina le mage.

— C'est exactement où je voulais en venir. Son arrogance cache sa rage, et sa rage exacerbe son arrogance, renchérit Maëlay.

Le vent se leva, emmêlant les cheveux d'un blond livide de la Sitay. C'était à peine si Kelm pouvait garder le contact avec l'émeraude de ses yeux. À croire que les Yrshus eux-mêmes s'efforçaient de précipiter le départ de leur protégée. D'un mouvement fluide, elle s'installa sur le dos de la jument. Sa longue cape vert forêt semblait perdre de sa consistance tout en s'enchevêtrant avec les pans de sa robe, comme si la lumière du soleil en délayait les couleurs.

— Demain, avant le lever du soleil, je serai en mesure de servir à Viktor un avant-goût de sa propre méthode, continua-t-elle.

Kelm posa la main sur l'encolure de la jument.

— Ryjns est une monture fiable, elle saura retrouver son chemin : alors la revoir sur cette plaine me crèvera le cœur, tout en m'indiquant que vous aurez réussi.

Sa mâchoire se crispa, en en accentuant la carrure, mais il inclina néanmoins la tête en signe d'approbation. Il recula, la laissant partir.

Alors, elle mena Ryjns à un pas lent, mais se retourna afin d'ajouter une dernière mise en garde :

— Restez alertes, le coup prochainement porté engendrera une colère. Faöws compte sur vous, Paetrym, tenez-vous prêts, ainsi que l'armée du roi Shoëg.

Sa voix se perdit et Ryjns se lança dans un galop allongeant la distance entre elle et Kelm.

Il la regarda disparaître. Il n'avait pas l'âme à voir qui que ce soit, alors il prit, tête baissée, la direction de son banshal et s'y enferma pour le reste de cette sombre journée.

La haine qu'il éprouvait envers Viktor et ses larbins se mêla à la rage de sa propre impuissance. Son esprit se perdit dans ses manuscrits et il n'en leva pas la tête des heures durant. Lorsque le soleil passa midi, nul ne l'aperçut dans les couloirs du château.

Quand, enfin, Maëlay permit à Ryjns un repos bien mérité, le soleil déclinait à l'horizon, nimbant le ciel d'un ton orangé. La Sitay avait chevauché toute la journée, offrant à sa monture les arrêts nécessaires pour qu'elle reprenne son souffle. Il était maintenant temps de s'installer pour la nuit, la dernière qu'elle passerait sur cette terre. Malgré la proximité du château de Viktor, elle ne craignait pas d'être attaquée : ni homme ni bête ne pourraient traverser la cage de végétaux qu'elle tissa soigneusement grâce à ses dons. Des murs de verdure prirent donc forme autour de son campement. Nul besoin de flammes pour se réchauffer, seule cette protection était nécessaire pour elle et sa monture.

À la tombée de la nuit suivante, elle aurait franchi la distance la séparant des armées de Viktor et serait fin prête pour rejoindre Ysandrell.

**

De simples fantassins! Maëlay s'était bien attendu à ne trouver que des sbires de Viktor. L'aube pointait dans le ciel et les troupes se préparaient à se cacher du soleil. La Sitay savait que si elle attendait que Viktor et ses généraux soient présents, il lui serait impossible d'approcher les armées sans qu'ils captent la chaleur de son sang. Il ne revenait pas à elle de combattre l'instigateur de cette guerre. Ses dons ne lui permettraient pas de rivaliser avec Viktor, mais il était hors de question d'ouvrir le passage et de quitter ce monde sans infliger le maximum de dommages.

Elle priait pour que le monde de Faöws se tienne prêt à une riposte.

Devant ses yeux, environ cinquante d'entre eux terminaient leurs entraînements. Tous de jeunes vampires. Peu importait l'âge auquel leur transformation avait été faite, leur force et leurs pouvoirs dépendaient uniquement de la durée de leur existence de vampire.

Cette inexpérience permit à Maëlay de s'approcher suffisamment sans être repérée. C'était bien calculé d'avoir attendu que les plus vieux se soient retirés à l'intérieur du château. Il était évident que pour Viktor, aucun risque n'était à prendre pour la réussite de cette guerre. Les plus jeunes devaient apprendre à braver la chaleur de l'aube et si certains d'entre eux ne survivaient pas, le dommage pourrait être considérable et les autres retiendraient la leçon.

D'ailleurs, le soleil se lèverait bientôt, et elle devait se hâter afin d'être la plus efficace possible.

La Sitay repéra enfin l'endroit idéal. Cinq grands chênes trônaient non loin de là, d'où elle eut une vue idéale sur les vampires sans craindre qu'on l'aperçoive. Après tout, la fin de son existence physique signait l'arrivée de sa sœur! Maëlay huma l'air frais une dernière fois, le laissant ébouriffer ses cheveux et caresser sa peau. Elle se mit à genoux, et sa robe verte se perdit dans l'herbe, ne semblant faire qu'un avec la verdure.

Une larme roula sur sa joue : ce monde allait lui manquer. Ses pensées se tournaient vers le roi Shoëg, qui n'était pas au bout de ses peines, ainsi que vers Kelm. Son rôle de Paetrym impliquait déjà une abnégation totale, mais il devrait se surpasser : protéger le souverain de Shimrae, coordonner l'entraînement de l'armée du roi et veiller à l'apprentissage d'une Sitay inconnue à ce monde.

Revoyant le visage de sa sœur et sachant qu'elle serait en sécurité entre les murs du château du roi, son âme retrouva la paix. Après une profonde inspiration, elle plongea ses mains profondément dans la terre. Au simple commandement de son esprit, des racines de chêne vinrent à sa rencontre, s'enroulant jusqu'à la jonction de ses omoplates. Mues par sa volonté, les racines s'élevaient pareilles à des serpents effleurant sa peau. La Sitay savait que ce sort la viderait d'une grande partie de son énergie vitale. Ne se souciant plus de sa propre survie, elle entreprit d'étendre son contrôle jusqu'à ce régiment de l'armée de Viktor.

La terre trembla légèrement sous les pieds des vampires. Aucun ne put comprendre ce qui se passait au moment où de puissantes racines vinrent s'emmêler autour de leurs jambes : leur inexpérience jouait contre eux. Ainsi immobilisés, ils ne réagirent pas assez vite, les racines grimpèrent jusqu'à leurs torses, jusqu'à recouvrir leurs bras. Quelques secondes passèrent et tous les fantassins de Viktor présents sur le champ d'entraînement se retrouvèrent enchaînés les uns aux autres. Aucune issue n'était possible face au soleil levant.

Si ces vampires avaient été plus forts, avec une plus grande célérité, ils auraient certainement pu s'en sortir presque indemnes, du moins, la majorité d'entre eux. Lorsque les premiers rayons de soleil vinrent frapper leur peau, les hurlements de terreur et de douleur parcoururent une distance inimaginable.

Avant même que Maëlay ne puisse esquisser un mouvement de retraite, une silhouette noire se logea derrière elle. Le coup qu'elle reçut à la base de la nuque la plongea rapidement dans l'inconscience et la dernière image qui s'insinua dans son cerveau ne fut pas celle de l'étrange fumée de combustion qui s'élevait dans l'air.

Tournant la tête dans sa chute, elle perçut un regard sombre sur elle. Sous la lourde cape noire de l'inconnu, elle remarqua une cicatrice qui lui rappelait la larme qu'elle avait versée quelques secondes auparavant : un des sbires de Viktor avait réussi à capter sa présence.

À son réveil, ce fut l'odeur de moisissure d'un cachot qui l'accueillit, se substituant ainsi à l'odeur de chair brûlée...

Chapitre 6

Ayant délaissé la musique du bar, Olivia avait décidé de succomber aux charmes du jeune serveur, Jeremy, qui bien qu'ayant quelques années de moins affichait l'assurance d'un réel charmeur. Son dos heurta lourdement la porte de son appartement, leurs bouches ne faisant plus qu'une, tandis qu'Olivia tentait d'ouvrir la porte.

L'alcool engourdissait ses sens et même sa douleur semblait enivrée pour cette nuit.

Les mains de Jeremy s'acharnaient à retirer les vêtements d'Olivia. Cette dernière profitait de l'accalmie que lui offrait son corps pour savourer ses caresses. Pour elle, cette nuit poussée par des pulsions purement physiques était comme une trêve et elle avait la ferme intention d'en profiter. Torse nu, le jeune serveur pouvait être fier des heures qu'il devait passer au gym : ses muscles saillaient à chaque inspiration accélérée par l'excitation. Il souleva le corps léger d'Olivia, qui enroula ses jambes nues autour de ses hanches. C'est tout en dévorant ses lèvres qu'il la dirigea vers la chambre à coucher, visible au fond de l'appartement.

Jeremy plongea ses yeux noirs au fond de ceux d'Olivia. Esquissant un sourire, il la projeta avec fermeté sur le lit.

Pour Olivia, la chute fut interminable. Elle sentit un souffle chaud l'absorber tout entière. Bien que la peur l'ait envahie d'un coup, aucun cri ne réussit à s'extraire de sa bouche. La noirceur l'enveloppa et comprima tous ses sens. La jeune femme ne put estimer le temps que dura sa descente ; il lui était impossible de s'expliquer l'atterrissage puisqu'aucun sol palpable ne l'accueillit. Soudainement, il lui semblait devoir cohabiter dans son propre corps avec une autre présence, et étrangement, c'était elle-même l'intruse.

Même si elle réalisait qu'elle pouvait apercevoir des formes prendre vie autour d'elle, son corps n'était pas présent, aucun mouvement physique ne répondait à ses impulsions nerveuses.

La panique l'envahit quand, enfin, elle comprit que son esprit n'était qu'un pantin devant la scène qui se jouait. La silhouette qu'elle vit s'approcher, ce n'était pas par ses propres yeux qu'elle pouvait l'apercevoir. Elle aurait beau appeler à l'aide, elle ne contrôlait aucun des sens de ce corps d'emprunt. Elle ne put donc qu'observer la silhouette de l'homme qui s'approchait avec lenteur.

Ce dernier savourait visiblement ce moment. Il avança jusqu'à ce qu'elle puisse discerner la noirceur de son regard. La seule étincelle de vie provenait de l'autosatisfaction qu'engendrait un sourire malsain. Le manque d'agitation de son hôte fut ce qu'Olivia ressentit le plus violemment. Comment pouvait-elle ne pas manifester de peur, voire de terreur?

Sans pouvoir se l'expliquer, elle sentit sa propre entité se déployer à l'intérieur de ce corps. Sentir les liens qui meurtrissaient sa peau, la maintenant enchaînée contre la pierre froide et humide de ce cachot sombre, la poussait à vouloir se débattre afin qu'on la libère. Malheureusement, Olivia n'était que spectatrice: ce combat ne semblait pas vouloir devenir le sien. Elle tentait de s'imprégner du sang-froid de cette femme qui l'hébergeait, captive elle aussi.

— Est-ce bien la Sitay qui doit mettre fin à mon règne? Cela me semble trop joli pour être vrai, dit le geôlier tout en jouant avec les mots. Il se délectait de la voir ainsi sous son joug. Ce dernier caressa les muscles fins du cou de sa captive, sans se soucier du regard d'une haine glaciale qu'elle lui jetait. Ses doigts, aussi froids que la pierre, gardaient une pression légère, mais oppressante sur sa gorge.

— Ne comptez pas sur moi pour vous aiguiller, Viktor Balyhn! Sa voix était d'une gravité qui s'amalgamait avec le calme qu'elle témoignait.

— Je n'espérais pas que vous me rendiez la tâche aussi facile! Je suis ravi de voir que ma quête ébranle jusqu'aux Yrshus eux-mêmes.

Viktor laissa l'ongle de son index, aussi dur que le diamant, créer lentement une entaille sur la jugulaire de Maëlay.

Cette dernière étouffa un grognement sans manifester sa douleur davantage. Il n'était pas question de lui faire ce plaisir !

De sa voix suave, comme s'il avait voulu être charismatique, ce dernier renchérit.

— Je ne te demande pas de me donner ton nom, ton sang trahira ton identité.

Et pour compléter ce qu'il venait de dire, il vint lécher tendrement le sang qui s'écoulait de l'entaille. Savourant les frissons que cela engendrait sur la peau fraîche de la Sitay, tel un amant se délectant de la douceur de cette caresse, Viktor laissa ses lèvres goûter cette peau. Lentement, son corps entier se trouva dominant. Son visage était si près de celui de Maëlay que leurs nez s'effleuraient. Au moment où, devant cette démonstration passionnelle, l'incompréhension se dessinait au fond des yeux de la Sitay, Viktor resserra fermement l'étreinte de sa main de fer contre ce frêle cou, qu'il n'avait jamais relâchée.

— Maëlay Mornëot...

Il murmura son nom, savourant cette petite victoire afin de lui signifier que cela n'était que le début de ses surprises.

Tout en relâchant la pression qui comprimait l'entrée d'air dans les poumons de Maëlay, il se dirigea vers la porte de bois, mais se retourna à mi-chemin, toute passion factice ayant quitté ses traits d'une froideur mortelle. Il ajouta :

— Bientôt, très chère, j'en saurai plus sur qui vous êtes. Ne soyez point inquiète, je ne vous laisserai pas vous languir bien longtemps de ma présence.

Ce fut la noirceur totale qui accueillit ces mots, mais Viktor ne pouvait guère se douter que deux femmes distinctes les avaient entendus.

* * *

Maëlay relâcha le contrôle mental qu'elle exerçait toujours sur l'esprit d'Olivia. Elle avait prié les Dieux pour que le vampire ne détecte pas sa présence, mais sa jeune sœur devait savoir contre quel démon sa quête se tournerait. L'énergie vitale de la Sitay, qu'elle avait focalisée sur la maîtrise de l'esprit d'Olivia, diminuait. Maëlay n'eut d'autre choix que de délivrer la jeune femme sans ménagement, sa faiblesse lui rendant impossible le contrôle du retour d'Olivia dans son monde.

Ce fut donc la même chaleur qui avait soustrait Olivia aux caresses de Jeremy qui la cueillit de nouveau. Une sensation de vertige la saisit : son retour fut une brusque et douloureuse intégration dans son propre corps.

Elle n'aurait su dire ce qui la faisait souffrir le plus, la lumière qui lui transperçait les rétines ou la sensation d'écrasement mortelle que son cœur subissait.

Sans savoir combien de temps son absence avait duré, Olivia ressentait toujours cette impression de captivité sous le contact froid et désagréable des chaînes sur ses poignets, ainsi que la répulsion qu'elle avait ressentie en étant prisonnière de ce Viktor. Lorsqu'elle réalisa que son séjour au donjon n'avait pris qu'une fraction de seconde, il était trop tard : les émotions traumatisantes qu'elle avait éprouvées s'évacuèrent contre Jeremy.

Olivia ne put se contrôler : un cri de rage traversa ses lèvres. Mais qu'est-ce qui m'arrive ? se demanda-t-elle. En plus de créer une stupeur sur les traits de son amant de fortune, elle assena une violente poussée contre son thorax. La jeune femme ne réalisa que trop tard que ce n'était pas Viktor qui se tenait devant elle...

En une fraction de seconde, le pauvre homme se retrouva assis sur le sol. Il fixa un regard hébété sur la femme qui venait de le repousser si violemment.

— Pardonne-moi, Jeremy...

Stupéfaite à son tour, Olivia lui avoua qu'elle n'avait aucune explication à son étrange comportement. Si elle n'avait pas déjà fait tous ces rêves, elle aurait sans doute pensé qu'il l'avait droguée. Elle semblait sortir d'une sorte de transe.

Le jeune serveur se leva aussi rapidement qu'il avait été projeté au sol.

— Désolé, ma belle, tu es totalement fêlée !

Le débit de ses mots était saccadé. Jeremy était visiblement vexé et n'avait pas l'intention de passer davantage de temps dans cet appartement.

Il se dirigea vers la sortie, attrapant son chandail au passage, puis ajouta :

— Passe une belle soirée... avec toi-même !

Le son de la porte qui claque résonna lourdement dans chacune des pièces de l'appartement. Olivia n'entendait plus que le son de son souffle accéléré par sa folie, ainsi que les battements de son cœur qui lui arrachaient des tremblements de souffrance.

— Totalement fêlée... Malheureusement, il n'a pas tort, dit-elle à haute voix, tout en avalant deux cachets d'Ibuprofène.

Le reste de la nuit fut désagréable et douloureux, et ce, jusqu'à ce que le rêve la cueille enfin.

***

Soir après soir, la douleur était si forte qu'elle l'empêchait même de s'aliter. Olivia avait dû acheter des oreillers supplémentaires afin d'obtenir un angle de repos permettant à l'air d'entrer dans ses poumons, sans que cela bloque toute sa musculature sous la souffrance. La sueur lui chatouillait l'épine dorsale malgré la fenêtre entrouverte qui laissait entrer l'air frais de la saison automnale. Elle entendait les bruits de Montréal : cette ville ne dormait donc jamais !

Elle en avait plus qu'assez. Cette nuit, le concept même de survie lui était insupportable. Elle esquissa un mouvement afin de se lever, mais elle ressentit une telle douleur qu'elle en eut les larmes aux yeux. Sa peau était moite et la base de ses cheveux, humide. Cette douleur fulgurante, elle la connaissait trop bien ; cela faisait maintenant des mois qu'elle la supportait !

Il lui semblait que l'air se raréfiait autour d'elle, que le peu d'oxygène qui pénétrait dans ses poumons créait autant de souffrance que de soulagement. Le côté gauche de son thorax aurait pu tout aussi bien être coincé dans un étau. La jeune femme avait beau inspirer lentement, chacune de ses côtes irradiait de la douleur qui émanait de son omoplate gauche.

Malgré ce que la dernière médecin lui avait dit, il était impossible que toute cette souffrance n'ait pas de cause ! Celle-ci avait même eu le culot de suggérer que ses difficultés respiratoires découlaient de l'anxiété. Sa prescription : « Tentez de vous détendre et de vous calmer. » Elle s'était sentie à peine digne d'être le numéro quatre-vingt-six inscrit sur le bout de papier qu'elle avait tiré au distributeur. De toute façon, je n'ai même plus la force d'éprouver de la colère, se dit-elle.

Les jambes menaçant de se dérober sous le poids de son corps, chancelante, elle réussit à se rendre jusqu'au téléphone, s'effondrant sur la chaise la plus proche. Résignée et à bout de souffle, elle appela les urgences, n'ayant guère la force d'articuler. Attendre l'ambulance lui parut une éternité! Elle s'était repliée sur elle-même, ce qui permettait à la douleur d'être plus tolérable. Olivia était capable d'endurer bien des choses, mais jamais elle n'avait ressenti ce qui l'accablait en ce moment.

Ses larmes redoublèrent, mais elles furent provoquées cette fois par la prise de conscience de sa solitude. Dix ans déjà que ses parents étaient décédés dans un accident de voiture. Les années avaient passé et créé un fossé entre elle et son frère, jusqu'à ce que, quatre ans auparavant, les ponts soient coupés définitivement. Elle avait réussi à rebâtir sa vie, mais lorsque son fiancé avait amené une autre femme dans leur lit, c'en avait été trop pour Olivia. Laissant tout derrière elle, ne déménageant que ce qui avait pu entrer dans sa voiture, elle avait quitté sa région natale pour aller vivre au centre-ville de Montréal. Se perdre dans le chaos quotidien lui avait paru le meilleur remède à la mélancolie.

Elle ressassait ses sombres souvenirs, et ce fut le tambourinement contre la porte qui la réintégra dans cette douloureuse existence.

— Madame Saint-Pierre? l'interpella l'ambulancier, sa voix précédant à peine son entrée dans l'appartement.

Puisant dans ses faibles ressources physiques, Olivia leva la tête. Gardant toujours son corps replié dans cette médiocre recherche de confort, elle signala faiblement sa présence. Les médecins arrêteraient peut-être enfin de lui répéter que toute cette douleur n'avait pas de cause et qu'elle provenait de son imagination.

Après avoir répondu à d'innombrables questions, Olivia fut transportée dans l'ambulance. Les écrans crachaient des signes et des sons qu'elle ne comprenait pas. D'ailleurs, elle n'avait pas la force d'y réfléchir. Rien, dans son champ de vision, n'avait plus de consistance.

Les secousses de la route lui arrachaient de sourds gémissements de souffrance. Puis elle sombra dans l'inconscience... et enfin la douleur cessa.

***

Le cachot de pierre était sombre, mais les rayons du soleil réussissaient à traverser l'oculus sur le mur opposé. Si l'odeur du sang séché et de la moisissure lui irritait la gorge, les exhalaisons de la paille légèrement pourrie lui donnaient la nausée. Ses poignets la faisaient souffrir. Les chaînes qui les maintenaient au-dessus de sa tête lui écorchaient la peau. Maëlay aurait payé cher pour se reposer sur cette couche pourrie, mais elle savait qu'elle devrait attendre puisqu'aucun visiteur ne viendrait avant la nuit.

Elle ne fut pas surprise de ressentir la présence de Lorn s'insinuer en ce lieu de mort.

— *Mi sayl*, es-tu prête ? La voix de Lorn résonna dans son crâne ; son anxiété était palpable.

— Pas encore, la Sitay de Cyrm sera prête à son intrusion seulement d'ici quelques heures, lui répondit-elle. Sa voix affaiblie manifestait néanmoins une certaine assurance.

Maëlay ressentit l'interrogation de Lorn aussi clairement que si elle avait pu la lire dans son regard, alors elle enchaîna :

— J'ai réussi à communiquer une dernière fois avec Olivia... et je désire plonger mes yeux dans l'âme vide de Viktor avant que tu ne me rappelles auprès de toi.

— ... et voir la consternation se peindre sur ses traits, quand il aura compris sa défaite, termina l'Yrshu.

Elle sourit malgré la douleur qui irradiait dans ses bras. Il lui restait peu de temps à patienter, elle sentait les vampires se réveiller.

— J'attendrai alors que ta voix m'appelle et sache qu'à la seconde où tu quitteras ton enveloppe charnelle, je serai là... Toutefois, n'oublie pas que ton chemin de retour sera éprouvant. Tu ne seras donc d'aucune aide supplémentaire pour l'intrusion de la Sitay de Feu.

Maëlay sentit l'essence de Lorn la quitter. Lui aussi avait senti le réveil des vampires. Si Viktor arrivait à capter sa venue, sa Sitay risquait fortement d'en souffrir. Lorsqu'elle se retrouva seule une fois de plus, il ne lui resta plus qu'à patienter. La seule certitude qu'elle avait était que plus les ténèbres gagnaient sa prison, plus se rapprochait la visite de son geôlier.

* * *

À peine les derniers rayons du soleil couchés, Viktor s'affairait déjà. S'il avait pu se voir dans un miroir, son orgueil en aurait été satisfait. Il avait choisi, pour cette nuit, une chemise d'un blanc immaculé ornée d'une fine broderie. Sa peau laiteuse paraissait aussi lumineuse que le délicat tissu qui flottait sur sa musculature.

Son regard aussi noir que ses cheveux créait un contraste ténébreux : rien n'avait changé après toutes ces années ; ses muscles étaient toujours aussi saillants. Viktor avait gagné en célérité et en force avec les siècles. Il était conscient de sa silhouette imposante et il en était fier. Dans ses rangs, seul son général pouvait se vanter d'une telle prestance. Il n'était pas son homme de confiance sans raison.

Il quitta ses quartiers. Les corridors du château étaient beaucoup plus sombres. Viktor avait des goûts luxueux : l'or et l'opulence régnaient dans ses appartements. D'un pas leste, il parcourut les dédales du château, croisant quelques-uns de ses soldats. Il n'était pas dupe : la capture de cette Sitay avait été fort simple et bien que Myriano soit d'une compétence incontestable, il se devait d'être prudent. Le vampire avait laissé s'affaiblir sa captive suffisamment longtemps. Cette nuit, sa force mentale se briserait avec une facilité désarmante.

Aucun son n'annonça les pas du vampire, mais son essence psychique était si intense que Maëlay reconnut Viktor avant même que ce dernier ne soit à portée de vue. Les siècles avaient apporté au vampire une force que la Sitay n'avait jamais sentie sur le monde de Faöws. Force qui, en temps normal, aurait pu lui causer de la peur, mais la Sitay canalisait ses émotions. Seul un sourire arrogant s'accrocha à ses lèvres.

— Bonsoir, Seigneur Balyhn.

— La nuit s'annonce magnifique, très chère…

Le vampire s'avança langoureusement, avec la démarche du félin jubilant devant sa proie. Ses doigts se remirent à caresser la peau de Maëlay, comme s'il continuait le mouvement laissé en suspens la veille…

— Tout aussi magnifique que vous, ajouta-t-il.

74

— Ne vous fatiguez pas, votre charme ne saurait opérer sur moi, lâcha-t-elle d'une voix cinglante.

Le rire qui s'échappa de la gorge de Viktor vint envelopper la pièce. Il était loin d'être méprisant. La douceur de sa tonalité montrait à quel point le vampire savourait l'ironie de cet instant.

— Ne vous méprenez pas, Lady Mornëot. Garnir mes rangs d'une femme telle que vous me gonflerait d'orgueil, mais votre handicap de Sitay vous empêcherait de savourer l'ampleur de la chance qui vous serait ainsi offerte.

— La vérité ne vous effraie pas. Sachez que peu importe le lieu d'où j'agirai, je veillerai à votre défaite, lui cracha-t-elle au visage.

Le regard de Maëlay soupesait celui du vampire. Elle ne craignait pas la mort ni même la souffrance. Jamais elle ne laisserait cet être avoir une quelconque emprise sur elle.

— Le risque est savoureux à prendre. Et vous avez raison : ni la vérité ni rien d'autre en ce monde ne m'effraie !

Sans plus attendre, la Sitay appela son Yrshu. Cette connexion mentale ne pouvait être perçue de Viktor, et ce, malgré ses pouvoirs.

Mi suyl, je t'en prie, rappelle-moi à toi. Il tentera bientôt de me soutirer la vie : ne lui laisse pas la possibilité de goûter à mon dernier souffle ! La Sitay de Feu est prête et, comme prévu, ma mort physique pourra ouvrir son portail.

Aucun mot ne répondit à l'appel de la jeune femme, mais la vague de chaleur qui envahit son corps lui confirma la présence de Lorn.

Maëlay reporta son attention vers son geôlier. Ce dernier la fixait, laissant l'interrogation transparaître ouvertement sur ses traits. Elle comprit qu'il avait tenté de sonder son esprit sans réussir à capter la présence du Maître de la Terre. Puisqu'elle ne soufflait mot, Viktor reprit la parole.

— Je ne devrais pourtant pas être surpris de ne pouvoir percer toutes vos pensées.

Il se mouvait avec une douceur surprenante. Sa fluidité était encore plus marquée que chez les autres vampires que Maëlay avait pu observer. Il lui tournait maintenant le dos.

— Et pourquoi? demanda-t-elle d'une question feinte. Elle désirait apercevoir la rage dans le regard de Viktor lorsqu'il comprendrait enfin son erreur.

— Mon incompréhension vient de la facilité avec laquelle vous vous êtes retrouvée dans ce cachot! J'ai peine à concevoir que les Yrshus aient joué le salut de cette terre de la sorte, murmura-t-il, sous la forme d'un grognement menaçant.

Avant même qu'elle ne puisse tenter une réponse, la poigne de fer de Viktor vint se refermer sur sa gorge, projetant du même mouvement sa tête vers l'arrière. Geste qui laissa sa gorge dans une effrayante vulnérabilité face à un vampire.

— Croyez-vous m'avoir vaincue aussi facilement? demanda-t-elle d'une voix faible, mais assurée, malgré sa position précaire.

— Comment peuvent-ils croire que vous, une Sitay, puissiez vous opposer à cette guerre... eux qui ne se soucient habituellement que peu du sort de ces hommes, grogna-t-il au creux de son oreille.

— Vous pourriez être surpris de tout ce qu'une simple Sitay peut accomplir.

L'air qui passait dans sa gorge se raréfiait. Le vampire n'avait pas desserré la pression et pour appuyer son affirmation, comme si lui-même se souciait davantage du sort de sa prisonnière, il caressa son menton avec douceur tout en parlant:

— Je suis convaincu de la richesse que l'apport d'un élément tel que vous ajouterait à mes rangs, susurra-t-il. Je saurai bien vous gagner à ma cause lorsque le savoureux goût du sang aura su faire bouillir vos propres veines.

Maëlay lisait très clairement le désir charnel de Viktor. Relâchant son cou, il laissa ses doigts parcourir la poitrine de la jeune femme tout en continuant sa descente pour agripper fermement ses frêles hanches.

— Votre propre jugement de la situation semble faussé par votre orgueil...

Pour la Sitay, il était inconcevable d'adhérer à sa cause et encore plus de répondre à ses avances.

Ne tenant pas compte de cette réplique, le vampire dévoila ses pensées.

— La synergie de deux créations des Dieux aussi puissantes que nous le sommes serait l'apogée de cette leçon d'humilité... Rien ne saurait se mettre au travers de ma victoire !

— Qu'est-ce qui vous fait croire que je suis cette création dont vous espérez la vie ? demanda Maëlay.

— Est-ce votre pathétique voie afin de sauver votre âme ?

Le corps de Viktor se raidit et instinctivement il effectua un léger mouvement de recul.

Malgré son assurance, l'incompréhension se lisait dans son regard. Où voulait-elle en venir ? L'air renfrogné qu'affichait la Sitay le força à lui soutirer les réponses autrement. Tel un amant découvrant la saveur de la peau de celle qu'il aime, le vampire effleura des lèvres la joue de Maëlay, puis sa main libre caressa la base de sa nuque.

La douleur sourde qui accompagna la morsure du vampire arracha un gémissement rauque à Maëlay, qui sentit sa vie s'échapper avec son sang. Pour Viktor, tout défila dans son esprit, du moins ce que la Sitay lui laissa voir. Elle ne pourrait néanmoins continuer davantage à filtrer les informations absorbées par le vampire... La rage augmentait en lui à une vitesse fulgurante, décuplant la force avec laquelle il s'abreuvait de son sang.

Les dernières semaines de la vie de la Sitay s'imprégnèrent dans son esprit et lorsqu'il découvrit les rencontres avec une jeune femme, tout s'éclaircit en lui. Il ne lui en fallait pas plus pour comprendre que cette femme qu'il apercevait serait bientôt elle aussi une Sitay : celle qu'il devrait réellement affronter n'était pas encore de ce monde !

Un grognement s'échappa de sa gorge. Les Dieux usaient donc eux aussi de fourberie ! Il soutirerait jusqu'à la dernière goutte de vie de cette Sitay insignifiante et, décuplant sa fureur, il se pressa davantage sur le corps frêle et frissonnant de sa captive. La faiblesse gagnait tous les muscles de Maëlay. Elle commençait à savourer cette morsure et savait ce que cela signifiait.

— *Lorn, je t'en conjure, il me sera impossible de tenir plus longtemps.*

Le point de non-retour s'approchait. Elle savait que son Yrshu l'entendrait.

Une fraîcheur l'envahit. Elle craignit alors d'avoir trop attendu par vanité, afin de connaître la réaction du vampire.

L'air tourbillonnait à présent dans le cachot. Ce qui semblait avoir pris forme en son corps désagrégea toute molécule vivante en elle, ne laissant qu'un hurlement de fureur et de protestation s'échapper de Viktor.

La rage qui s'était emparée de lui en réalisant la supercherie de cette Sitay s'était estompée en pensant qu'il réussirait à en faire une vampire à ses côtés, car il avait capté le désir de cette femme d'accueillir cette caresse de mort. Mais au moment où il sentit le corps de la Sitay se désagréger, emportée par une force qu'il n'avait jamais sentie en sa demeure, sa fureur fut incontrôlable. Tous les vampires, dans cette aile du château, entendirent son cri de haine résonner sur les murs de pierre...

Chapitre 7

Les infirmières se relayaient, mais le temps entre leurs visites semblait parfois interminable, parfois trop court. Les médicaments qui lui étaient injectés à heures régulières calmaient légèrement la douleur, mais son esprit était engourdi et elle incapable de tenir une conversation ou de se lever. Si au moins la souffrance pouvait la quitter. Elle était toujours en position assise, l'air était propulsé mécaniquement à l'intérieur de ses poumons, mais la douleur... la douleur lui envahissait la cage thoracique, et son cœur crachait son sang à un rythme effréné.

Le Dr Weils entra dans la chambre, le regard trahissant son inquiétude, et s'assit sur le bord du lit.

— Madame Saint-Pierre – sa voix se voulait rassurante, mais son visage émacié trahissait la fatigue –, votre cœur refuse de ralentir. Le péricarde, lui, continue d'augmenter sa pression et le comprime : le liquide inflammatoire augmente malgré le traitement.

— Qu'est-ce que ça veut dire ? demanda Olivia d'une voix affaiblie. Elle avait peur de comprendre le sens de cette tirade...

— Nous allons vous injecter une autre dose de morphine et vous transférer dans un hôpital comportant les meilleurs spécialistes cardiaques. Olivia, continua-t-il, ayant pris l'habitude après ces quelques jours de l'appeler par son prénom, si votre cœur s'arrête dans cet état, avec l'inflammation de la plèvre pulmonaire... nous ne possédons pas les équipements et l'expertise nécessaires pour le remettre en route.

Tout en terminant sa phrase, le Dr Weils se leva et remonta la manche de la tenue d'hôpital d'Olivia pour lui faire l'injection de morphine, légèrement en avance sur l'horaire, constata-t-elle.

— Vous ne désirez pas contacter quelqu'un ? Parent, ami ? demanda-t-il.

— Hum, non – sa voix était frêle et pâteuse –, mes parents sont décédés il y a plusieurs années. J'ai bien un frère, mais je n'ai plus de contact avec lui depuis plus de quatre ans.

Elle trouva le moyen, malgré la douleur physique, de sourire au Dr Weils. Olivia n'éprouvait pas la tristesse qu'elle se serait attendue à ressentir, comme si aucune émotion n'arrivait à percer l'engourdissement qui l'envahissait. D'ailleurs, sous l'effet des médicaments, elle ne savait plus où était la limite du réel et de ses rêves. Le monde dont lui parlait cette Maëlay était-il plus réel que toute cette souffrance ? Elle en venait à l'espérer !

Sans un mot, le Dr Weils, qui avait gardé sa main sur le bras de sa patiente, se dirigea vers la porte pour aller préparer son transfert. Il était toujours surpris quand il voyait autant de quiétude chez certains malades. Il se retourna à peine lorsque Olivia lui murmura une dernière phrase.

— Merci, dit-elle d'une voix à peine audible. Merci pour tout...

Olivia réalisa que sa vue se voilait. La familière odeur de muguet emplissait la pièce et une légère brume couvrit alors son regard et son esprit. Un doux sourire se dessina sur ses lèvres : la douleur la quittait enfin. Au moment où elle crut rejoindre la forêt bienfaisante, elle sentit une piqûre familière déchirer sa peau. La douleur la rappela à la réalité qu'elle espérait maintenant quitter. Le va-et-vient autour d'elle, les ambulanciers et les infirmières qui préparaient son transfert la rendaient nerveuse, mais elle n'avait pas la force de poser des questions. La morphine injectée dans son sang brouillait ses pensées.

Ce fut dans un état semi-conscient qu'Olivia reprit la route, les moniteurs cardiaques s'affolant autour d'elle. Jamais elle n'eut connaissance de son arrivée à cet hôpital spécialisé dont le Dr Weils avait parlé...

***

— Maëlay ! Kelm prononça son nom en se redressant vivement sur sa chaise, la renversant au passage.

Se ressaisissant, sachant pertinemment que le rôle de Maëlay l'avait portée ailleurs, il avait néanmoins clairement ressenti l'énergie de celle qu'il aurait espéré être plus que de passage dans sa vie. Kelm était surpris que le trouble qui venait de se produire ne faiblisse pas, mais ce signal qu'il ressentait se transforma jusqu'à ne plus être exactement la signature de la Sitay.

— Je dois trouver d'où vient cette confusion… avant que quelqu'un d'autre ne le fasse ! dit-il à voix haute, sachant très bien que cela ne pouvait être une simple coïncidence. Capter de la sorte une énergie jumelle de Maëlay le troublait et le persuadait de la nécessité de répondre à cet appel.

Se dirigeant vers la fenêtre, Kelm se concentra sur le lieu qu'il devait voir, puis entama son incantation. Comme il avait toujours su le faire, il perçut que la magie se tissait autour de lui. Il lui suffisait donc de bien diriger ses recherches, sans quoi il perdrait le contact et, par le fait même, un temps précieux.

La réponse vint à lui rapidement. Il sut qu'il devait se rendre au centre de la ville, au sud du port des marchands, là où se terminaient les maisons de pierre des familles des marins et où commençaient les entrepôts, les tavernes bruyantes et arrosées et les auberges peu fréquentables ; ces lieux qui, à cette heure tardive de la nuit, devaient grouiller de bandits et de coupe-jarrets. Toutefois, ce qui alarma Kelm fut de sentir l'essence d'autres mages opérant des manœuvres similaires aux siennes.

Je dois me hâter, conclut-il pour lui-même. Par chance, il pouvait lancer aisément ce sort, connaissant les lieux où il devait se rendre ! Sinon, il aurait dû s'accrocher à l'image d'un endroit voisin et combler par ses propres moyens la distance entre lui et sa destination. Comme il terminait son incantation, tout autour de lui se mit à tourner, une légère brume envahit la pièce, et Kelm ne fut pas surpris de sentir une brise salée lui mordre le visage. Il était arrivé au port : il aperçut alors ce qu'il cherchait…

***

Avant même que le brouillard ne se dissipe, Olivia comprit que ce qui se déroulait n'était pas normal.

— Normal, comme s'il y avait quoi que ce soit de normal dans ce qui m'arrive ! C'est la folie qui me guette, si ce n'est pas la mort…

L'air frais lui laboura le visage, mais autour d'elle, ce ne fut pas l'habituelle forêt qui se dessinait. Nulle part elle ne percevait la verdure qui l'avait accueillie à chacune de ses visites nocturnes. Le vent chaud qui l'avait bercée lors de ses excursions était maintenant froid et salé. Sous ses yeux se dévoilait un port immense, abritant de nombreux vaisseaux comme elle n'en avait vu que dans les livres d'histoire : faits de bois massif, de grandes voiles enroulées et logées sur d'immenses mâts. Lorsqu'elle voulut bouger, emplie d'une curiosité face à ce décor, une terrible nausée la cloua sur place. Tout autour d'elle se mit à tourner. Olivia ne put rien discerner, à part le sol qui se déroba sous ses pieds.

* * *

Kelm aperçut une silhouette féminine et frêle, arborant de longs cheveux bruns contrastant avec la blancheur de sa peau nue. D'où pouvait-elle venir ? Lorsqu'elle s'écroula sur le sol, son propre corps réagit à cette urgence. Il se mit à courir et, d'un seul mouvement, il retira sa tunique de lin, laissant le froid de la nuit mordre sa peau. Il franchit la distance les séparant à grande vitesse, afin de s'agenouiller auprès d'elle et de recouvrir sa nudité.

Lorsqu'il retourna délicatement l'inconnue, son cœur s'affola tant qu'il menaça de s'arrêter, créant un malaise dans tous ses muscles. Malgré la longue chevelure qui couvrait une partie de son visage, les traits qui se dessinaient devant ses yeux étaient, à quelques détails près, ceux de Maëlay !

— Maëlay...

Il eut l'impression que seul un gargouillement avait réussi à traverser ses lèvres, laissant sa gorge tordue par l'émotion qui l'envahissait. À ce moment même, il éprouva une rage envers les Dieux qui se jouaient de lui. Comment était-ce possible ? Au moins, cela expliquait qu'il ait ressenti la présence de la Sitay.

Kelm n'eut pas le temps de s'attarder sur cet événement, car il perçut d'autres fluctuations dans l'air lui indiquant que les autres mages dont il avait perçu les efforts de détection avaient retrouvé la trace de cette étrangère. Profitant de l'adrénaline encore présente dans son corps, il souleva le corps inerte de la jeune femme, sentant sa peau frigorifiée contre son torse. Il se demanda si c'était par contraste avec sa peau brûlante d'angoisse ou si elle se mourait. Mais le mage perçut les mouvements de la jugulaire lors de ses faibles mouvements respiratoires et fut rassuré.

82

Soudainement, comme il l'avait craint, trois mages les encerclèrent dans un tourbillon d'air et de magie. Kelm remit à plus tard ses inquiétudes sur l'état de santé de l'inconnue. Les nouveaux venus semblèrent désemparés de constater qu'ils avaient été devancés et ne pouvaient imaginer à quel point Kelm était prêt à tout pour rentrer au château le plus rapidement possible.

S'ils avaient eu une meilleure expérience des batailles, ils auraient attaqué en premier, ou encore combiné leur force rapidement ; mais leur arrogance et le sentiment de leur supériorité jouaient contre eux. Kelm devait se rabattre sur l'effet de surprise, frapper vite et fort, sachant bien qu'il n'était pas préparé à un tel affrontement : il avait déjà usé une grande partie de ses forces pour se matérialiser en ce lieu. Par sécurité, il mit un genou au sol, maintenant son emprise sur la jeune femme. Gardant la tête penchée au-dessus du visage de l'inconsciente, sa chevelure noire cachant sa figure, son regard d'un bleu translucide se métamorphosa pour atteindre un bleu indigo. L'air autour de lui devint brûlant. Il préféra invoquer les éléments plutôt que la magie brute, et le feu restait sa prédilection.

— Tu as raison, sois sage et rends-nous la femme, cela vaut mieux, tant pour toi que pour elle !

Le plus petit des trois, qui venait de s'adresser à lui, était vêtu de gris sombre et semblait être le meneur.

Le Paetrym ne répondit pas. Il se devait de choisir le bon sort à lancer. Il n'aurait qu'une seule chance...

— Ne joue pas aux braves, renchérit l'assaillant.

Puis il fit signe à ses deux acolytes d'avancer afin de récupérer la femme.

Lorsque Kelm releva les yeux, maintenant sombres et impénétrables, tout devint clair dans son esprit : il venait de discerner leurs crocs d'une blancheur hivernale.

— Des vampires... Un goût d'amertume se glissa au fond de sa gorge en repensant à Maëlay.

Bien que le Feu soit l'élément le plus exigeant à contrôler, il savait que cela lui permettrait de vaincre en un seul assaut. Il laissa s'échapper un tourbillon autour de lui, se localisant dans l'œil de cette tempête de flammes.

Il avait attendu que le trio se soit suffisamment rapproché et espérait avoir atteint la totalité de ses assaillants.

Les hurlements de rage et de douleur des vampires le rassurèrent suffisamment pour qu'il puisse rapidement visualiser le chemin du retour. Le banshal de Maëlay lui apparut être l'endroit tout désigné pour abriter l'inconnue. De plus, Kelm savait qu'il n'aurait bientôt plus aucune énergie disponible !

Il n'avait pas le temps de vérifier l'état des trois vampires, alors il lança le même sort qui l'avait amené sur les quais. Étrangement, Kelm ressentit une pression douloureuse s'effectuer sur tout son corps. Jamais cet enchantement n'avait été aussi douloureux. Lorsqu'ils firent leur apparition dans les corridors du château, la jeune femme était toujours inconsciente dans ses bras. Se téléporter à deux reprises en un court laps de temps l'avait anormalement vidé de son énergie. Kelm mit cela sur le compte de l'anxiété qui le rongeait de l'intérieur : cette femme ressemblait à s'y méprendre à Maëlay, même si son amie avait eu les cheveux blonds et la peau brune.

— Y aurait-il quelqu'un ?

Kelm n'avait plus la force de crier et le son qui sortit de sa bouche ne se répercuta pas bien loin. Il était perplexe face à ses forces qui s'étaient épuisées plus rapidement qu'elles n'auraient dû.

Des pas, trop légers pour être ceux de la garde du roi Shoëg, se firent rapidement entendre. Ce fut Merryl, la gouvernante qui s'était occupée de Maëlay, qui répondit à l'appel de Kelm.

Merryl se figea lorsqu'elle aperçut le Paetrym, visiblement affligé. Kelm, le corps chancelant, tenait toujours dans ses bras une femme inerte, recouverte uniquement de sa tunique. Elle aussi avait reconnu le visage de l'inconnue et partagea le désarroi du jeune homme. La gouvernante ne lui laissa pas le temps de s'exprimer davantage, comprenant la tâche qui lui incombait.

— Déposez-la sur le lit de Sitay Mornëot, je vais chercher l'aide qu'il lui faut !

Kelm avait toujours apprécié la vieille Merryl. Assez courte et toute en rondeurs, elle avait une bonhomie qui invitait à la confidence : le genre de femme protectrice et autoritaire qui rappelait à tous une mère. D'un pas incertain, le Paetrym pénétra dans le banshal de Maëlay et déposa doucement la frêle silhouette sur le lit. Un malaise s'insinua en lui lorsqu'il prit conscience que, sans sa propre tunique, rien ne ferait ombrage à sa pâle nudité. Kelm entreprit alors de la recouvrir à l'aide des draps soyeux d'un blanc aussi clair que sa peau. Seule sa chevelure marron faisait ressortir son visage, dont Kelm ne connaissait que trop bien les traits.

D'une simple caresse, il repoussa les cheveux qui striaient le visage de l'inconnue, puis laissant ses doigts effleurer sa peau, il capta à la base de sa gorge un pouls faible, mais régulier, lui assurant qu'elle était plongée dans un sommeil forcé. Rassuré et affaibli, Kelm laissa la femme aux bons soins de Merryl, qui revenait à l'instant pour veiller sur son sommeil.

***

À peine Kelm avait-il franchi le seuil de son propre banshal qu'une froideur anormale vint embaumer la pièce. Malgré les volets des fenêtres fermés, les rideaux ondulaient au rythme d'un courant d'air qui parut prendre naissance du centre de la chambre.

— Pardonnez-moi, Kelm...

Ce dernier sursauta en entendant la voix de Maëlay résonner dans chacune des fibres de son cerveau. Sentant ses jambes sur le point de se dérober sous lui, il préféra s'asseoir sur l'unique chaise laissée près de son bureau.

— Vous pardonner, mais pour quelle raison ? Pourquoi avez-vous mis aussi longtemps à entrer en contact avec moi ? demanda le Paetrym.

— Bientôt, mon ami, vous aurez vos réponses, mais le temps me presse ce soir. J'ai utilisé le peu d'énergie dont je dispose pour ouvrir le passage de ma jeune sœur. Je vous demande pardon, car j'ai dû puiser dans votre propre énergie pour la maintenir en vie. Je vous ai affaibli, toutefois sa survie en dépendait.

La voix de Maëlay commençait déjà à pâlir...

— Votre sœur, alors cela explique cette ressemblance ! Kelm marqua une courte pause, principalement pour tenter de remettre de l'ordre dans son esprit. Il comprit alors l'instinct digne d'une mère que Maëlay avait manifesté envers la Sitay de Feu tout au long de son séjour au château... ce lien unique qui pouvait lier une Sitay à une autre.

À tout le moins, cette révélation expliquait pourquoi il avait vu ses forces décliner de façon aussi alarmante.

— Kelm...

Ce dernier sentit une vague de froid parcourir son corps. La voix venait maintenant de la pièce et non plus de l'intérieur de son crâne.

— Olivia est une Sitay elle aussi, comme vous l'avez déjà compris. C'est à elle que reviendra le poids de la charge qui reste à accomplir. Elle aura besoin de vous... et, vous le savez maintenant, Olivia n'est pas de notre monde.

Maëlay laissa Kelm digérer cette nouvelle. Le temps lui était compté, elle n'aurait bientôt plus la force de matérialiser sa voix en ce monde.

— Bientôt, je prendrai contact avec elle, mais je vous demande de lui apprendre ce qu'il faut sur ces lieux. Nous nous occuperons de la naissance de son pouvoir de Sitay. Nous avons besoin de vous, Kelm. Plus vite son pouvoir grandira, mieux nous pourrons communiquer avec elle.

Elle devait maintenant repartir. Maëlay sentait que l'énergie qu'elle avait déployée cette nuit prendrait du temps à se régénérer, mais elle savait aussi que les Yrshus seraient ravis du dénouement.

— Au revoir, mon ami...

Soudainement, Maëlay parut si lointaine.

La pièce reprit peu à peu une température normale, laissant Kelm en proie à une fatigue intense. Son esprit était tourmenté par des questions laissées sans réponse, et ses épaules semblaient alourdies par ce qu'il venait d'apprendre.

Il eut à peine la force de se rendre à son lit et, avant même que sa tête ne touche son oreiller, il sombra dans l'inconscience.

**

À son réveil, la journée était déjà bien avancée. Son corps engourdi était lourd et sa tête affreusement douloureuse. À croire que l'emprunt de force vitale faite par Maëlay n'était pas sans effets secondaires. Kelm resta de longues minutes assis sur le bord de son lit, se massant les tempes en essayant de remettre de l'ordre dans ses pensées. Il était vêtu uniquement de son pantalon, ayant laissé sa tunique dans le banshal de Maëlay... d'Olivia.

Olivia. Maintenant, il connaissait l'identité de la femme qu'il avait sauvée la nuit dernière !

Se levant péniblement, il préféra commencer cette journée par un long bain chaud. Il lui semblait que le froid qui s'était levé dans sa chambre lors de cette visite nocturne était encore présent dans son corps. Jamais il ne lui serait possible de se concentrer dans cet état et il savait très bien qu'il aurait des comptes à rendre au roi Shoëg et à son conseil !

Toutefois, il ne pourrait se détendre sans obtenir des nouvelles de la jeune femme. Kelm fut rapidement rassuré par Merryl sur l'état d'Olivia : elle était toujours plongée dans un sommeil profond, sans avoir repris connaissance. Elle donnait néanmoins des signes de réveil futur. Il savait que Maëlay avait tout fait pour qu'elle survive à cette nuit. Kelm entra lentement dans la baignoire d'eau chaude, savourant l'effet bénéfique que cela avait sur ses muscles.

Il ne put bénéficier longuement de ce moment de répit puisque, comme il l'avait anticipé, on frappa assez vite à sa porte. Couvert d'un drap de bain, il ouvrit pour laisser apparaître un garde du roi.

— Sa Majesté le roi Shoëg vous demande à la salle du conseil, Paetrym Hirms. L'air sévère du garde, en dépit du rang de Kelm, lui indiquait l'urgence de la demande.

— Vous pouvez m'attendre, je vous accompagne. Je n'en ai que pour quelques instants, répondit-il. Son ton était plus las qu'irrité, mais son épuisement lui ôtait le goût des formalités.

Kelm ne laissa pas une seconde au garde pour répondre quoi que ce soit et referma la porte derrière lui. Il se hâta d'enfiler ses vêtements habituels, pantalon et tunique sombres.

Dûment escorté, Kelm entra dans la salle du conseil. Il n'eut aucunement la force de cacher sa surprise lorsqu'en ouvrant la porte, il constata que le roi n'était pas accompagné de ses habituels conseillers. De ce fait, cela lui apporta un franc soulagement. Dans un simple mouvement de la main, le souverain invita Kelm à s'asseoir non loin de lui. D'un âge avancé, le roi Shoëg avait assisté à bien des revirements dans sa vie, et son calme et son impartialité étaient connus dans chacune des chaumières du royaume.

En ce moment, devant Kelm en qui il avait toute confiance, il ne désirait pas cacher son inquiétude.

— Paetrym Kelm, nous avons encore retrouvé des morts, plus nombreux et plus près que jamais du château. Le peuple souffre et je ne sais comment le rassurer. Auriez-vous maintenant davantage de précisions à nous apporter ?

Voyant que ce dernier jetait un coup d'œil perplexe autour de lui, retardant sa réponse, le roi renchérit :

— Je comprends votre surprise face à l'absence de mon conseil, mais j'ai jugé préférable de réfléchir sur la discussion qui va suivre avant d'affronter leurs questions.

Le roi se leva, le poids des événements lui pesait de plus en plus lourd sur les épaules. Placé tout juste derrière Kelm, il déposa sa main sur son épaule.

— Vous avez une mine affreuse, mon ami, lui dit-il en détournant la conversation. Shoëg se souciait sincèrement de l'état de son protégé.

Le souverain avait bien raison, Kelm se sentait affaibli et ses yeux paraissaient assombris par l'épuisement.

Tout en prenant place sur la chaise à côté de son interlocuteur, Shoëg continua :

— Pourriez-vous me parler de votre excursion de la nuit dernière ? Les bribes qui m'en sont revenues ne me permettaient pas de tout comprendre. Kelm, pourquoi ai-je l'impression que l'inconnue que vous avez ramenée n'est pas sans rapport avec le malheur qui frappe notre peuple ?

— Monseigneur, sans mon intervention, je crains qu'elle n'ait subi le même sort que Maëlay, répondit-il.

Kelm se passa lentement la main sur le visage, pour tenter de chasser la confusion et l'épuisement de ses pensées.

Lorsqu'il releva les yeux, Shoëg attendait, impassible, qu'il commence son récit. D'un simple mouvement de la main, le roi enjoignit son protégé à poursuivre.

— Comme moi, vous devez avoir en mémoire les paroles de Sitay Mornëot avant son départ pour les terres de Nomelhan, jusqu'au village d'Aeyns : « Celle qui aura le pouvoir d'arrêter ce massacre viendra en ce monde avant son temps. » – Kelm cita les paroles de Maëlay, dont ni le roi ni lui-même n'avaient alors pu mesurer l'ampleur. – Sans comprendre, j'ai ressenti une énergie soudaine qui me rappelait la Sitay de la Terre. Monseigneur, je n'ai pas à vous expliquer la magie, mais l'urgence et le désespoir qui retentissaient dans cet appel m'exhortaient à l'empressement.

Le roi Shoëg écouta la suite du récit de Kelm sans sourciller, pas même lorsque ce dernier compara le visage de l'inconnue à celui de sa défunte amie. Maëlay avait fait une brève apparition dans le royaume de Shimrae, mais tous ceux qui l'avaient côtoyée en gardaient un souvenir chaleureux.

Par contre, lorsque ce dernier parla des vampires qui les avaient encerclés, le souverain blêmit. D'une voix basse, il interrogea le Paetrym.

— Kelm, je ne sais pas ce qui me terrasse le plus, savoir que des vampires sévissent aussi cruellement dans notre royaume ou que des sorciers soient métamorphosés en ces êtres. Moi qui, avant le passage de la Sitay, croyais qu'ils servaient l'équilibre des mondes... Maintenant, j'apprends que nous devrons combattre des monstres avec des pouvoirs de mage ! De quelle façon pouvons-nous espérer vaincre ce mal qui ne semble pas vouloir cesser d'étendre son ombre sur nous ?

Ne sachant comment poursuivre sans augmenter le trouble du roi, Kelm répondit simplement.

— Sitay Mornëot m'est apparue à notre retour au château. Les préparatifs qu'elle nous avait enjoint de faire vont maintenant servir. Tout semble s'être déroulé comme les Yrshus l'avaient prévu.

La surprise qui peignait les traits de Shoëg était compréhensible. Malgré les questions qu'il savait bourdonner dans le cerveau du souverain, Kelm poursuivit.

— La femme qui reprend des forces dans le banshal s'appelle Olivia. Selon les dires de Maëlay, elle serait aussi Sitay. Je ne sais pas ce qu'elle pourra contrôler comme pouvoir de l'élément Feu, mais je m'occuperai de son apprentissage, car elle devrait, contre toute attente, anéantir la menace qui plonge le royaume de Shimrae dans la terreur.

— Vous semblez perplexe face à cette femme, avisa le roi.

— Le nombre de nos ennemis augmente. Les décès s'accumulent, mais je me dois de faire confiance au choix des Dieux. Je sais qu'elle ressemble étrangement à Lady Maëlay, mais selon cette dernière, nous avons tout à lui apprendre. En aurons-nous le temps?

Shoëg sentait bien que son Paetrym ne lui disait pas tout ce qu'il avait au fond de l'âme et il s'en accommoda. Il savait bien que son silence ne mettrait jamais en péril le royaume. En temps et lieu, le mystère qui entourait les propos vagues et le regard fuyant de son protégé serait levé. D'ailleurs, il aurait été sot de ne pas garder en mémoire la franche affection que le Paetrym avait éprouvée pour Maëlay. Le roi ne pouvait qu'imaginer la confusion qui avait dû s'insinuer chez le jeune mage.

Les deux hommes passèrent en revue les préparatifs instaurés depuis le passage de la Sitay de Terre. Tout en discutant, Kelm se disait que la sensation d'être dépassé par les événements qu'il avait ressentie la veille n'était pas fondée: ils avaient suivi le sillage qu'avait dessiné Maëlay et se tenaient prêts pour la suite des choses.

Chapitre 8

Sorik n'avait que dix-neuf ans lorsqu'un des hommes de main de Viktor lui arracha la vie. Il n'était qu'un jeune mage lorsqu'il avait senti les crocs transpercer sa peau pour venir s'abreuver à sa jugulaire, et il n'avait commencé ses leçons auprès de son précepteur que depuis trois ans. Bien que son âge physique ait arrêté de s'accumuler, son expérience s'était enrichie de près de cinq ans. Tout jeune vampire et mage novice qu'il était, Viktor l'avait accueilli et lui avait offert un laboratoire complet et des apprentis : jamais Sorik n'aurait pu rêver pareille chance dans sa vie d'humain !

Depuis que son existence avait été échangée contre la puissance et l'éternité, il n'avait plus ressenti la faim ou la soif, du moins pas comme un mortel, car la jouissance d'une vie s'écoulant dans sa gorge n'avait pas de comparaison sur cette terre, ni sur aucune autre d'ailleurs.

Mais de la souffrance, il n'en avait plus éprouvé. Sorik s'était senti fort et invincible, du moins jusqu'à ce soir. Avançant difficilement, traînant un de ses apprentis par la taille, la douleur qui rongeait son corps le terrassait. Compte tenu de leur état de faiblesse, les deux vampires avaient dû parcourir la distance qui séparait le port de Shimrae du château du Seigneur Balyhn le plus rapidement possible sans pouvoir user de leur magie.

Faurg avait péri dans les flammes, son hurlement surhumain avait rapidement disparu ainsi que toute trace de son corps. Sorik ne savait pas si Jyram survivrait, ce dernier étant de plus en plus lourd à traîner.

Ou était-ce ses propres forces qui diminuaient ? Il n'en savait rien.

La célérité légendaire des êtres de sa race lui permit d'atteindre le château avant même le lever du soleil. La plupart des siens avaient déjà regagné leur antre, mais les ordres avaient été clairs : Viktor attendait son retour dans la salle du trône. Son chef avait été intransigeant, ayant ressenti l'ouverture d'un passage. Ses mages avaient dû faire appel à toutes leurs ressources pour découvrir le lieu où apparaîtrait cette femme.

Sorik adossa le corps de Jyram contre une colonne de pierre, avant de se présenter devant son maître. Il était grièvement blessé, ses plaies avaient peine à se refermer et, par endroits, sous les tissus en lambeaux, sa chair brûlée se détachait douloureusement. La souffrance le faisait grimacer.

— Ce devait être une quête aisée... capturer une femme désorientée !

Viktor fulminait, sa voix semblait résonner à travers toute la pièce. Sans se soucier de Sorik, qui reprenait lentement son aplomb, il se dirigea directement vers Jyram. Il le domina avec dégoût, puis l'empoigna à la gorge. De sa seule main droite, Viktor le souleva afin de le maintenir debout. Seul un gargouillis traversa les lèvres tuméfiées du vampire mourant.

D'une simple pression de la main, Viktor lui arracha la trachée, qu'il lança au sol en un amas de sang. Jyram s'écroula en un gémissement. Plus aucune régénération n'était possible pour lui. À cet instant, Sorik aurait voulu être mort sous les flammes de ce maudit mage, tant il craignait pour son propre sort. La vengeance de Viktor serait beaucoup plus terrible que la mort elle-même.

Son maître se rapprocha, puis essuya le sang de Jyram directement sur la chemise déchirée de Sorik. Lorsque celui-ci voulut expliquer sa défaite, le vampire ne lui en laissa pas l'occasion.

— Vous avez échoué contre un homme, un seul de surcroît, grogna-t-il.

— C'était un mage beaucoup plus puissant que ce que nous avions estimé...

— Peut-être aurais-je dû le recruter à ta place, afin de former mes sorciers, Sorik ?

Ce dernier n'osa répliquer, il avait effectivement failli à sa tâche. Il inspira profondément, et ses épaules retombèrent enfin. Après tout, il ne méritait rien de moins que la fureur de son Seigneur, mais il n'aurait pu anticiper la force du coup qui suivit.

Le poing de Viktor s'abattit directement sur sa mâchoire, l'envoyant valser contre le sol de pierre. Sorik sentit sa mandibule se briser sous l'impact. Faisant fi de la douleur, il se releva et laissa ses capacités de guérison faire leur œuvre. Il devait regagner le respect de Viktor.

— J'ai pour toi l'occasion de te racheter, mais pour l'heure, va guérir. Je te retrouverai dans quelques lunes, annonça le vampire, tout en tournant le dos à Sorik, qui bénissait la soudaine clémence de ce dernier. Le soleil se lèverait bientôt et il ne se fit pas prier pour rejoindre la noirceur de son antre.

**

L'odeur, les bruits... encore familiers de ses rêves, mais cette fois, elle n'eut pas la sensation d'émerger du sommeil, mais plutôt de reprendre vie ! Comme si l'air qui entrait dans ses poumons la vivifiait, à croire que c'était la toute première bouffée de fraîcheur qui y entrait. Pourtant, tout restait dans l'obscurité. Olivia n'était pas envahie par l'angoisse. Elle n'avait pas la sensation d'être aveugle, mais simplement qu'en ce lieu rien n'était à voir. L'étrangeté de son calme la sidérait.

— Olivia, tu commences ton chemin et je dois m'en excuser.

La voix de Maëlay était d'une douceur enveloppante.

— Je dois vous avouer que je ne sais pas ce qui m'intrigue le plus : savoir de quel chemin vous parlez ou pourquoi vous me demandez pardon, répondit l'interpellée.

— Cela fait déjà quelques semaines maintenant que nous avons fait connaissance. Tu t'habitues lentement au transfert nécessaire à ton arrivée au royaume de Shimrae. Olivia, je sais que pour toi tout cela est irréel ; à ton réveil, sache que rien de ta vie antérieure ne te suivra. Même tes souvenirs les plus intimes seront devenus flous dans ta mémoire. Maintenant, je t'en prie, écoute-moi, car je vais devoir puiser dans des réserves d'énergie qui ne m'appartiennent pas pour t'aider... Je n'ai pas autant de temps que je l'espérais, enchaîna-t-elle rapidement.

Olivia se sentait tiraillée entre le fait que son corps croyait en ce qui lui arrivait et sa raison qui lui criait que cela était impossible. Si elle n'avait pas fait tous ces voyages dans le monde de Maëlay, jamais elle n'aurait pu faire montre d'autant de contrôle : la folie l'aurait bel et bien gagnée !

— Alors, je vous écoute, aussi fou que cela puisse paraître, lui répondit Olivia, visiblement curieuse.

— Tu es une Sitay.

Maëlay savait que ce mot ne signifiait rien pour Olivia, alors elle lui expliqua succinctement :

— Ma jeune sœur, tu es la deuxième des quatre. Sache que nos deux cadettes ne sont pas encore au monde et que nous, les Sitays, servons les Maîtres des éléments. Je ne peux me permettre de te donner plus de détails maintenant, toutefois souviens-toi que le lieu où tu te trouves est le royaume de Shimrae. Des gens seront là pour répondre à tes questions.

Maëlay marqua une pause... elle semblait en avoir si long à dire. Olivia ne savait pas quoi ajouter : le seul concept qui flottait dans son esprit était l'irréalité du moment.

Alors la Sitay de la Terre continua :

— Il me peine de l'annoncer de la sorte, mais le monde dans lequel nous passons de femme à Sitay est en proie à la mort elle-même. Si je le pouvais, je ne serais pas ici à requérir ton aide. Petite sœur, sache que dans le royaume de Shimrae sévit un mal que nul n'aurait pu anticiper. En son temps, tu connaîtras l'origine de ce mal. J'aimerais maintenant t'expliquer ce qui t'arrive. Écoute-moi, Olivia...

Maëlay ne voulait pas lui expliquer sa mort, alors elle enchaîna sur sa propre expérience :

— Je suis la première à avoir vu le jour. J'ai vécu une vie de mortelle, qui me paraît aujourd'hui si lointaine. La magie n'avait pas sa place sur la terre où j'ai vu le jour, comme pour toi. J'ai vieilli, j'ai aimé et mon âme s'est détachée de mon corps, mais je n'aurais jamais imaginé ce qui m'attendait sur cette terre-ci. Normalement, je n'aurais pas à t'expliquer qui tu es, mais nous avons besoin de toi. Chaque chose ne peut malheureusement pas toujours venir en son temps.

La voix de Maëlay commençait sensiblement à s'éloigner.

C'est Olivia qui reprit :

— Un mal ? Mais de quel mal peut-il s'agir qui fasse en sorte que moi, je puisse intervenir !

Olivia sentit son corps sombrer dans le vide et éprouva de la nausée. Elle put à peine entendre la réponse de Maëlay se répercuter tout autour d'elle.

— Des vampires...

***

À sa mémoire revinrent de succinctes images, mais comme s'il s'agissait des souvenirs d'une autre personne. Elle arrivait à discerner des médecins qui s'acharnaient sur son corps meurtri, puis les mots fatidiques percutèrent son oreille :

— Ça suffit, le cœur ne se remettra plus en route...

Un lourd silence accompagna les mouvements machinaux des urgentistes. Olivia aurait voulu leur hurler qu'ils avaient tort, mais ce n'est pas sa voix qui résonnait dans les dernières bribes du rêve qui s'effaçait. C'est à peine si elle put entendre la fin.

— Vous pouvez débrancher Madame Saint-Pierre. Veuillez inscrire l'heure de la mort : 23 h 47.

Le brouillard du sommeil se dissipa, lui annonçant qu'elle était bien en vie. Quelle était la part du rêve dans tout ce qui l'entourait ?

Le soleil réchauffait sa peau lorsqu'elle ouvrit les yeux. Ce qu'Olivia ressentit tout d'abord fut la douceur des draps qui recouvraient son corps. Mais dès qu'elle esquissa un mouvement pour se relever, ses muscles refusèrent de lui répondre et une lourdeur la cloua au fond du lit.

— Restez allongée, Madame ! Une voix pleine d'inquiétude lui parvint du fond de la pièce.

Retenant une grimace, Olivia se releva sur ses coudes afin d'apercevoir celle qui s'approchait rapidement.

— Ne vous faites pas souffrir, je suis là pour m'occuper de vous. Je me nomme Merryl Lorywann, Milady.

Un visage rond, encadré d'une tignasse ayant la couleur de la paille relevée en un chignon pratique, se pencha au-dessus d'elle. Des yeux gris, plissés par l'âge et débordants d'inquiétude, la fixaient avec une insistance étrange. Néanmoins, ce n'était pas cela qui captiva toutes les pensées d'Olivia. Autour d'elle se dessinait une ambiance qui dépassait largement la simple décoration médiévale. Les murs de pierre semblaient si massifs ! De larges fenêtres, dont les volets de bois avaient été ouverts, laissaient passer la lumière du soleil. Le seul chauffage de la pièce venait d'un feu allumé dans le foyer face au lit. On n'y voyait plus que la légère lueur des braises qui mouraient.

Une nausée l'envahit. En quelques instants, les cheveux encadrant son visage se collèrent sur sa peau humide. Elle n'eut plus la force de soutenir le haut de son corps et, suivant le mouvement que la main de Merryl appliquait sur son épaule, elle s'allongea. Il n'y avait donc pas que son esprit qui était troublé, son corps semblait vouloir lui refuser toute coopération. Mais où était passée cette douleur trop familière qui lui comprimait le cœur quand elle était ainsi allongée ?

La fraîcheur d'un linge humide posé sur son front apaisa son haut-le-cœur. Elle put alors ouvrir ses yeux gorgés de fatigue, et c'est alors qu'elle déposa son regard sur l'une de ses mèches de cheveux : ils avaient retrouvé leur couleur naturelle ! Néanmoins, elle était trop faible pour s'en tourmenter.

— Voilà qui semble mieux ! reprit Merryl, qui n'avait rien capté de son désarroi, s'inquiétant davantage de sa santé. Pour un temps, vous m'avez fait peur : tout le sang avait quitté votre visage, mais là vous semblez reprendre quelques couleurs.

— Pourriez-vous me dire… où je suis ? demanda Olivia d'une voix faible.

Merryl parut hésiter tout en fixant la nouvelle Sitay. Elle avait été mise au courant de sa venue et de son rôle, mais aussi du fait que le Paetrym et le roi voulaient avoir le privilège de lui parler de leur monde et de sa mission. De toute façon, comment pouvait-elle espérer rassurer cette jeune femme qui venait d'être arrachée à son monde ?

— Vous êtes dans le château du roi Shoëg Shimrae, répondit-elle. Cela fait déjà plus d'une journée que vous dormez. Venez, bouger un peu devrait vous faire le plus grand bien.

Elle n'avait pas envie de poursuivre les explications concernant son arrivée ici, elle n'aurait aucune réponse satisfaisante à lui offrir. Merryl s'affaira plutôt à aider Olivia à se relever lentement, pour éviter de faire souffrir sa frêle musculature.

Laissant la servante l'aider à passer un peignoir sur ses épaules, grimaçant sous le coup de la douleur que ce simple effort lui infligeait, elle avait l'impression d'avoir abusé de ses forces musculaires bien au-delà de ses capacités. Pourtant, elle n'avait nul souvenir de ce qui avait pu causer cet état physique. La dernière image qui s'imprégnait dans son esprit était celle de grands bateaux.

Merryl la dirigea jusqu'à une pièce adjacente à sa chambre. L'endroit embaumait d'une fine odeur de muguet et de rose, et lorsqu'elle releva la tête, Olivia aperçut, trônant au centre de la pièce, un immense bain aménagé à même la pierre. Une douce vapeur émanait de l'installation, chauffée par un dispositif qu'elle ne pouvait discerner.

— Allez, prenez le temps de vous détendre.

Elle l'aida à retirer son peignoir et la laissa s'immerger dans l'eau chaude et parfumée.

— Je vous apporte des vêtements qui ont été mis à votre disposition.

Tout en parlant, Merryl quitta la pièce qui n'était éclairée que par quelques chandelles. Aucun rayon du soleil ne pénétrait en ces lieux. Merryl espérait que les herbes que lui avait remises Kelm et qu'elle avait ajoutées à l'eau feraient leur effet et que les souffrances de cette pauvre femme se dissiperaient rapidement.

À peine Olivia fut-elle entrée dans l'eau chaude, la tête reposant sur le rebord de pierre, que les bénéfices se firent ressentir. Les battements de son cœur s'adoucirent, cessant de raisonner contre les parois de son crâne. Elle respirait lentement et n'avait plus aucune notion du temps. Détendue, elle n'arrivait même plus à s'angoisser de cette étrange réalité. Olivia resta près d'une demi-heure à savourer les odeurs et la chaleur de l'eau, puis Merryl revint, frappant doucement à la porte pour signaler son retour. Elle posa une pile de vêtements sur un buffet à l'autre bout de la pièce, souriant de voir la jeune femme pleine de couleurs bouger avec aisance.

Merryl était stupéfaite de voir l'effet du bain recommandé par le Paetrym. Décidément, ce mage ne manquait pas de ressources.

— Je vous remercie, Merryl, dit Olivia, c'est à croire que toutes les douleurs sont du passé.

Elle savait que tout cela était beaucoup trop réel pour n'être qu'un rêve, mais elle ne trouvait pas les mots pour se rebeller. Comment pourrais-je manifester mon désarroi ? C'est la première fois depuis plusieurs semaines que je ne souffre plus ! constata la jeune femme.

Olivia sortit de l'eau, qui n'avait rien perdu de sa chaleur bienfaisante, pour aller s'enrouler dans le drap de bain que lui tendait Merryl.

— Vous avez dit tout à l'heure que vous m'apportiez des vêtements mis à ma disposition, comment cela se peut-il ? demanda-t-elle.

Merryl se contenta de sourire. Bientôt le roi lui apporterait toutes les réponses à ses questions.

— On m'a dit que le rouge était votre couleur favorite. Regardez cette robe, je suis certaine que vous serez somptueuse lors de votre rencontre avec le souverain Shoëg Shimrae. C'est lui qui pourra vous expliquer ce qui vous arrive.

Voyant les yeux d'Olivia s'agrandir, Merryl ajouta rapidement :

— Ne me posez plus de questions, Madame, je ne saurais quoi vous répondre. Laissez-moi plutôt vous aider à vous préparer.

Olivia ne put réprimer une moue de déception. Elle avait bien compris que les réponses viendraient bien assez vite et la nervosité la gagnait à chaque minute qui passait. Elle s'accrochait aux paroles de Maëlay. Au fil de ses visites, elle s'était étrangement mise à croire à l'existence de ce qu'elle lui racontait, mais le vivre et se réveiller dans ce lieu était tout simplement irréel. Résignée, elle laissa Merryl l'aider à enfiler la longue robe qu'elle lui avait montrée.

— Il ne restera qu'à placer vos cheveux, ils sont aussi longs que...

La nourrice ne termina pas sa phrase, se demandant si elle avait trop parlé.

— Que ceux de Maëlay, compléta Olivia, tout en accrochant son regard à celui de son interlocutrice.

Écarquillant les yeux, Merryl répondit :

— Vous connaissez Sitay Maëlay ?

— Elle est venue me voir à plusieurs reprises en songe, me parlant de votre monde et de l'aide que je devrais vous apporter. Vous savez, Merryl, j'ai tant de questions sans réponse...

— Laissez-moi finir de vous préparer, Madame, et je vous conduirai personnellement à la salle du conseil.

Pendant qu'elle parlait, un sourire rassurant s'était dessiné sur son visage et elle dirigea Olivia vers l'entrée de son banshal.

Merryl laissa Olivia devant un grand miroir sur pied afin d'aller chercher le nécessaire pour la coiffure de sa protégée.

Devant la jeune femme, qui se retrouvait figée de stupeur, se dessinait un reflet d'elle-même qu'elle avait presque oublié.

Il y a quelque temps, Olivia avait choisi de souligner sa séparation en modifiant son apparence : elle s'était maintenant habituée à voir cette longue tignasse d'un blond cendré... et voici que ses longs cheveux marron primaient maintenant sur sa coloration. Même si cette couleur lui était familière, sa silhouette, qui arborait habituellement un jean et un chemisier, se retrouvait transportée dans une autre époque. Ses épaules étaient dénudées, bordées par un tissu rouge comme le sang, recouvrant ses bras de longues manches évasées. Le tissu seyant tombait sur sa poitrine puis ses hanches, jusqu'à effleurer le sol. Pour mouler sa silhouette, un corset noir, brodé d'un motif abstrait rappelant des flammes d'un rouge identique à la robe, venait se lacer dans son dos. Le même motif se répétait à la base de la robe dans un noir profond. Simple et exotique, la robe amplifiait sa sensation d'être une étrangère à l'intérieur de son propre corps.

Olivia laissa Merryl terminer sa préparation en s'occupant de ses cheveux. Mais elle refusa catégoriquement de les relever en un chignon serré. Merryl laissa alors un étroit ruban du même tissu que sa robe se mélanger à ses cheveux dans de fines tresses.

— Voilà, Madame, vous allez pouvoir vous joindre au roi Shoëg qui vous attend à la salle du conseil.

Elle posait sur Olivia le regard d'une mère qui est fière de sa fille. Sans savoir pourquoi, Merryl avait tout de suite senti un profond attachement pour cette inconnue, qui aurait pu être son enfant.

— S'il vous plaît, appelez-moi Olivia. Je n'ai pas l'habitude qu'on prenne soin de moi de la sorte. Faites-moi au moins l'honneur d'utiliser mon prénom, demanda la jeune femme, qui avait le même sentiment de filiation à l'égard de Merryl.

En souriant, cette dernière acquiesça, signifiant qu'elle était ravie de cette suggestion.

— J'ai déjà avisé le roi que vous seriez visible dans quelques instants.

— Vous savez, d'où je viens, il n'y a pas de monarchie telle que vous semblez la vivre ici. À quoi ressemble votre roi ? demanda Olivia.

La jeune femme semblait intimidée par cette situation qui la dépassait. Ai-je bien le choix de jouer le jeu ? ajouta-t-elle pour elle-même.

Les deux femmes se dirigèrent vers le long corridor tout en discutant. Merryl était une femme volubile, faisant montre d'une classe qu'elle avait acquise en travaillant toute sa vie au château. Grâce à elle, Olivia en apprit rapidement sur les us et coutumes à la cour du roi. Des leçons abrégées, mais bien utiles.

— Ne soyez pas inquiète, Olivia, notre roi Shoëg est un homme charismatique et calme. Il sait se faire respecter par sa prestance.

Merryl lui parla de la vie au château, sous la gouvernance de ce souverain qui semblait susciter chez elle une grande dévotion.

Les habitants du château avaient eu vent de son arrivée. Tous se retournaient sur son passage, laissant traîner un murmure dans son sillage. Les traits de leur visage reflétaient l'admiration. Olivia n'en comprenait pas la raison.

Elle aurait bien aimé rester concentrée sur la voix de Merryl, mais c'était plus fort qu'elle, il y avait tant de choses à voir, de gens à saluer d'un simple sourire. Ce fut presque comme sortir une seconde fois du rêve lorsque la voix de sa guide s'arrêta.

— Nous voici arrivées à la salle du conseil. Le roi Shoëg vous y attend.

Avant même de terminer sa phrase, Merryl posa une main réconfortante sur l'avant-bras d'Olivia. Elle se doutait que ce moment devait être angoissant pour la jeune femme. C'est seule qu'Olivia ouvrit la lourde porte pour s'avancer dans une salle éclairée par la lumière du jour. Au bout de la table attendait celui qui devait être le roi Shoëg.

Il était exactement comme sa gouvernante l'avait décrit. Il se leva pour venir l'accueillir. Le roi était grand et d'une carrure imposante.

— C'est avec grand honneur et impatience que je vous accueille en ma demeure, Milady.

Le roi fit une simple révérence face à Olivia.

Elle se sentait complètement dépassée par les événements. Comment ne pas l'être? s'encourageait-elle. Bien que, dans les jours précédant son intrusion, il lui avait semblé être de plus en plus étrangère dans son propre monde, plus les rêves se faisaient concrets et réguliers, plus elle avait eu la sensation que sa raison l'abandonnait. Est-ce que le fait de croire en ce qui lui arrivait était la preuve que toute lucidité l'avait quittée?

N'osant risquer d'avoir l'air ridicule devant un hôte de marque, Olivia répondit d'une révérence similaire, alors que son visage trahissait son désarroi.

— Je me nomme Olivia Saint-Pierre, Monseigneur, annonça-t-elle d'une voix mal assurée.

— Prenez place, Lady Saint-Pierre.

Le roi Shoëg l'invita à s'asseoir. D'un pas incertain, elle s'avança. Tout comme Maëlay l'avait fait avant elle, Olivia admira les armoiries qui décoraient les murs de pierre.

Le roi Shoëg était pantois. Il avait eu conscience des sentiments du Paetrym à l'égard de Maëlay et il comprenait maintenant parfaitement le malaise qu'il avait perçu chez le jeune mage lors de leur dernière entrevue. La nouvelle venue pouvait passer pour la sœur jumelle de la Sitay de la Terre. À part la couleur de leur peau, de leurs cheveux et de leurs yeux, les deux femmes étaient identiques.

Alors qu'Olivia s'était assise à l'endroit qu'il venait de lui indiquer, le roi se dirigea vers une des larges fenêtres donnant sur une magnifique cour intérieure. Gardant les mains croisées dans le dos, il posa une simple question avant de venir prendre place tout près d'Olivia.

— Que connaissez-vous de notre monde et de votre rôle ici?

— Monseigneur, je ne sais que vous répondre... Même mon arrivée ici semble floue, avoua-t-elle.

Devait-elle croire ce qu'elle voyait, se fier à ses sens physiques qui lui dictaient que tout autour d'elle était réel?

Est-ce que la maladie et la douleur étaient venues à bout de sa raison? Ce monde où la folie des temps modernes n'avait pas abruti les sociétés et où sa souffrance ne semblait pas avoir de place était-il une réalité? Il lui semblait finalement impossible de ne pas se raccrocher à cette nouvelle existence. À dire vrai, elle devait s'avouer qu'elle aurait préféré être plus incrédule et défendre la logique avec laquelle elle avait toujours évolué.

— Vous réfléchissez trop, Lady Saint-Pierre!

La voix du roi se voulait réconfortante. Il lui aurait été sot d'affirmer qu'il comprenait son trouble, car d'après les explications de son Paetrym, personne sur cette terre n'avait connu pareille épreuve.

— Pardonnez le manque de consistance de ma réponse, j'aimerais vous apporter les réponses que vous attendez, finit-elle par déclarer à mi-voix.

De toute sa vie, Olivia n'avait jamais autant manqué d'assurance et elle se doutait bien que cela transparaissait dans ses gestes et son regard. Elle sentait que les événements lui échappaient totalement.

Le roi plongea son regard sombre orné de gris dans l'âme même d'Olivia. Il ne la laissa pas se confondre davantage en excuses. Il leva sa large main devant lui en signe de protestation.

— Je vous en prie, Milady. Ce n'est pas à vous de vous excuser, mais bien à moi.

Afin de montrer sa sincérité, le souverain posa sa main sur le bras d'Olivia. Bien qu'il soit déçu de n'avoir pas plus d'explications sur le savoir de la Sitay, il savait que ce n'était pas son rôle de la brusquer.

— Lady Saint-Pierre, sachez que lorsqu'un souverain comme moi est l'hôte d'une invitée telle que vous, il est de son devoir de l'accueillir en sa demeure. Un mage dans ce royaume sera en mesure de vous aider à dissiper le brouillard de votre esprit. Bientôt vous ferez sa connaissance, mais d'ici là, je vous prie de vous détendre et d'accepter de partager mon repas.

— Je vous suis reconnaissante de cet accueil, Monseigneur, souffla Olivia.

Visiblement, le calme de son interlocuteur était contagieux. Un mage ?! Olivia n'avait aucune idée de la conduite à adopter. Jouer le jeu ? Se rebeller ? Quelle était la meilleure attitude face à ce rêve ? Si tout cela n'était bien qu'un rêve...

C'est en affichant le plus beau sourire que son état mental lui permettait de dessiner sur son visage qu'Olivia suivit le souverain jusqu'à la salle où on leur servit un copieux repas.

Elle avait eu peur de se sentir comme une intruse à la table du roi, mais elle fut bien surprise de sa simplicité. Aucune autre personne ne fut invitée à se joindre à eux et il sembla à Olivia que beaucoup de gens défilaient, chacun apportant un plat dont chaque fumet était différent, en la dévisageant avec une ferveur qui la mettait mal à l'aise.

Elle s'efforçait de les saluer, mais son attention était attirée vers ce qui se passait autour d'elle. Un énorme feu était allumé dans un foyer non loin de l'immense table où ils étaient installés. Tout lui semblait démesuré ; elle devinait aisément que cette salle de repas était conçue pour recevoir un grand nombre d'invités. Aucune fenêtre n'ornait les murs, mais les lustres regorgeaient de chandelles et l'effet grandiose la laissait sans voix.

Les mets débordaient d'odeurs enivrantes. L'appétit n'était pas au rendez-vous chez Olivia, mais le roi Shoëg ne semblait guère s'en soucier. Il la régalait d'histoires concernant le royaume de Shimrae, ainsi que sa famille qui régnait sur ces terres depuis des siècles. À la fin de la soirée, étourdie par le vin et les histoires, la jeune femme fut raccompagnée par Merryl.

Quel monde étrange ! Vais-je me réveiller à l'hôpital après cette nuit ?

Chapitre 9

Dès son retour dans son banshal, Olivia s'était assise sur le large rebord d'une des fenêtres donnant sur la rivière. Le souverain avait eu la clair-voyance de ne convier personne d'autre au repas, permettant ainsi à Olivia de s'accoutumer et de discuter des coutumes de son royaume d'adoption. De plus, grâce au caractère volubile du roi, elle connaissait le sens de bien des nouveaux termes, dont ce fameux banshal, appartement constitué de trois pièces : chambre, atelier et lieu pour la toilette.

Elle avait été attristée de voir apparaître une déception dans le regard du roi Shoëg lorsqu'il comprit qu'elle n'avait rien de plus à lui apprendre.

À quoi s'était-il attendu ?

D'ailleurs, comment pouvait-elle croire à tout cela ? Le souvenir le plus frais à sa mémoire concernant son propre monde était la douleur qui l'avait suivie sans relâche. Mais depuis son réveil en ces lieux, elle se sentait étrangement en paix et toute sa souffrance avait disparu.

Olivia et le roi avaient longuement discuté, mais cette dernière n'avait pas osé avouer ses doutes sur ce qui se dessinait autour d'elle. Comment aurais-je pu le décevoir davantage ? se dit-elle.

Le souverain n'avait pas semblé relever les lacunes d'Olivia, au con-traire les paroles semblaient s'installer d'elles-mêmes entre eux. À sa grande surprise, le roi lui annonça qu'une garde-robe avait été mise à sa disposi-tion et que ses allées et venues ne seraient pas contrôlées dans le château. Elle était considérée comme une invitée de marque, sans avoir l'impres-sion de mériter ce titre.

Perdue dans ses pensées, elle ne voyait pas la nuit qui était bien instal-lée et légèrement éclairée par les étoiles. Le sommeil ne semblait pas vou-loir la saisir. Elle avait dormi assez longtemps et se sentait, de plus, en proie à une grande excitation. Elle était accoutumée à l'insomnie depuis les derniers mois. En temps normal, elle aurait dépensé son surplus d'énergie sur un tapis roulant, assourdissant ses tympans de rythmes rock.

Combien de temps vais-je rester ici? se questionna-t-elle une fois de plus. L'air frais qui lui caressait le visage la fit frissonner. Les bribes de son dernier rêve revinrent la hanter. Était-elle réellement décédée? Ses pensées se succédaient et se mêlaient au point de lui causer des vertiges.

Vaudrait mieux se dégourdir les jambes, se dit-elle. Cela faisait déjà près d'une heure que le silence régnait dans les couloirs du château. Elle ne dérangerait certainement personne, mais plus encore, elle ne serait pas obligée de supporter les murmures et les regards ébahis qui accompagnaient son passage.

Olivia n'enfila que la légère robe de chambre, couvrant la chemise de nuit d'un rouge sombre, qu'elle avait trouvée dans la garde-robe annexée à la chambre. Pieds nus, elle partit arpenter ce lieu tout droit sorti de l'imaginaire.

De toute façon, il lui semblait que le sommeil ne se déciderait pas à venir lui tenir compagnie ce soir...

***

Le rouge de la colère lui colorait maintenant les joues. Elle arpentait les interminables corridors de pierre éclairés par de simples chandeliers et pestait contre elle-même. Cela faisait déjà un long moment qu'elle avait abandonné l'idée de trouver le sommeil, et se dégourdir les jambes, comme il lui arrivait souvent de le faire dans ce qui lui semblait être une autre vie, lui avait paru une bonne chose.

J'aurais dû réaliser que ce labyrinthe lugubre me causerait plus d'ennuis que mon tapis roulant! grommela-t-elle.

Elle ressentait envers elle-même la bonne vieille colère stéréotypée de celui qui refuse de demander son chemin. À cette heure avancée de la nuit, elle devrait de toute façon se débrouiller seule. Mais s'y retrouver dans ce dédale de corridors sombres et sinistres, il fallait rêver!

Tout en marchant et en pestant contre elle-même, Olivia sentit un étrange frisson lui glacer la nuque lorsqu'elle passa devant une lourde porte ornée de symboles. Sans comprendre, elle ressentit le besoin d'y déposer doucement la main, de sentir les gravures au centre de cette porte, comme si l'énorme symbole ressemblant vaguement à un nautilus serti de vignes avait toujours été imprégné dans le bois.

La porte semblait lourde, mais une simple pression de la main suffit pour qu'elle s'ouvre, comme si quelqu'un patientant de l'autre côté lui avait facilité le passage. La pièce, légèrement éclairée, était remplie de livres et de parchemins qui, par centaines, assombrissaient de hautes et lourdes étagères. Des chandelles étaient laissées çà et là sur les vieilles tables de bois meublant cette bibliothèque. Refermant doucement la porte derrière elle, Olivia en oublia l'étrange sensation qui restait tapie au fond d'elle. L'endroit était vaste, empli d'étagères réparties sur deux étages ; un large escalier trônait sur sa gauche. De rares fenêtres à guillotine permettaient à la lueur de la lune d'ajouter un peu de douceur à ce milieu austère. La jeune femme ressentit une quiétude s'emparer d'elle, qui, en tant que journaliste, avait toujours dévoré les livres et visité chaque bibliothèque qu'elle avait croisée.

Olivia s'obligea à revenir au contact de la pierre froide sous ses pieds nus et à l'odeur de la cire qui fondait lentement sur les multiples chandeliers trônant dans la pièce.

Évitant de troubler le silence mortuaire qui régnait dans la pièce, elle parcourut du bout des doigts les reliures, les sigles des rares livres qu'elle était capable de déchiffrer. L'odeur de vieux papiers lui emplissait les narines et enivrait ses sens. Tout en cet endroit appelait à la quiétude. Elle fit un léger tour sur elle-même, se laissant envoûter par la tranquillité qui habitait la pièce avant de se diriger vers le dédale de corridors, en espérant que quelqu'un fasse une ronde et l'aide finalement à retourner à son banshal.

On peut toujours rêver ! se dit-elle, mais cela ne serait certainement pas de refus...

— Pourrais-je vous être utile, Sitay ?

Retenant un cri de surprise, Olivia se retourna plus vivement qu'elle ne l'aurait voulu. Elle affronta la voix grave, piquée par l'agacement qui se discernait clairement dans cette simple phrase.

Olivia en avait plus qu'assez de se faire appeler Sitay, même si elle commençait à concevoir le rôle que cette Maëlay avait pu jouer dans la vie de ces personnes. Elle venait à peine d'être propulsée ici et par-dessus tout, elle se devait de croire en ce qui lui arrivait. Allait-elle tout simplement repartir et se réveiller dans son lit d'hôpital? La jeune femme commençait à en douter.

Lorsqu'elle se retrouva face à l'escalier de bois massif, Olivia discerna une silhouette, faiblement éclairée par les chandelles, qui descendait vers elle. À son habit noir qui se fondait dans l'ombre, l'homme qui venait vers elle dégageait quelque chose d'ecclésiastique. Encore fallait-il que cela ait la même signification en ces lieux!

Olivia ne put s'empêcher de rougir jusqu'à la pointe de ses longs cheveux sombres en réalisant qu'elle n'était vêtue que de sa chemise de nuit, qui tout à coup lui parut si légère, et ce, malgré le peignoir assorti. Sincèrement, il me faudra apprendre la pudeur! se dit-elle.

Arrivant dans la lumière irradiant la fin de l'escalier, l'homme qui s'arrêta ne put retenir le trouble qui crispa tous les muscles de son corps. Il s'inclina face à Olivia.

— Pardonnez-moi de vous avoir fait sursauter. Je me nomme Kelm Hirms, Paetrym du royaume de Shimrae.

Il parut hésiter, comme s'il avait voulu ajouter autre chose, mais pris au dépourvu, la mâchoire crispée au souvenir de Maëlay, il plongea son regard empli d'une tristesse profonde dans celui d'Olivia.

— Je ne voulais pas vous importuner, dit Olivia.

Sa voix se fit plus frêle qu'elle ne l'aurait souhaité.

Je dois avoir l'air déplacée ainsi vêtue et égarée en pleine nuit, se dit-elle d'une petite voix intérieure qui ne faisait qu'augmenter son propre agacement.

Mais son ressassement intérieur cessa lorsque son regard se fixa sur Kelm. Oubliant tout à coup le statut de l'homme qui se trouvait devant elle en cette heure tardive, Olivia ne put s'empêcher de se sentir envoûtée par les yeux bleu clair qui la fixaient, créant un contraste avec la sombre chevelure négligée qui effleurait les épaules du Paetrym.

Olivia ne put comprendre la sensation de vertige qui l'envahit, mais elle était semblable au malaise qui l'avait terrassée à son arrivée au port de ce royaume. Contrôle-toi! Olivia se força à respirer normalement: la nervosité qui l'avait gagnée l'exaspérait.

Remarquant son inconfort, Kelm ne put réprimer un léger sourire. Cet étourdissement qu'il devinait chez la jeune femme, il le vivait en ce moment lui aussi. Il se disait que ce vertige était causé par l'essence magique de la Sitay de la Terre. Combien de fois Maëlay était-elle venue noyer ses propres insomnies en ce même lieu.

Le regard de Kelm se dirigea lourdement vers la chaise du fond, près de la fenêtre, derrière Olivia. Il put presque entrevoir la douce silhouette de Maëlay, tant cette image s'était imprégnée dans son esprit. Ces soirées à discuter... Combien de fois il avait tenté d'en savoir davantage et de connaître les détails de la venue de la deuxième Sitay. Celle-ci se tenait maintenant devant lui. Sachant très bien que les Yrshus eux-mêmes étaient liés par des règles strictes, il ne pouvait que se rallier à eux.

— Puis-je me permettre de vous raccompagner à votre banshal?

Sa voix suave dévoilait toujours une pointe crispée, mais un éclair de malice assombrit son regard.

— Vous devez avoir froid ainsi vêtue?

Cette dernière remarque porta le coup escompté. Olivia ne put que laisser échapper un rire gêné face au ton désinvolte de Kelm. Si elle avait su que cet homme avait déjà vu son corps sans aucun artifice, elle aurait ressenti beaucoup plus qu'une simple gêne... Mais Kelm jugea plus judicieux de passer sous silence les circonstances de son arrivée dans le royaume de Shimrae.

Il lui tourna le dos pour se diriger vers la sortie. Ils marchèrent un moment sans qu'aucun d'eux ose briser le silence.

— Pardonnez-moi, mais vous avez dit être Paetrym... Qu'est-ce que cela signifie? demanda-t-elle.

Le jeune homme laissa échapper un soupir. En temps normal, il était d'un naturel silencieux, mais la présence d'Olivia et le silence qui régnait en ce moment le mettait anormalement mal à l'aise. Étrangement, il fut soulagé que les mots viennent masquer la confusion qui s'insinuait en lui face à ce sosie de Maëlay.

— Le Paetrym d'un royaume est désigné dès sa naissance. Il vient au monde lorsque l'ancien Paetrym prépare sa succession.

Kelm marqua une pause, il se remémorait sa propre vie. Il lui parla d'une voix calme et lente.

— Notre rôle est de protéger le souverain en place sur le trône. L'apprentissage que j'ai fait m'a préparé à cela : la magie, les armes, aussi bien la guerre que la paix. Le rôle du Paetrym est en fait de seconder le roi dans ses déplacements et même parfois dans ses décisions...

Marquant une pause, il enchaîna, tentant faiblement de détendre l'atmosphère.

— Mais ce dernier point doit rester entre nous...

Olivia aurait aimé continuer à écouter l'harmonie de sa voix grave. Probable que la fatigue aidait à la transporter dans cet état de transe, mais elle réalisa soudain qu'ils étaient maintenant devant son banshal.

— Je vous souhaite une bonne nuit, Sitay. Reposez-vous bien.

D'une galanterie qui s'était perdue depuis bien longtemps dans son monde, Kelm lui ouvrit la porte tout en gardant ses yeux rivés aux siens.

— À vous aussi, Paetrym, et je vous remercie pour votre aide.

La jeune femme se sentait intimidée par la prestance de cet homme. Elle fulmina envers elle-même tout en refermant la porte qui la séparait de lui, se disant qu'elle devait avoir l'air d'une sotte sans aucune répartie après cette prestation.

Olivia n'eut pas à attendre bien longtemps pour atteindre enfin le sommeil. Elle ne prit pas le temps de faire de la lumière et alla directement se barricader sous la douceur des draps. La seule chose qui marqua ses pensées était l'étrangeté de cette rencontre impromptue... Pourquoi cet homme la décontenançait-il tant?

C'est en se questionnant sur cette sensation de déjà-vu qu'elle ressentait face à cet inconnu qu'elle sombra dans un sommeil agité.

***

Les rayons du soleil tirèrent Olivia du lit. Il était évident que Merryl était passée afin de préparer son lever. Elle avait espéré reprendre vie dans son petit appartement montréalais, mais l'odeur florale du bain chaud lui fit ravaler toute envie de protestation.

Ce genre de luxe lui était étranger. Tout cela n'avait rien à voir avec la vie urbaine qu'elle avait connue. Lorsqu'elle cessa de se prélasser, elle ne fut pas surprise de trouver sur le lit une robe satinée d'un rouge sombre.

— Je suis comblée de voir des couleurs sur votre visage ! La nuit vous a été bénéfique.

La voix de Merryl était enjouée. Sans doute cette femme ne voyait-elle que le beau côté des choses... Cela avait néanmoins un effet positif sur l'humeur d'Olivia.

La jeune femme avait une allure romantique dans cette robe au col baveux, la finesse de ses hanches étant soulignée par un ruban du même tissu que la robe qui la cintrait avec délicatesse. Merryl jubilait. Olivia l'avait laissée gagner : ses cheveux étaient maintenant remontés en un savant chignon qu'elle n'aurait jamais pu faire elle-même ! Olivia était émerveillée de découvrir les différentes nuances de produits pour la peau que Merryl lui proposait. Les parfums subtils et délicats lui caressaient les sens. Malgré le malaise que toutes ces petites attentions engendraient, elle devait s'avouer qu'elle les appréciait.

— Que me réservez-vous aujourd'hui ? demanda Olivia, se doutant que sa gouvernante n'ajoutait pas tous ces petits détails sans raison.

À cette simple question, les yeux de Merryl s'illuminèrent.

— Bien que je ne sois pas dans le secret des Dieux, j'ai cru entendre que vous alliez rencontrer votre précepteur !

— Mon précepteur ?

Olivia se revoyait sur les bancs de l'école. Elle ne fut pas seulement nerveuse, elle se sentit plus que jamais dépassée par les événements.

— Ne me demandez pas plus d'informations. Il n'en revient pas à moi d'en dire davantage ! Visiblement, elle n'ajouterait rien de plus. Olivia comprit qu'elle ne le pouvait pas.

Merryl tourna les talons afin d'aller chercher un plateau dans la première pièce du banshal : des fruits et des pâtisseries au doux arôme sucré.

— Même si vous êtes prête pour cette rencontre, il est hors de question que je vous laisse partir le ventre vide !

Le sourire de la gouvernante était franchement radieux.

Olivia réussit à la convaincre de partager ce repas, ce qui lui donnerait le temps de retrouver son calme. Mais elle avait beau tenter de se détendre, rien n'y faisait. Sa nervosité grandit encore lorsque, accompagnée de Merryl, elle arpenta les corridors du château.

Les portes de bois massif se ressemblaient toutes, mais Olivia avait bien discerné que le lieu où elle était conduite n'était pas dans la même aile que celui de la veille. Lorsqu'elle pénétra dans la pièce, elle découvrit un vaste salon largement éclairé par de nombreuses fenêtres. Tout y était somptueux, et deux hommes installés sur un large banc suspendirent leur discussion afin de souligner sa venue.

Olivia reconnut d'emblée le roi Shoëg, qui s'empressa de venir à sa rencontre, en lui prenant la main en une savante révérence.

— Si votre beauté augmente de jour en jour, vous me faites redouter demain ! susurra le roi.

Olivia se sentit rougir, tout en se souvenant que Merryl n'avait pas exagéré en qualifiant le souverain de charismatique.

— Je vous remercie, Monseigneur, répondit-elle, en se demandant où s'était volatilisé son aplomb habituel.

Olivia réussit à détourner son regard des yeux gris du roi pour observer le deuxième homme.

Son estomac se noua à l'instant même où elle reconnut l'éclat bleuté de ce regard. Ne désirant pas réitérer l'épisode de la nuit dernière, elle décida de prendre les devants.

— Bonjour, Paetrym, j'espère que vous allez bien, questionna-t-elle.

— Ravi de vous revoir, Sitay Saint-Pierre.

La révérence de Kelm se fit discrète après l'accueil du roi. Néanmoins, Olivia se douta que le Paetrym ne devait pas être du genre à s'encombrer de formalités, ce qui rassura la jeune femme. Je ne serai donc pas la seule, se dit-elle.

Kelm sentit une tristesse l'envahir : Olivia lui rappelait Maëlay trait pour trait. Il ne put que resserrer sa mâchoire et accueillir la Sitay comme il se devait.

— En ce moment, c'est moi qui semble dépassé par les événements. Qu'ai-je raté, Paetrym ? demanda le roi Shoëg tout en se retournant vers le principal interpellé. Il lui adressa subtilement un sourire signifiant qu'il saisissait bien son malaise en mémoire de Maëlay Mornëot. Kelm se ressaisit très rapidement. Le mage laissait rarement aux autres l'occasion de capter ses émotions.

— Sitay Saint-Pierre avait besoin de lecture afin de l'aider à dormir. D'ailleurs, elle a oublié de prendre cet ouvrage avec elle.

Il prit le manuel qui trônait sur une table d'appoint et le lui tendit :

— Je vous le conseille à titre de livre de chevet, lui dit-il.

— Merci, comptez sur moi afin de...

Les mots d'Olivia se bloquèrent tout comme ses mouvements. À peine avait-elle ouvert la couverture usée qu'elle remarqua l'alphabet qui ornait les pages. Elle n'y comprenait rien ! Décidément, ce n'est pas aujourd'hui qu'elle montrerait toutes ses capacités ! Toute trace de sang sembla quitter son visage.

— Que vous arrive-t-il, Sitay Saint-Pierre ?

Le roi Shoëg semblait sincèrement inquiet par l'hésitation qui avait fait blêmir le visage de la jeune femme.

C'est d'une voix pratiquement inaudible qu'Olivia se fit entendre.

— J'ai toujours gagné ma vie grâce aux mots et à l'écriture ; je n'ai jamais pu m'en passer.

Olivia émit un léger soupir.

— Mais cet alphabet m'est totalement inconnu. Je suis incapable de lire ce livre, finit-elle par avouer, sans être capable de détourner son regard du grimoire ouvert devant elle.

Ne sachant si elle devait garder ce présent ou le rendre, elle se figea sous le regard lourd du Paetrym. Elle rageait intérieurement contre la situation.

Avoir travaillé si fort toute sa vie afin d'être publiée! Choisir sa carrière avant la famille n'avait pas été une décision facile et encore moins croire en ses capacités sans savoir où cela la mènerait. À présent, elle semblait perdre le peu de consistance qui lui restait.

Les seules fois de sa vie où elle s'était sentie aussi démunie, c'était parce qu'un drame avait secoué son existence : la mort de ses parents, sa séparation, et maintenant sa propre mort. Elle fut prise de tremblements. Heureusement, le roi capta la douleur de son invitée.

— Ne vous inquiétez pas, Milady, lui souffla-t-il.

Tout en la prenant par le bras, il l'invita à prendre place près de lui sur le large canapé. Il continua sur le même ton paternel :

— Gardez ce livre, vous avez le meilleur précepteur de tout le royaume afin de vous apprendre tout ce que vous avez à connaître.

Olivia leva enfin les yeux vers l'homme qui leur tournait maintenant le dos, faisant face à la fenêtre.

Kelm avait toujours eu l'habitude de se tenir en retrait : analyser les situations et les discussions était, selon lui, la meilleure façon de bien remplir son rôle de Paetrym et ainsi d'assurer la protection de son souverain ! Le jeune mage savait que la nouvelle venue devait apprendre bien des choses, mais il avait espéré ne pas avoir à commencer à la base.

Il vint prendre place sur une lourde chaise, face à Olivia. Il en profita pour plonger son regard translucide dans le sien.

Cette dernière fut surprise de voir les yeux du Paetrym virer ainsi à l'indigo. Elle n'eut pas le temps de se questionner davantage qu'elle sentit une vague de calme et de quiétude l'envahir. Comment expliquer qu'elle se sente soudain si légère ?

— Vous voilà plus sereine, Sitay.

Sa voix était grave et ajoutait au sort qu'il venait de lancer à Olivia.

Elle demeurait sans mot... Même si elle réalisait que Kelm était à l'origine de ce calme qui l'enveloppait, cela lui semblait invraisemblable. Aucun son ne sortait de sa bouche. Toute son énergie était concentrée à remettre de l'ordre dans ses idées. Voici donc ce mage dont avait parlé le roi, se dit-elle.

Kelm se releva, le visage affichant une dureté qui laissa Olivia légèrement mal à l'aise.

— Je propose de commencer la première leçon dès maintenant. Si vous me le permettez, Monseigneur, nous prendrons congé de cet entretien, enchaîna Kelm, tout en se dirigeant vers la porte.

— Je suis ravi de votre enthousiasme, Paetrym, répondit Shoëg d'une fausse spontanéité, en se relevant lui aussi.

Il prit la main de la jeune femme, l'invitant à se lever et à rejoindre le jeune mage.

— Milady, continua-t-il d'une voix grave et basse à son attention, laissez-vous guider par notre Paetrym et, de grâce, ayez confiance en vos capacités. Si vous êtes parmi nous, c'est que vous avez une force particulière.

Olivia posa une main mal assurée sur celle de son protecteur et s'inclina légèrement.

— Je vous remercie, tant de vos conseils que de votre hospitalité.

Le ton paternel du roi accomplissait le même genre d'effet bénéfique sur son âme que le voile de magie de Kelm, elle ne pouvait le nier.

Sans plus de cérémonie, tenant le livre inconnu bien serré contre elle, Olivia suivit en silence le Paetrym. Ce dernier avançait d'un pas décidé et ne semblait pas enclin à faire la conversation.

Olivia reconnut finalement l'endroit où il la dirigeait. Les lourdes portes de la bibliothèque les laissèrent s'engouffrer dans ce lieu d'apprentissage.

Kelm l'invita à s'asseoir et alla se perdre parmi les étagères.

La jeune femme en profita pour parcourir les pages du livre que lui avait offert le mage. Aucun mot ne ressortait du lot, mais le sort que lui avait lancé Kelm la laissait dans un calme qui serait propice à l'apprentissage.

Que la folie la guette ou pas, elle désirait plus que tout être capable de déchiffrer ces nombreuses pages. Néanmoins, s'acharner sur cette écriture ne lui servait à rien. Son regard se dirigea donc rapidement vers la fenêtre tout près d'elle. Les hommes s'affairaient à leurs métiers respectifs : paysans, forgerons, palefreniers et d'autres qu'elle ne pouvait reconnaître. Le soleil lui réchauffait la peau, sans pour autant faire régner une chaleur lourde dans la vaste salle.

Les pas de Kelm la ramenèrent vite à la réalité. Se retournant, elle le vit apparaître avec plusieurs livres ainsi qu'avec une plume. Ses yeux déterminés étaient fixés sur elle. Olivia se dit à ce moment précis qu'elle avait tout intérêt à apprendre rapidement, sinon l'humeur de son précepteur en serait vite dégradée.

— Voici des livres de grammaire de base.

Il prit place face à elle, étalant ses trouvailles sous son nez. Il semblait très calme, voire détaché de la situation.

— J'espère que vous saurez apprendre vite, sinon ça ne vaudra pas la peine d'y mettre la moindre énergie, continua-t-il.

— Ayez confiance, Paetrym, les lettres n'ont jamais eu grand secret pour moi ; il n'en sera pas autrement maintenant.

Olivia devina qu'il testait son endurance. S'il avait su de quelle sorte de stress la vie montréalaise regorgeait, il aurait certainement changé de stratégie, se disait-elle.

Sa voix était toutefois mal assurée, mais ne sachant plus comment réagir autrement qu'en jouant le jeu qui se dessinait autour d'elle, Olivia prit les livres et écouta les explications de Kelm, nota les lettres et les prononciations. Elle endura les soupirs et les yeux levés au ciel de son précepteur à chacune de ses erreurs.

Les heures passèrent, aucun ne ressentit la fatigue ou la faim. Olivia apprenait rapidement, mais il lui semblait que ce ne serait jamais suffisant pour le Paetrym. Lorsque, enfin, Kelm se leva, elle n'avait pas réalisé que le jour commençait à décliner. Il referma ses livres et invita la Sitay à faire de même.

— Nous reprendrons tous les jours à la même heure jusqu'à ce que vous puissiez parcourir ces recueils par vous-même... Après cela, les livres de sorts seront enfin à votre portée et dès lors, la magie fera le reste.

Kelm se dirigea vers les portes de la bibliothèque, puis se retourna légèrement.

— J'espère que vous saurez retrouver votre chemin jusqu'en ce lieu! dit-il d'un ton goguenard, avant de se diriger vers la sortie.

Olivia avait oublié l'épisode de la veille. Il lui semblait que cet homme ne laisserait passer aucune occasion de lui apprendre l'humilité. La pauvre était béate: avait-il bien parlé de «livres de sorts»?

À la seconde même où elle fut enfin seule, Olivia laissa son dos s'affaisser contre le dossier de la chaise de bois. Il lui semblait que trop d'informations venaient lui labourer le cerveau.

Malheureusement, la certitude de cette réalité était bien présente au fond d'elle-même. Profitant de la quiétude des lieux, le désir d'en apprendre davantage la submergea complètement. Olivia passa donc quelques heures encore à s'imbiber de cette nouvelle culture, mais lorsque ses yeux ne purent répondre à sa demande de soif intellectuelle, elle n'eut d'autre choix que de souffler toutes les bougies et de se rendre par elle-même jusqu'à son banshal. L'épuisement la cueillit plus vite qu'elle ne l'aurait cru. À peine eut-elle recouvert son corps de la douceur de ses draps qu'elle sombra dans le sommeil.

Chapitre 10

L'odeur de l'encens mêlée à la cire qui se consumait embaumait l'air ambiant et la chaleur aidait à instaurer un calme surnaturel. Kelm s'avança solennellement après avoir refermé les lourdes portes de la chapelle. Exactement comme il l'escomptait, il se retrouva seul. Il ne percevait aucun bruit.

Comme chaque fois qu'il venait s'y recueillir à cette heure avancée de la journée, il appréciait le coucher du soleil qui laissait percer ses rayons à travers les immenses vitraux ornant les fenêtres en ogives. Chaque parcelle de fenêtre venait déposer de multiples couleurs tout autour de lui. Il marcha donc dans la rangée centrale formée par les bancs de bois, habituellement remplis par les paysans les jours de prière.

Le jeune mage prit place devant l'autel, puis se mit à genoux. C'est ainsi prostré qu'il laissa son âme s'exprimer. Se sachant seul, il pria à voix haute.

— Vous qui avez fondé tant d'espoir en ma personne, comment dois-je accomplir cette tâche ?

Le faible écho de sa voix grave fut l'unique réponse qu'il obtint. Il ne s'attendait d'ailleurs pas à entendre une quelconque réponse physique. Néanmoins, il espérait que ce lieu de recueillement l'aiderait à mettre de l'ordre en lui-même.

Il n'était pas très âgé, à peine trente années étaient passées, et voilà maintenant déjà bientôt dix ans que son maître Paetrym s'en était allé pour le plan de Fortulgh et que cette tâche lui avait été dévolue. Les dernières semaines défilèrent dans sa mémoire... Un Paetrym ne faisait pas vœu de chasteté, mais très rares étaient ceux qui prenaient une épouse. Son rôle était de protéger le souverain du royaume et non une famille ! D'ailleurs, Kelm ne s'était jamais plaint de cette situation. Il savait que bien des femmes cherchaient à gagner ses faveurs. Du reste, il gardait quelques bons souvenirs de certaines courtisanes...

Les mains toujours jointes, il laissa retomber ses poignets contre le dossier du prie-Dieu. Un long soupir sembla vider son âme... Depuis la venue de Maëlay, ses convictions avaient été ébranlées ! Jamais il n'avait senti son estomac se nouer de la sorte simplement en posant son regard sur une femme. Du moins jusqu'à présent, car s'il avait été anéanti par le départ de la Sitay, il ne savait plus comment agir face à Olivia Saint-Pierre.

Ce qu'il ressentait était-il provoqué par sa ressemblance avec Maëlay ? Il craignait de se laisser enivrer par la nouvelle Sitay, qu'il risquait en définitive de perdre aussi ! S'il pestait souvent contre cette dernière, c'était davantage en raison de sa propre incertitude. Sa hargne, il était en fait le premier à la subir.

Le regard fixé droit devant lui, il se demandait s'il aurait la force de protéger le roi tout en servant de précepteur à une Sitay. Ces deux tâches lui avaient été dévolues par les divinités qui veillaient sur eux, et cela n'était pas discutable, mais il n'était qu'un homme après tout, et faillir pourrait coûter la vie à un grand nombre d'âmes.

— Il ne m'a jamais été donné de vous deviner aussi troublé, mon ami !

La voix du roi Shoëg fit sursauter Kelm, qui se retourna afin d'accueillir son souverain. C'est le corps raidi par la surprise qu'il s'inclina, invitant Shoëg à prendre place près de lui sur le premier banc de bois face à l'autel.

— Paetrym, je suis navré. Il n'était nullement dans mon intention de vous surprendre en ce moment de recueillement, mais j'aimerais vous aider.

Le roi prit place près de son interlocuteur, qui le regarda avec incertitude.

— Monseigneur, je ne voudrais pas vous alourdir d'un fardeau. Il est de mon devoir d'assurer votre protection et celle de la Sitay, et non l'inverse ! répondit-il.

Le jeune homme se demandait s'il n'avait pas trop longuement réfléchi à voix haute lorsque le roi Shoëg leva vers lui un regard légèrement amusé.

— Vous étiez déjà bien songeur avec la venue de notre chère Maëlay...

Le souverain fit une courte pause et renchérit :

— Mon ami, vous semblez maintenant plus préoccupé que jamais !

— Avec raison, Monseigneur. En plus de la guerre qui se dessine devant nous, je dois instruire Sitay Saint-Pierre sur la vie dans notre monde. Elle ne pourra recevoir ses dons tant que la magie ne sera pas installée en elle. Enfin, il lui faudra aussi apprendre l'art du combat, et ce, tout aussi rapidement que le reste, sinon je... nous risquons de la perdre...

— ... elle aussi, termina le roi Shoëg à la place du jeune mage.

Ce dernier n'esquissa aucun mouvement ni ne fit aucun commentaire.

Le roi avait raison : Kelm se sentait dépassé par toutes les épreuves qui prenaient forme autour de lui.

— Sitay Mornëot se devait de nous quitter et vous savez pertinemment que vous ne pouviez rien changer à cela !

Shoëg se leva et se dirigea lentement vers la statue qui ornait le fond de la chapelle, représentant une des divinités régnant sur le monde de Faöws.

— Seuls les Dieux savent ce qu'il adviendra de nous, et s'ils vous ont choisi afin de mener la Sitay de Feu contre nos ennemis, c'est qu'ils vous savent capable d'accomplir une telle tâche.

Se retournant, il remarqua que le jeune homme n'avait pas bougé, assimilant chaque mot. Il avait la tête baissée et ses cheveux sombres cachaient son visage. Désirant sortir le Paetrym de son mutisme, le souverain enchaîna :

— Sachez que si ce choix m'avait été dévolu, cette tâche vous serait revenue tout autant, termina-t-il.

L'effet recherché fut atteint. Kelm releva la tête vers son roi. Il comprit toute la confiance que Shoëg lui portait. *Je me dois d'en être digne !* se dit-il.

Kelm se leva à son tour, puis se dirigea rapidement vers son souverain. Il s'inclina loyalement, posant un genou au sol. Les rayons du soleil, ayant pris les teintes rouges et bleues des vitraux, venaient colorer sa peau d'albâtre.

— Pardonnez-moi d'avoir mis en doute le choix des Dieux, ainsi que le vôtre, Monseigneur, lâcha soudainement Kelm.

Le roi avait tenté des années durant de faire oublier les protocoles d'usage que Kelm employait envers lui lorsqu'ils étaient seuls. Il avait malheureusement dû s'avouer vaincu. Il leva donc les yeux au ciel, exaspéré.

— Mon ami, il n'en revient pas à vous de vous excuser ! Votre charge est immense et nous le comprenons que trop bien. Souvenez-vous seulement que je demeure présent afin de vous épauler. Et, s'il vous plaît, relevez-vous donc enfin ! finit-il par dire d'une voix agacée.

S'exécutant, le jeune mage invita Shoëg à marcher avec lui. Ce moment de prière, même trop court, avait pourtant porté ses fruits. Kelm sourit enfin. Il savait très bien que ce type de tirade protocolaire avait pour effet d'agacer le roi.

— J'étais venu en ce lieu afin d'obtenir des réponses. Maintenant, le chemin à suivre semble s'éclaircir.

Les deux hommes franchirent d'un même pas l'embrasure de la porte de la chapelle, laissant l'air du soir caresser leur visage. La journée s'achevait et peu de gens s'affairaient dans la cour du château, ce qui permit au souverain de discuter ouvertement avec son Paetrym.

— Et donc, que comptez-vous faire dès à présent ? demanda le roi.

— J'ose espérer que notre Sitay est plongée dans l'apprentissage de notre langue écrite, grâce à divers ouvrages que j'ai mis à sa disposition !

Son ton de voix reprit la tonalité ferme que lui connaissait le souverain, ce qui le fit sourire bien malgré lui. Il se disait que la Sitay avait tout intérêt à assimiler rapidement les enseignements du Paetrym. En dépit du charme qu'elle opérait bien malgré elle sur le jeune mage, le roi savait que celui-ci lui rendrait la vie bien ardue.

Kelm ne releva pas le changement d'attitude chez le souverain et continua :

— Je compte dès maintenant me rendre chez votre forgeron. Dans les prochains jours, Lady Saint-Pierre devra commencer son apprentissage du maniement de l'épée... D'ailleurs, il me faudrait aussi lui faire porter une tenue de combat.

— Eh bien, voilà qui occupera notre invitée ! De grâce, ne la surmenez pas, mon ami, le taquina Shoëg.

— Vous savez aussi bien que moi que le chemin qu'elle accomplira devrait normalement s'effectuer sur plusieurs années. Je ne sais même pas de combien de mois les Dieux nous laisseront disposer ! laissa-t-il tomber.

— Allez comme bon vous semblera. Néanmoins, j'ai cru déceler chez Lady Saint-Pierre une force de caractère qui pourrait vous surprendre, renchérit le souverain.

Le roi riait de bon cœur tout en plaçant sa main sur l'épaule de son protégé. À ses yeux, les deux jeunes gens se ressemblaient étonnamment. Les Dieux n'avaient pas fini de le surprendre.

— Entraînez-vous à l'abri des regards de la garde du château. Certains de nos soldats ne pourraient peut-être pas envisager de fonder leurs espoirs en une néophyte. Je vous en prie, usez des anciens jardins de Fylia à titre de terrain d'apprentissage, continua le roi.

— Monseigneur a une fois de plus fait preuve de clairvoyance ! Ce sera pour moi un honneur d'utiliser ces lieux, répondit-il.

— Je ne vous retiendrai pas plus longtemps. Mon forgeron se fera un plaisir d'œuvrer sur l'épée que brandira la Sitay de Feu. Vous ferez de lui un homme comblé en lui dévoilant l'identité de la future propriétaire du bien qu'il confectionnera.

Avant même d'obtenir une réponse, le roi commença à s'éloigner, sachant que le Paetrym avait encore beaucoup à faire maintenant que son assurance était revenue.

Kelm inclina légèrement la tête en signe d'acquiescement. Il se disait que peu importait la beauté de la lame, si la Sitay ne savait pas comment la manier, elle ne lui servirait pas longtemps. Cette pensée lui laboura les entrailles : Sitay Olivia apprendrait à se défendre, il en fit le serment.

**

Marcher seule et laisser ses pensées dériver lui faisait le plus grand bien. Personne pour lui souligner l'importance de sa mission ou pour lui parler de Maëlay et de sa ressemblance flagrante avec elle. Pour le moment,

Olivia ne supportait plus de voir âme qui vive. Croire en tout ce qui se déroulait autour d'elle mettait déjà ses nerfs à rude épreuve.

Elle avait découvert que cette zone du château, qu'elle fréquentait dans ses moments de solitude, était très peu utilisée. Olivia n'avait pas osé demander pour quelle raison ce secteur était si peu fréquenté. Si sa présence en ce lieu était interdite, il y aurait bien eu quelqu'un pour la mettre en garde !

Quelques jours auparavant, elle avait découvert ce petit jardin à ciel ouvert, caché entre quatre murs de pierre. Bien qu'il soit toujours entretenu, Olivia avait pu deviner qu'il avait dû être beaucoup plus luxuriant par le passé, le gazon tondu ayant pris la place des fleurs et des arbustes. Des arbres avaient été éparpillés aux quatre coins et envahissaient d'ombre le sol frais. Olivia voulait aller s'asseoir sur l'unique banc de ce parc, afin de feuilleter un des livres qu'elle avait pris à la bibliothèque du château. Il traitait des origines magiques dans le royaume. Kelm lui avait fortement suggéré de s'y intéresser, ne ratant pas l'occasion de lui souligner son ignorance sur le sujet.

Elle avait beau être néophyte en matière de château, puisque pour elle tous les murs de pierre se ressemblaient, elle ne pouvait ignorer que dans cette aile, les fenêtres se multipliaient, laissant entrer un soleil réchauffant l'atmosphère ou un courant d'air rafraîchissant ! Il y avait beaucoup de corridors et l'endroit s'étendait sur deux étages. On y trouvait principalement des chambres et des salons. C'était de loin l'endroit qu'elle préférait.

Avant même d'arriver à une des arches servant d'entrée au jardin, Olivia sentit l'air frais caresser sa peau : elle approchait de sa destination. Elle en profita pour retirer ses sandales. Elle avait toujours aimé sentir la fraîcheur de l'herbe sous la plante de ses pieds.

Perdue dans ses pensées, elle traversa l'arche de pierre et s'arrêta net en découvrant Kelm dans le jardin. Ce qui la surprit, c'était la lourde épée qu'il tenait dans sa main droite. Dans son esprit, le mage ne s'occupait que des grimoires et des fioles qui se trouvaient dans son banshal.

Le découvrir au centre de ce jardin, enchaînant parades et esquives contre un ennemi fictif, la laissait pantoise. Sa tunique de lin étant pliée et laissée sur le banc, Kelm faisait se succéder les estocs dans un ballet meurtrier. Sa musculature témoignait d'entraînements rigoureux. Sa peau moite et ses cheveux en bataille montraient par ailleurs qu'il n'en était pas aux premiers instants de cette séance.

Lorsque l'idée de le laisser seul à son perfectionnement au combat s'imprégna dans l'esprit d'Olivia, il était déjà trop tard. Dos à elle, les muscles de son dos saillant à chacune de ses inspirations accélérées par l'effort, le mage l'interpella avant de se diriger vers le banc pour y ramasser sa tunique.

— Je vous laisse l'endroit, j'ai terminé, lui dit-il sans un regard.

Il avait déposé son épée pour enfiler sa chemise et en terminant son mouvement, il se tourna vers Olivia.

— Pardonnez-moi, je ne voulais pas vous interrompre ! balbutia-t-elle, toujours captivée par la fluidité de ses muscles. Elle maudit intérieurement le ton qu'elle avait employé. L'air austère du Paetrym la mettait instinctivement sur la défensive et grugeait son assurance.

— Demain, je vous attendrai ici à la même heure. Votre entraînement à l'épée débutera, expliqua-t-il en remarquant que la jeune femme levait un sourcil interrogateur.

Comme à son habitude avec elle, il ne laissa pas la conversation s'éterniser et se dirigea vers la sortie, tout en remettant son épée au fourreau. Tandis qu'elle le fixait durement, il s'arrêta à sa hauteur, la dévisageant de bas en haut en ajoutant:

— Les femmes du royaume sont souvent initiées aux techniques de défense à l'épée, alors n'ayez crainte. Je vous ai déjà fait parvenir un équipement et une tenue adéquate pour la leçon.

Restée seule, elle put donc bénéficier de ce jardin pour le reste de la journée. Jusqu'à la tombée de la nuit, elle se consacra à son apprentissage et lorsqu'elle retourna à sa chambre, elle ne put ignorer que plusieurs vêtements savamment pliés reposaient sur le lit, une épée posée à la diagonale. Olivia prit cette dernière. Le fourreau doré était richement serti de rubis et orné de motifs dont elle ne pouvait discerner le sens. Jamais Olivia n'avait tenu une arme entre ses mains, mais celle-ci était d'une beauté qu'elle trouvait presque incongrue, étant donné son utilité. Elle entreprit d'essayer ses présents afin d'être un tant soit peu prête pour la séance d'entraînement qui aurait lieu dès le lendemain... Elle se demanda ce qu'elle s'y découvrirait comme aptitudes.

Elle appréhendait ce moment, n'ayant pas eu l'occasion de côtoyer Kelm longuement. Et chaque fois, elle avait senti un malaise palpable s'installer entre eux. Lorsqu'elle eut terminé, elle fut surprise de croiser son double dans le miroir.

À croire que Kelm avait pris connaissance de ses mensurations !

Olivia était aussi étonnée du fait que la tenue lui aille si bien que de l'air de guerrière qu'elle arborait. Elle se sentit conquise par cet habillement beaucoup plus pratique que les longues robes qui avaient été mises à sa disposition lors de son arrivée au royaume de Shimrae. Un pantalon noir de style caleçon, qui descendait jusqu'à mi-mollet, soulignait la finesse de ses jambes. Une tunique ajustée, d'un rouge comme le sang, venait s'attacher derrière la nuque et retombait jusqu'à ses genoux. Deux ouvertures remontant jusqu'aux hanches permettaient ainsi une aisance de mouvement essentielle à ce qui l'attendait. Elle avait peiné un peu au moment de fixer les courroies latérales du plastron de style bustier fait d'un cuir noir souple. Le même matériel avait été utilisé pour la confection des protecteurs pour les avant-bras. La ceinture qui ancra son épée contre sa hanche venait couronner le tout.

Olivia avait peine à croire qu'il s'agissait bien de son propre reflet...

— Je suis bien loin de mes jeans et de mes chemisiers, dit-elle à haute voix.

Son optimisme s'estompa, emportant son sourire par la même occasion, lorsque l'adage «l'habit ne fait pas le moine» traversa son esprit. Comment pouvait-elle espérer devenir la guerrière qui se dessinait devant elle ?

C'est à ce moment que Merryl frappa à la porte du banshal d'Olivia. Celle-ci lui intima d'entrer.

La gouvernante s'arrêta net, aussi stupéfaite que l'avait été la jeune femme lorsqu'elle avait découvert Kelm s'entraînant au jardin.

— Milady ! s'exclama-t-elle, on croirait que vous avez toujours vécu parmi nous ! Une vraie guerrière.

Elle parlait rapidement, une excitation éclairait son regard.

Une franche amitié s'était installée entre les deux femmes. Merryl, qui avait presque l'âge d'être la mère d'Olivia, avait senti un besoin protecteur naître en elle dès qu'elle avait pris en charge la jeune femme inconsciente que le Paetrym lui avait ramenée au château.

— J'ai une étrange sensation d'imposture, Merryl, lui confia-t-elle en retirant la ceinture qui maintenait son épée. Elle la posa doucement sur le lit et s'assit à côté de la lame toujours dans son fourreau.

Ne laissant pas son sourire s'effacer, car elle pouvait concevoir le poids du fardeau qui se retrouvait sur les épaules de sa pupille, la gouvernante alla prendre place auprès d'elle.

— Olivia, écoutez-moi. Tout en lui parlant, elle posa une main réconfortante sur son genou. Ne croyez jamais que vous n'avez pas votre place ici. Je suis au fait des circonstances entourant votre venue dans notre royaume. Nous ne pouvons douter de vous !

La principale interpellée ne savait quoi répondre. Submergée par diverses émotions, elle se contenta de fixer lourdement ses mains vides.

Cherchant à capter son regard, Merryl poursuivit :

— Sachez que nous vous remercions d'adhérer à ce qui vous arrive et n'oubliez jamais que nous croyons en vous !

Levant ses yeux ténébreux vers sa gouvernante, Olivia se décida à répondre.

— J'essaie chaque jour de comprendre mon rôle ici. Je désire être à la hauteur de toute la confiance et de tous les espoirs que vous mettez en moi...

Elle n'osa pas poursuivre sa pensée, car ce qui la hantait, c'était la peur de l'échec. Elle savait que si la défaite sonnait aux portes du royaume, cela annoncerait la fin de leur vie et les ténèbres investiraient les lieux. Une prophétie qui n'allait pas alléger son fardeau !

— Tout ce que je peux vous conseiller, Olivia, c'est de laisser le temps vous apprendre tout ce que vous devez savoir, l'encouragea Merryl du mieux qu'elle le pouvait.

— Le temps... répéta Olivia. Kelm, vous voulez dire ! Il maîtrise tant de pouvoirs et moi, je suis un poids pour lui. C'est plutôt lui qui a l'étoffe de l'élu dont tout le monde parle.

La nourrice avait capté la froideur derrière laquelle le Paetrym masquait ses propos lorsqu'il s'adressait à leur protégée. Elle saisissait donc le pourquoi de ce commentaire. Elle aurait voulu lui souligner les regards protecteurs et pleins d'inquiétude que ce dernier posait à son insu dans son dos, mais ce qui se tramait dans les pensées de Kelm ne la regardait en rien. Ce n'était ni de son rang ni de ses affaires d'en discuter ouvertement avec Olivia.

— Qui sommes-nous pour contredire les Dieux ? Notre Paetrym prend très au sérieux votre apprentissage, ajouta-t-elle. Rappelez-vous que tout ce qui est entrepris l'est dans le but de vous aider.

De nature protectrice, Merryl savait que l'heure n'était pas à l'apitoiement. Et sa phrase eut l'effet qu'elle escomptait. Les muscles crispés d'Olivia se relâchèrent. Elle laissa retomber délicatement ses épaules. La jeune femme sentit que plus rien n'était à ajouter et sa posture annonçait qu'elle n'était plus sur la défensive. Merryl en profita pour poser d'un ton espiègle une question dont elle connaissait néanmoins la réponse. Tout en se relevant, se tenant maintenant face à Olivia, elle lui lança :

— Pourrais-je connaître l'identité de la personne qui vous a offert cette tenue de combat ?

Figée sous l'effet de la surprise, Olivia éclata d'un rire spontané lorsqu'elle prit conscience de la raison de cette pique. Elle ne pouvait que lui donner raison. Malgré tout, Kelm prenait soin d'elle, si on faisait abstraction de son humeur souvent massacrante.

En guise de réponse, Olivia se releva et, en se tournant sur elle-même, fit une révérence digne d'une courtisane vêtue de ses plus beaux atours. Merryl eut un rire franc et sonore !

***

Dans une posture détendue, comme si son âme et son corps entraient en transe, Kelm portait sa garde basse sur le côté de son corps. Il affichait un calme et une concentration qu'Olivia se devait de reproduire si elle voulait être à la hauteur de ses enseignements. La journée avait passé à grande vitesse, et la jeune femme n'avait pu trouver la moindre concentration, tant ce nouvel enseignement la rendait nerveuse.

Kelm basait ses leçons sur l'anticipation, tant de ses propres pulsions que des mouvements de l'adversaire. Habituellement, les habitants du royaume de Shimrae qui étaient choisis pour apprendre le maniement des armes débutaient très tôt dans leur existence. Pour le Paetrym, l'apprentissage de la Sitay était primordial pour sa survie. Il en allait d'ailleurs de celle du royaume tout entier !

Lorsque Olivia avait franchi l'arche menant au parc, Kelm l'y attendait comme convenu. Il n'avait eu qu'une seule phrase à titre de premier enseignement.

— En tout temps, votre esprit doit être serein et votre corps, détendu. Ne combattez jamais avec la rage au cœur !

Elle se sentit désemparée. Comment peut-on être détendu en de telles circonstances ?

Il avait à peine énoncé cette phrase que sa position était prise, en plein centre de l'espace aménagé. Olivia s'installa devant son maître d'armes, tentant d'imiter de son mieux sa posture.

Kelm se tenait, rigide, la jambe droite légèrement vers l'arrière. Le corps de biais en face d'Olivia, il laissait pendre son cimeterre parallèlement à sa jambe. En plus de sa tunique habituelle, il portait un plastron de cuir sur lequel avaient été cousus d'innombrables anneaux d'un métal qui semblait aussi solide que léger.

Gardant les yeux baissés, ses cheveux retombant sur son visage, le mage n'évitait pas le regard nerveux de la jeune femme. Il se laissait simplement aller au calme qu'il s'imposait avant chaque entraînement. Ce silence incitait Olivia au même recueillement. Lorsqu'enfin cette courte méditation les eut détendus, Kelm montra les différentes postures et enchaînements d'attaque et de défense qui sont à la base du maniement de l'épée.

Plus d'une heure passa avant que le mage ne propose un véritable échange de coups. Ce fut donc lui qui provoqua le premier assaut, lançant sa lame vers le haut, ce qui obligea Olivia à parer nerveusement le coup. Au choc des lames, elle sentit l'impact résonner dans ses bras. Elle n'avait d'autre choix que de tenir son épée à deux mains si elle voulait fournir la force nécessaire à cet affrontement.

Ensemble, ils enchaînèrent parades et estocs. Tous les mouvements de Kelm avaient une incroyable fluidité et une précision mortelle. Le bruit du métal qui s'entrechoquait se mélangeait à l'impact que devait encaisser le corps d'Olivia. Lentement, les mouvements s'accélérèrent pour atteindre un rythme qu'elle peinait à soutenir. Kelm ne cherchait pas à gagner, mais seulement à forcer Olivia jusqu'au bord de ses limites. Malheureusement, il n'avait pas le temps de lui donner un apprentissage normal. Elle devait être apte à se défendre le plus tôt possible, et la concentration qu'il exigeait d'elle lui serait utile aussi bien au maniement de l'épée que dans l'application de la magie. Alors, le temps passa sans qu'aucun d'eux demande une pause. Kelm ressentait une culpabilité le torturer à chaque coup qu'il portait vers sa jeune apprentie... Tout ce que son monde exigeait d'elle, tout ce qu'elle devait apprendre, était inimaginable.

Olivia tenta malhabilement une taille sur la gauche, aisément bloquée par Kelm. Guerrier aguerri, il trouvait toutes les failles. Il renchérit par une attaque haute qui faillit désarçonner la Sitay tant la fatigue gagnait ses bras.

Le Paetrym bloqua le mouvement d'Olivia. De sa main libre, il agrippa son poignet gauche et maintint donc les deux armes au-dessus de leurs têtes.

— Votre garde est trop haute, Sitay! lança Kelm malgré sa respiration haletante.

Leurs souffles se mêlaient l'un à l'autre tant ils étaient proches et immobiles, leur regard captif.

— Vous croyez? répliqua-t-elle à mi-voix.

Le regard de la Sitay se fit plus perçant et elle n'hésita pas à rapprocher son corps de celui de son maître d'armes. Plus Kelm se voulait autoritaire, plus elle cherchait à le contrer.

Sa respiration accélérée par l'effort gonflait sa poitrine. Elle ne laissa pas durer ce manège et, d'un mouvement souple, elle se défit de l'emprise de Kelm qui semblait tout à coup hypnotisé par la jeune femme. Une dernière parade bien bloquée de part et d'autre laissa les deux adversaires essoufflés. Olivia tremblait sous l'effort déployé. Cet échange n'avait duré que quelques minutes, mais elle savait une chose : il lui restait tant à apprendre ! Tous ses mouvements lui semblaient lents et instables, tandis que ceux de Kelm étaient parfaits.

D'un hochement de tête, le mage lui annonça que la leçon était terminée. Il se remémorait les paroles du roi. Il était vrai que la jeune femme faisait preuve d'une grande force de caractère.

— Sitay, je vous conseille un bain chaud, car les courbatures seront au rendez-vous demain, lui dit-il. Puis il ajouta : Demain matin, vous aurez vos leçons concernant les puissances et nous reviendrons ici pour la suite de l'apprentissage du maniement d'armes.

Olivia s'inclina. Pour une fois, elle ne désirait pas répliquer.

Sans un mot de plus, Kelm quitta le jardin, imité par Olivia, visiblement épuisée.

Après quelques pas seulement, elle fut convaincue que les raideurs musculaires n'attendraient pas au lendemain.

Chapitre 11

Le bain chaud lui fut bénéfique. Merryl veillait sur elle comme une mère : tout était prêt à son arrivée au banshal. Ses muscles raides se relâchèrent lentement. Elle soupira béatement et fut d'humeur plus légère.

Malgré les remontrances de Kelm, elle pouvait être fière de son apprentissage, du moins selon sa propre analyse. Son corps lui offrant un répit en cet antre, son esprit se permit l'analyse des faits de la journée. Détente supplémentaire : le roi Shoëg était occupé avec certains dirigeants des royaumes avoisinants pendant la période du repas. Habituellement, il l'invitait à sa table, prenant des nouvelles sur ses avancées et terminant avec des histoires et des légendes de son pays. Nostalgique de son ancienne vie, Olivia constatait que même si le destin lui avait pris ses parents bien trop tôt dans sa vie, elle avait la chance d'avoir été adoptée par ces deux gardiens.

Pour ce soir, jusqu'au moment où la nuit viendrait la cueillir, Olivia se plongerait dans les manuscrits qu'elle avait rapportés de la bibliothèque, selon les suggestions de Kelm. Le mage ne lui laisserait pas de répit ! D'ailleurs, plus elle serait prête, moins il aurait l'occasion de lui faire de remontrances. Elle sourit en revoyant sa mine ébahie lorsqu'elle l'avait volontairement charmé pendant l'entraînement. Comme elle l'avait escompté, le pauvre fut pris au dépourvu, ne sachant comment réagir. Elle avait au moins gagné sur un des champs de bataille !

***

Olivia ne fut pas la seule à se plonger dans les grimoires. Kelm ne se laissait aucune trêve. Tous ceux qui le côtoyaient avaient remarqué les ombres qui creusaient de plus en plus le bleu de ses yeux.

Dès qu'il avait quitté les jardins de la défunte reine Fylia, il s'était dirigé directement vers son banshal. Lançant son arme sur le lit, il rageait contre lui-même... Il ne pouvait réellement blâmer Sitay Olivia de la force de caractère qu'elle avait dans le regard.

Mais avait-elle lu en lui ce qu'il réfrénait?

Le souvenir de Maëlay lui était maintenant beaucoup moins douloureux et il craignait d'en comprendre la cause. Il devait se ressaisir! Le regard de défi de la jeune femme lorsqu'elle s'était malicieusement rapprochée de lui l'avait déstabilisé beaucoup plus qu'il ne l'aurait voulu. Kelm convenait volontiers qu'il se devait d'être un peu plus souple avec elle. Après tout, elle avait été arrachée à sa vie afin de sauver la leur...

Il tenta de se calmer avec ses livres, mais rien n'y fit: les phrases paraissaient ne jamais finir. Résigné, il reprit sa lame et se rendit dans l'arène d'entraînement. Il fit toutefois un détour afin d'inviter le général Novan Quiryan à un échange militaire. Ce dernier ne le questionna pas. Ayant remarqué que son âme se trouvait tourmentée, il respecta son silence sur le sujet. Son ami avait visiblement besoin de vider son esprit.

Les deux hommes s'affrontèrent, les parades se faisant beaucoup plus violentes que lors de l'apprentissage de la Sitay, et avec raison: le général du roi était un guerrier fort bien entraîné!

Le reste de la soirée passa rapidement. Novan regagna son banshal, où sa femme l'attendait de pied ferme. Le sourire qui illuminait ses traits lui annonçait qu'il aurait à satisfaire son insatiable curiosité. Elle lui laissa à peine le temps de se rafraîchir qu'elle le talonna d'une voix mielleuse.

— *Mi suyl,* comment se porte votre ami?

Le regard de sous-entendu qu'elle posa sur le général le fit sourire. Il savait que cette magnifique châtaine arrivait toujours à ses fins, et ce, principalement lorsqu'il s'agissait de lui soutirer des informations. D'une discrétion sans faille, elle était cependant au fait de bien des secrets circulant au château.

— Préoccupé comme toujours. Alors, il va bien, je dirais.

Novan lui tourna le dos sans cesser de sourire devant la mine déconfite de sa femme. Lorsqu'il revint auprès d'elle après avoir rangé ses équipements d'entraînement, elle l'attendait sous le confort des draps de leur lit conjugal.

— J'ai aperçu le regard de notre bon Paetrym et le pauvre semblait plus que préoccupé. Dis-moi, as-tu vu cette femme dont tout le monde dit qu'elle est Sitay ?

— Pourquoi me demandes-tu cela, Joyssa ? risqua-t-il, voyant qu'elle n'allait pas au bout de ses pensées.

Elle se tourna alors vers lui, un sourire malicieux sur les lèvres.

— Deux choses peuvent inquiéter un homme à ce point : la guerre ou les femmes... Et pour le premier point, nous savions déjà que son esprit s'en tourmentait.

— Alors, il ne reste que le second, conclut son mari.

Roucoulant, elle renchérit :

— Tu es perspicace, *mi suyl*.

Mais une vague de sérieux passa sur son visage.

— Kelm est visiblement affligé...

Novan prit le menton de son épouse entre ses doigts et plongea ses yeux dans les siens. Seuls les Dieux savaient à quel point il aimait cette femme.

— *Mi sayl*, si je devais te voir partir au combat contre ces monstres, être obligé de t'enseigner comment tuer, j'en perdrais la raison.

Ces mots furent un choc. Elle vint alors cueillir farouchement les lèvres de son époux.

***

Dès son retour dans ses appartements, Kelm était si épuisé qu'il sombra dans le sommeil. Toutefois, il sentit un vent frais caresser sa peau, et dans la pénombre de la nuit, une légère brume vint se dessiner devant ses yeux. Il se mit debout et s'avança lentement. Il se sentait serein comme si en ce lieu aucun fardeau ne pesait plus sur ses épaules. Ce n'était pas la première fois qu'il vivait ce type de communication. Néanmoins, la beauté du paysage qui se dévoilait à travers le voile de brume qui se dissipait le captivait: jamais, dans son souvenir, une forêt n'avait eu une telle luxuriance.

Au tournant d'un bosquet verdoyant débordant d'une odeur sucrée, il aperçut une silhouette familière qui attendait son arrivée. Son cœur se serra au moment où le sourire de Maëlay illumina ses traits. Tous ses souvenirs, les émotions qu'il avait cru oubliées lui firent l'effet d'un coup porté en pleine poitrine.

Et comment voir Maëlay sans penser à Olivia? Les deux Sitays le troublaient, pas seulement par leur ressemblance, mais aussi par les émotions qu'elles suscitaient chez lui.

— Je ne croyais jamais vous revoir! Kelm s'inclina respectueusement devant la Sitay. Il était franchement heureux de cette rencontre malgré le malaise qui l'envahissait.

— Moi aussi, je suis enchantée de cette rencontre, Paetrym Hirms.

Il se souvenait des facultés de la Sitay. Il ressentait avec encore plus d'aisance qu'elle s'insinuait dans ses pensées. En ces lieux créés par les Yrshus, tous les sens de Maëlay étaient accrus.

— J'ose imaginer que votre présence ici augure de nouvelles étapes pour les mortels que nous sommes...

Le ton du jeune mage ne manifestait aucun reproche. Son esprit s'adoucissait de savoir que la Sitay pouvait leur apporter une aide précieuse, allégeant ainsi le poids qu'il avait sur les épaules.

— Bien que le transfert de mondes entre Olivia et moi ait dû être fait avant son temps, mon travail auprès de vous n'en est pas pour autant achevé, l'informa-t-elle en souriant.

Maëlay avança d'un pas lent. Sa robe légère d'un vert pomme semblait flotter dans une brise que Kelm ne pouvait ressentir. Sans comprendre pourquoi, le parfum boisé qui enveloppa l'air à son passage ne captiva pas ses sens comme par le passé. Ses pensées se tournèrent vers Olivia, sachant bien que cette visite impromptue engendrerait des implications supplémentaires dans son rôle de Paetrym. Il s'inquiéta donc davantage de l'impact qu'aurait cette nuit pour la jeune Sitay.

— Kelm, je vous en conjure, ayez confiance en nous. Je ne me serais pas présentée à vous si je n'avais pas cru ma jeune sœur prête à franchir les épreuves qui se dessinent devant elle, continua la Sitay, lisant ses inquiétudes.

La conviction qui se lisait dans le regard de Maëlay le fit sourire : il n'aurait jamais remis en question les agissements commandés par les Yrshus. Il se disait alors que l'acharnement qu'il mettait à contrôler ses émotions n'était pas futile et qu'il se devait de maintenir cette rigueur d'âme, plus encore en ces lieux.

Il emboîta donc le pas à Maëlay et tous deux marchèrent lentement, suivant un sentier que seule la Sitay semblait connaître.

— Vous savez pertinemment que j'ai une totale confiance en vous, mais la tâche que vous m'avez confiée n'est pas des plus aisées, compte tenu des délais qui s'offrent à nous, expliqua-t-il enfin.

— Un seul des habitants du royaume de Shimrae était en mesure de veiller sur la Sitay. Avec vos pouvoirs de Paetrym ainsi que vos engagements envers le souverain, il est normal que les Yrshus aient tourné leurs espoirs vers vous, lui répondit Maëlay.

Bien que ce fût la nuit, les rayons d'un soleil qui perçaient de faibles nuages réchauffèrent la peau du mage lorsqu'enfin les arbres se dissipèrent sur une clairière. La Sitay s'avança et, posant un genou sur le sol, elle appliqua ses paumes contre la terre fraîche.

Sans que Kelm entende le moindre son, de larges racines éventrèrent le sol. Se tissant avec une vitesse inouïe, deux sièges prirent forme afin de leur permettre de s'asseoir et de poursuivre leur conversation.

— Connaissez-vous cette clairière ? demanda-t-elle après avoir pris place et sachant très bien que ces lieux étaient rarement fréquentés.

— Je crois effectivement reconnaître les abords de la forêt de Mirrle. Je n'y suis venu qu'une seule fois et c'était avec mon maître Paetrym, il y a de cela bien des années, finit-il par rétorquer après avoir fouillé dans les tréfonds de sa mémoire. Kelm lança un regard tout autour de lui, non pas pour découvrir les éléments qui l'environnaient, mais afin d'en mémoriser chaque détail : il était convaincu de devoir retrouver cet endroit très prochainement.

Lisant dans ses pensées une fois de plus, Maëlay ne put s'empêcher de renchérir.

— Vous avez vu juste, mon ami. Olivia doit y recevoir ses dons. L'Yrshu de Feu communiquera avec elle tout près d'ici.

— Je m'étonne toujours de la facilité avec laquelle vous voyez en mon esprit... et cela me trouble. Mais comment pouvez-vous être certaine que la Sitay pourra recevoir tous ces pouvoirs? Elle commence à peine à assimiler notre écriture, alors parler de magie... rumina Kelm, pragmatique.

Maëlay, souriante, comprenait son scepticisme. Tout se déroulait à une vitesse folle.

— Elle le sera. Amenez-la tout près de la grotte que vous pouvez apercevoir au nord. Olivia devra y entrer seule. Bien que ses pouvoirs lui soient offerts, elle ne pourra pas encore les contrôler. Néanmoins, tout son apprentissage en sera grandement accéléré et facilité!

— Puis-je en savoir davantage sur ce qui attend Lady Saint-Pierre? demanda le jeune mage, en plissant des yeux.

Le sourire franc qui illuminait le visage de la Sitay de la Terre se métamorphosa en amusement. Son regard pétillait sous les intrigues que les Dieux dessinaient pour eux.

— Je suis navrée, elle seule pourra découvrir la suite des événements. Moi-même n'ai aucune idée de ce qui attend ma jeune sœur. Je ne peux que présumer que l'acquisition de ses dons aura des similitudes avec ce que j'ai vécu...

— Et pourriez-vous... avança Kelm, désirant plus d'explications. Il n'osait avouer l'ambivalence de ses sentiments. Il n'eut pas le loisir de poursuivre, car Maëlay leva une main autoritaire devant elle, stoppant net la question.

— Certaines choses doivent demeurer dans la légende. Le lien entre un Yrshu et une Sitay ne peut se décrire.

Kelm se rembrunit, ce qui força Maëlay à aborder le sujet qu'évitait l'esprit de ce dernier. Maëlay connaissait les sentiments que le jeune homme avait eus à son égard et réalisait le trouble qu'il éprouvait devant Olivia.

— Je sais que vous craignez les liens qui pourraient se tisser entre Olivia et vous, pourtant vous redoutez les affinités entre elle et son Yrshu. Mais sachez que ce qui les unira sera vital pour l'un comme pour l'autre. Chaque chose viendra en son temps, ajouta-t-elle après une courte pause.

— Vous semblez parler comme si votre clairvoyance vous permettait de connaître l'avenir qui se dresse devant nous, lança-t-il.

Elle décida de lui répondre par un simple sourire. Kelm n'était pas sans savoir que Maëlay avait vécu sensiblement le même genre de situation. Le message était passé et elle n'avait pas l'intention de s'attarder sur ce chapitre. Se levant, elle invita Kelm à en faire autant.

— Reposez-vous maintenant. Les préparatifs viendront bien assez vite et vous avez peu de temps devant vous pour parcourir la distance qui vous sépare de la plaine de Sihayll.

Sans que Kelm anticipe quoi que ce soit, Maëlay se blottit contre lui, venant déposer sa tête contre son épaule. Sa robe verdoyante venait se mêler à ses jambes, tandis que le léger parfum de boisé qui ne la quittait jamais chatouillait ses narines.

Il ferma les yeux, se disant que cette étreinte, il l'avait jadis tant désirée...

— Je suis ravie de vous avoir revu, mon ami, finit-elle par dire.

Elle aimait cet homme comme un frère. La voix de la Sitay parut maintenant si lointaine que lorsque Kelm rouvrit les yeux, ce fut la noirceur de sa chambre qui l'accueillit. Il ne restait que l'odeur florale autour de lui, témoignant de cette visite nocturne.

L'obscurité s'estompa, lui permettant de réaliser qu'il avait dormi plus d'heures qu'il n'avait pensé. L'aube se pointait déjà aux fenêtres du château. Il décida alors de commencer les préparatifs nécessaires à la chevauchée exigée par les Dieux.

Pour Kelm, préparer ce genre de départ n'était pas un problème, mais sachant qu'Olivia n'avait fort probablement aucune expérience, il dut s'occuper lui-même de ses équipements de voyage.

Dans son banshal, les livres, sacs et couvertures s'amoncelaient autour de sa table de travail. Il aurait été plus simple de faire les bagages, mais Kelm se disait qu'Olivia ne pouvait rester ignorante des petits gestes dont pourrait un jour dépendre sa survie.

— Elle doit encore tout apprendre ! finit-il par grogner entre ses dents. Il se demandait encore si les sentiments qui l'avaient envahi lors de sa rencontre avec Maëlay étaient responsables de ce qui le troublait en ce moment.

Ne désirant pas ressasser la douleur qu'il avait ressentie lors du départ de la Sitay de la Terre, il partit à la rencontre du roi. Il était impératif de l'informer de leur départ imminent.

Depuis que le Paetrym Celaeb, en raison de son âge avancé, avait quitté le service du souverain, il était très rare que Kelm s'éloigne du royaume. Il savait qu'à cette heure le roi serait fort certainement dans sa bibliothèque. Ce dernier appréciait ce moment de la journée où il n'était pas encore harcelé par différents conseillers, militaires ou politiques. Quand Kelm franchit l'embrasure de la lourde porte de bois, une fine odeur de miel sucré vint lui chatouiller les narines. Son estomac se manifesta en se nouant et il réalisa qu'il n'avait rien ingéré depuis son réveil.

— Bonjour, Paetrym ! lança le roi Shoëg, confortablement installé sur le long banc matelassé recouvert d'un tissu rouge sang. Devant lui trônait sur la table basse, encerclé de livres et de documents, un large plateau garni de fruits frais arrosés d'un filet de miel. Il enchaîna :

— J'ai eu vent que vous aviez devancé le soleil ce matin. J'ai présumé que vous viendriez.

Acquiesçant d'un signe de tête, le jeune mage vint prendre place près de son interlocuteur. Il se doutait malheureusement que Shoëg ne garderait pas la même humeur lorsqu'il saurait.

Kelm se permit de savourer une fraise nimbée de sucre. Mais l'heure n'était pas à se repaître, alors comme à son habitude il passa au vif du sujet.

— Sitay Maëlay est venue me voir en rêve, cette nuit même, annonça Kelm.

Le souverain faillit s'étrangler. Décidément, son Paetrym n'apprendrait jamais le tact ! Fallait-il qu'il s'inquiète de la nouvelle ? Une apparition de ce genre signifiait immanquablement quelque chose d'important.

Prenant une gorgée de cidre, il examina gravement le visage de son Paetrym, afin de juger de la gravité de la situation. Shoëg put quand même se détendre en constatant l'absence d'urgence dans le regard de son interlocuteur.

— Ça explique en effet votre visite matinale ! Et que venait vous annoncer notre amie ? Je dois avouer que je n'attendais pas de nouvelles aussi rapidement.

— Il semblerait que les Yrshus jugent la Sitay de Feu prête à recevoir ses dons, répondit Kelm.

— Alors pourquoi affichez-vous cette mine basse ? N'est-ce pas là ce que nous attendons tous ? risqua le roi.

Kelm inspira lentement, puis s'adossa. Le soleil qui entrait maintenant dans la pièce à pleins rayons avait réchauffé le tissu sur lequel il venait de s'appuyer.

— Je venais à peine d'établir une routine d'apprentissage. La difficulté dans cette entreprise réside dans le fait qu'Olivia n'a aucune connaissance de notre monde et de la magie qui l'entoure. Personnellement, je n'aurais pas procédé à l'octroi de ses dons aussi tôt, conclut-il.

— Paetrym, je peux comprendre votre désarroi. Nous sommes, ici-bas, tels des pions pour les Dieux. Il est aussi difficile pour moi de mettre la vie de mon peuple entre les mains d'une femme étrangère au monde de Faöws, avoua Shoëg.

— Je n'aurais su mieux exprimer mes propres pensées, Monseigneur, répondit Kelm en fixant les yeux gris sombre du roi. Les deux hommes se comprenaient. L'impuissance qu'ils ressentaient leur était commune.

— Mais en quoi cette nouvelle fait-elle en sorte que vous soyez occupé de si bonne heure et que vous deviez me rencontrer ?

Le roi Shoëg était loin d'être dupe. Il savait pertinemment que le Paetrym n'avait pas l'âme préoccupée au point de requérir une rencontre si tôt dans la journée, après cette simple annonce. Bien entendu, le jeune mage serait venu l'informer rapidement, mais les servantes l'avaient informé que des préparatifs de voyage étaient en cours. Kelm s'était affairé rapidement dès son réveil.

— Nous devons prendre la route afin de nous rendre, la Sitay et moi-même, dans la plaine de Sihayll. À partir de là, Maëlay est demeurée bien vague sur ce qui se produira. Mais il semblerait que Lady Saint-Pierre reçoive la visite de l'Yrshu de Feu, ajouta-t-il après avoir ponctué cette révélation d'une légère pause.

— Ce n'est pas bien loin. En quelques jours, vous serez de retour. Le roi Shoëg se leva. Picorant au passage dans le plateau de fruits, il se dirigea vers la table de travail qui trônait près de la large fenêtre. Fouillant dans ses documents, il trouva enfin ce qu'il cherchait : des papiers encore vierges.

— Voilà, je dois assister à une rencontre avec des représentants de nos voisins du sud, le souverain Hezyr d'Olsheä. Ce dernier a été mis au courant des attaques qui se multiplient. Lui aussi commence à craindre pour son peuple, annonça le roi.

— Qui envoie-t-il ? demanda Kelm, se levant lui aussi afin d'aller le rejoindre.

— Un de ses généraux accompagné d'un conseiller politique... À croire qu'Hezyr est aussi affublé que moi ! dit-il en souriant.

— Espérons que nous pourrons compter sur l'appui d'Olsheä. Le roi Hezyr doit être nerveux pour envoyer deux de ses conseillers, renchérit Kelm, tout à coup songeur.

— Nous verrons bien à la fin de cette journée, mon ami. Je suis aussi surpris que vous de l'envoi de ces émissaires... Je n'ai reçu aucune nouvelle d'Hezyr depuis les funérailles de ma douce Fylia. La voix du souverain se cassa à ce souvenir.

— Mais cela fait près de vingt-cinq années... constata Kelm à mi-voix.

Ne relevant pas le dernier commentaire du mage, le roi retourna s'asseoir devant la table basse, désirant compléter le document qu'il avait en main. Le Paetrym ne continua pas la conversation, comprenant le message non verbal du souverain.

— Je ne puis être là pour vous deux, mais j'envoie une missive. Vous aurez une escorte de cinq soldats... J'espère que cela sera suffisant en cas d'attaque, mais je n'ose en dépêcher davantage, craignant d'attirer l'attention de nos ennemis.

Le roi écrivait tout en annonçant au jeune mage ce qu'il prévoyait faire.

— Nous partirons seuls. Nul besoin d'escorte, Monseigneur !

Kelm prit le roi au dépourvu.

— Vous ne pouvez partir ainsi, risquer la vie de Lady Saint-Pierre, sans compter la vôtre... Comment le royaume pourrait-il s'en remettre ? Shoëg était réellement inquiet de leur sécurité.

Kelm se leva et fit les cent pas devant son interlocuteur.

— Je vous en prie, il faut me faire confiance, faire confiance à Sitay Maëlay ! La Sitay de Feu doit continuer son apprentissage, même dans ce court voyage.

Inspirant longuement, Kelm se passa la main dans les cheveux. Lui-même aurait préféré faire autrement. Alors, il opta pour une franchise totale avec son roi.

— S'il n'en avait tenu qu'à moi, j'aurais acquiescé à votre demande. Les Yrshus jugent qu'elle doit tirer des leçons des aléas de cette route. Monseigneur, si les Yrshus, voire les Dieux, commandent cette expédition, il est à prévoir que le tout se fera sous leur protection.

Le roi restait mitigé, il aurait préféré que Kelm ne remette pas son ordre en question, mais il comprenait très bien les motivations du jeune homme... Il aurait certainement lui-même agi de la sorte.

Il se releva, sachant qu'il serait bientôt appelé pour l'arrivée des conseillers du roi Hezyr.

— N'oubliez pas que ce n'est pas mon premier choix, mais j'ai confiance en vous et en votre jugement, comme toujours, dit-il enfin. Alors, allez terminer les préparatifs. Néanmoins, souvenez-vous que dans cinq nuits, si vous n'êtes pas de retour dans l'enceinte du château, une troupe ira vous quérir.

Kelm s'inclina respectueusement. Les deux hommes éprouvaient des craintes similaires face à cette excursion. Il laissa donc le roi se préparer à la rencontre diplomatique qui approchait.

Il lui restait bien des choses à terminer... dont discuter avec la Sitay de Feu. Il fallait lui apprendre leur départ, ainsi que les raisons de ce périple. Il se questionna aussi bien sur sa réaction que sur les préparatifs à terminer. De plus, les deux jeunes gens ne s'étaient pas revus depuis l'entraînement qui avait laissé le mage pris au dépourvu. Il s'était alors juré que cela ne lui arriverait plus...

***

— Lady Saint-Pierre, pour que vous soyez en mesure d'avoir accès aux pouvoirs qui sont tapis à l'intérieur de vous, nous devons nous rendre dans la plaine de Sihayll, commença Kelm.

Il avait fait convier la jeune femme dans son banshal, afin de lui apprendre cette nouvelle et passer en revue tout ce qui était nécessaire pour sa survie lors de ce court voyage.

Aux yeux d'Olivia, le Paetrym affichait toujours cet air condescendant quand il s'adressait à elle. Être à la hauteur de ce que ces gens attendaient d'elle, c'était une chose... mais être à la hauteur de ses exigences à lui semblait impossible, se disait-elle.

C'est le regard lourd d'inquiétude qu'il poursuivit.

— Regardez sur cette carte...

Il se pencha alors au-dessus de la table où étaient empilés plusieurs livres et rouleaux de cartes, qui témoignaient des heures qu'il avait passées à préparer l'itinéraire dont il s'apprêtait à lui faire part. Il attendit qu'Olivia soit près de lui et, tout en montrant les lieux du doigt, il ajouta :

— Ici se trouve le château. Nous devons franchir la forêt de Mirrle pour ensuite combler la distance jusqu'à la montagne de Parshh. La plaine de Sihayll n'est qu'à deux jours de chevauchée et, malgré votre inexpérience, nous serons arrivés à destination avant la fin de la seconde journée.

— Est-ce une route dangereuse ? Je veux dire, à quel type de randonnée dois-je m'attendre ? Olivia était nerveuse et ne pouvait le cacher. Dans ce monde, la magie était courante sous diverses formes, ce qui lui aurait été impensable il y avait si peu de temps !

Croire en tout ce qui se déroulait autour d'elle, risquer sa vie et accepter le fardeau que ce peuple lui demandait de porter, sans que tout son corps soit transi de nervosité, était impossible. Le regard lourd face à ses questions, Kelm lui tourna le dos pour se diriger vers les bagages qu'il avait préparés le matin même. Peut-être que constater qu'ils voyageraient léger allait apaiser son âme ; du moins l'espérait-il.

Il aurait tant voulu la rassurer, calmer ses craintes et adoucir son apprentissage. Mais lui-même ne savait pas quelles embûches ils trouveraient sur leur chemin. Une fois de plus, il sentait des liens qui se tissaient, l'unissant à cette femme, mais il se devait de couper court. Autrement, comment pourrait-elle se concentrer sur ses pouvoirs et apprendre à maîtriser le don qui allait bientôt naître en elle ?

Faire ce trajet seul avec elle n'était donc pas pour lui plaire !

Kelm prit un des sacs de toile, puis, d'un mouvement plus brusque qu'il ne l'aurait voulu, le tendit à Olivia, avant d'ajouter :

— Nous partons dans deux heures, Sitay Saint-Pierre. Prenez le temps de vérifier votre paquetage. Pendant ce temps, je veillerai à vous faire préparer une monture.

D'un soupir résigné, Olivia ne put retenir la réplique qui lui brûla les lèvres.

— Bien entendu, je n'ai pas un mot à dire ! La colère colora rapidement la peau de son visage.

— Que voudriez-vous ajouter ? demanda-t-il en fixant ses yeux marron, déstabilisant la jeune femme.

Un autre long soupir de résignation s'échappa de la gorge d'Olivia, qui avança la main afin de prendre le sac qu'il lui tendait toujours. Elle avait été prise au dépourvu, ne s'attendant pas à devoir quitter le château la journée même.

Lui tournant le dos, Olivia lui répondit simplement qu'elle le rejoindrait donc aux écuries dans deux heures. Le ton de sa voix était relativement calme, mais elle n'aimait guère se sentir tel un pantin dans ce monde qu'elle découvrait peu à peu. En y réfléchissant bien, peu importait l'endroit où elle se trouvait : elle n'avait jamais aimé ce sentiment...

***

Tout étant planifié, Kelm fut le premier à arriver au point de rencontre. Ayant fait préparer les montures par le palefrenier, il avait trouvé de circonstance d'offrir Ryjns à Olivia. Il n'attendit d'ailleurs pas longtemps avant de sentir l'essence de la jeune femme s'approcher.

Vêtue de sa tenue de combat, la Sitay semblait radieuse, comme si toute l'appréhension qui l'avait envahie deux heures auparavant n'avait même jamais effleuré son esprit.

Entre eux, une série de non-dits planait. Olivia se dirigea d'un pas leste vers son cheval afin d'attacher son paquetage. Bien qu'elle n'appréciât pas cette mascarade, il n'était pas question de lui offrir une chance de la sermonner encore une fois. Sans un mot, Kelm la rejoignit. Il savait que cette dernière, de son propre aveu, n'était jamais montée à cheval et donc qu'il lui faudrait une supervision pour les ajustements. Dès que la jeune femme termina la fixation de ses bagages à l'attelage de sa monture, le Paetrym vérifia, sangle après sangle, toutes les attaches.

Une légère tension était palpable. Le début de la route se fit donc dans un silence qui permit à Olivia de s'imprégner de la nature qui se dessinait devant elle. De son séjour au royaume de Shimrae, elle n'avait vu que le château et son enceinte. Comment aurait-elle pu imaginer pareil spectacle ?

Le chemin choisi par Kelm longeait une rivière azurée, lui rappelant la pureté océanique, que l'ombre des arbres ne réussissait pas à assombrir. Elle vit un large bassin alimenté par de magnifiques chutes d'eau, à croire que ce coin du monde ne serait jamais tari. Olivia n'avait pas assez de temps pour tout apprécier : toutes les floraisons colorées qui contrastaient avec la richesse de la verdure et les oiseaux emplis de curiosité face à ces voyageurs qui osaient virevolter près de leurs têtes. Même lorsque Kelm lui avait tendu de quoi se sustenter sans même arrêter leur monture, Olivia ne broncha pas. C'est émerveillée qu'elle mangea silencieusement, laissant Ryjns suivre l'étalon sombre du Paetrym.

Son esprit se concentrait sur tout ce qui se passait autour d'elle, si bien que c'est seulement lorsque le jeune mage lui intima de s'arrêter afin d'établir leur campement qu'elle ressentit les affres de cette journée à cheval. Les courbatures n'avaient pas tardé à s'installer dans ses muscles.

De son côté, Kelm semblait encore plus plongé dans ses pensées que d'habitude. Maëlay avait été très claire : Olivia devrait apprendre de ce trajet et il avait compris que toutes les habitudes qui lui semblaient innées ne le seraient pas pour elle. Remarquant tout à coup que la jeune femme affichait une nervosité palpable, il décida de l'occuper avec les préparatifs d'une nuit en forêt. Le mage n'avait nul besoin de lui expliquer les dangers d'une telle cohabitation avec les entités de la forêt, puisqu'il pouvait apercevoir les muscles de son apprentie tressaillir à chaque bruissement de feuille ou craquement de branche.

— Venez, Sitay, nous allons préparer un feu afin de nous réchauffer et de nous restaurer, annonça-t-il. Si, pour le Paetrym, cette soirée était une continuité de l'enseignement qu'il lui prodiguait, pour Olivia l'émerveillement de la journée avait cédé la place à l'angoisse devant les ténèbres les ayant enveloppés. Je me trouve à mille lieues des lumières de la ville ! se disait-elle, tentant de se raccrocher à ses propres souvenirs afin de se calmer.

L'épuisement de l'intense journée de chevauchée avait enfin rattrapé la jeune femme, à un point tel que le repas que lui servit son mentor, constitué de viande séchée et de vin râpeux, lui parut bien frugal et fut vite englouti. Lentement, le sommeil alourdissait ses paupières. Fixant la danse des flammes, Olivia se risqua à questionner Kelm.

— Quand arriverons-nous à la plaine dont vous m'avez parlé ?

— Dès demain, en milieu de journée... Nous avons franchi une grande partie de la route aujourd'hui, affirma-t-il. Puis se tournant afin de déposer son épée près de lui, sachant que la tâche de veiller sur leur sécurité lui revenait, il perçut de légers tremblements parcourir les membres de la jeune femme, et ce, malgré l'épaisse couverture qui la recouvrait.

— Comment vous sentez-vous ? lui demanda-t-il, inquiet.

— Sincèrement ? souffla Olivia, sans détourner le regard du feu.

Puisqu'aucun mot ne venait en réponse, elle se retourna vers Kelm. Ce dernier la fixait, non pas avec l'animosité habituelle comme elle l'avait anticipé, mais plutôt avec un demi-sourire l'invitant à répondre à son interrogation.

— Pour être franche, en plus d'être frigorifiée, je suis apeurée en songeant à demain, avoua-t-elle.

Ces mots tombèrent, la libérant d'un lourd fardeau : celui de vouloir paraître aussi inébranlable que le mage. Sa soudaine fragilité perça les défenses derrière lesquelles se cachait Kelm. Se levant, il se rapprocha d'elle et lui parla avec douceur.

— Nous tous ici exigeons beaucoup de vous. Je suis le premier à en être conscient et je ne peux imaginer tout ce que vous avez traversé pour arriver jusqu'à nous... Sachez que c'est tout à fait légitime de ressentir de la peur face à l'inconnu.

La jeune femme parut se recroqueviller davantage sous sa couverture après cette évocation. Si elle avait tenu bon jusqu'à présent, elle semblait maintenant écrasée par les événements !

Que pouvait-il dire ou faire de plus afin de l'apaiser ? Il n'avait pas coutume d'apporter du réconfort... Puis la réponse lui parut fort simple. Je n'ai qu'à utiliser le sort qui, quelques jours plus tôt, l'a aisément calmée, pensa-t-il. Perdue dans ses pensées, Olivia ne disait rien. Il la tira de ses réflexions.

— Vous devez dormir et, pour cela, je puis vous aider. Laissez-moi atténuer votre angoisse, Milady, suggéra Kelm.

La douceur de sa voix surprit la jeune femme, qui n'était pas habituée à un tel comportement de la part de cet homme. Néanmoins, elle devait concéder qu'elle avait besoin de faire le vide dans son esprit: jamais elle ne pourrait dormir malgré son extrême fatigue ! Alors, sans un mot, acquiesçant par un faible sourire, elle s'allongea et se replia sur elle-même dans une maigre tentative de garder sa chaleur corporelle... Elle n'était assurément pas faite pour le camping, maugréa-t-elle intérieurement.

Elle sursauta lorsque la main de Kelm vint s'appuyer sur son front... Sans attendre, une vague de réconfort l'envahit, la réchauffant légèrement. Sentir toute cette surcharge disparaître en un simple souffle lui fit prendre conscience de l'ampleur de la tâche qui pesait sur elle. Alors que ses tremblements diminuèrent, Olivia ressentit le vide laissé par cette profonde lassitude. Exténuée, elle fut secouée de sanglots.

— Que vous arrive-t-il? s'inquiéta le jeune homme, craignant alors d'avoir failli dans l'exécution de sa magie.

— Je suis navrée... il n'y a rien... Je... je me sens tel un fardeau... sanglota-t-elle faiblement, culpabilisant de n'avoir pu réussir à contenir ses émotions.

Le Paetrym se sentit désemparé et coupable de la pression qu'il avait lui-même, sans relâche, exercée sur elle. Il s'allongea près d'Olivia et même s'il prévoyait ne dormir que d'un œil, il passa un bras autour d'elle. Sa peau était aussi froide que la nuit de son intrusion, près des quais...

— Vous n'avez rien d'un fardeau, lui murmura-t-il, remarquant pour la première fois une légère odeur florale se dégager de son épaisse chevelure marron. Lentement, la respiration de la jeune femme se calma, ses larmes l'ayant vidée de son énergie. Elle découvrait la bienveillance du mage, mais elle n'avait plus la force de se questionner sur cette nouvelle facette, qui détonnait avec ce qu'elle connaissait de lui. C'est donc blottie contre le corps de Kelm qu'elle sombra dans un sommeil apaisé.

Chapitre 12

La journée s'était passée sans aucun problème, tout comme l'avait pressenti le Paetrym. Assurément, ce voyage se déroulait sous la protection des Dieux et il les en remerciait. Toutefois, au réveil d'Olivia, le mage s'était déjà affairé à préparer leur départ. Ni l'un ni l'autre n'osa reparler de l'épisode de la veille. Il n'avait fallu qu'une demi-heure avant que les deux cavaliers ne repartent en direction de la plaine de Sihayll. La jeune femme put constater que les estimations de Kelm étaient fiables : quatre heures plus tard, ils purent stopper leurs montures. Il lui expliqua succinctement où ils étaient et ce qu'elle devait exécuter pour participer aux préparatifs en vue de la nuit.

Le Paetrym se décida finalement à rompre le silence qui s'était installé depuis qu'ils avaient préparé leur deuxième campement. Plus rien n'était à faire et Olivia devait maintenant affronter ce pour quoi ils étaient venus ici... sans son aide.

— Vous devez y entrer seule, annonça-t-il en l'accompagnant près d'une grotte à peine visible. Devant eux s'élevait, sortie de nulle part, une paroi rocheuse escarpée laissant apparaître une entrée sombre et étroite. Peu loquace, craignant que l'angoisse de la veille ne la cloue sur place, la jeune femme acquiesça d'un hochement de tête... Ils avaient déjà discuté de ce moment et Kelm ne pouvait lui apporter de précisions supplémentaires. Alors, retenant son souffle, elle s'avança, perçant l'ombre qui l'engloutit tout entière.

La mousse et la végétation qui avaient envahi les parois annonçaient que rares étaient ceux qui venaient dans cette extrémité de la plaine de Sihayll. Olivia n'eut pas à déambuler longtemps dans la noirceur de cette caverne. Laissant sa main caresser la roche, elle avança lentement jusqu'à ce que ses yeux perçoivent une lumière franche. Lorsqu'elle arriva enfin à cette sortie, le soleil l'aveugla.

La main en visière, elle remarqua que le paysage qui se dessinait devant elle était identique à la plaine de Sihayll qu'elle venait tout juste de quitter, à la seule différence qu'aucun campement n'était établi à proximité! Avançant lentement, Olivia savoura la quiétude de ce lieu. Le seul son qui parvenait à ses oreilles était le doux bruissement de l'air sur la végétation de la plaine.

Bien que de l'autre côté de cette caverne le soir approchât, ici le soleil qui rendait la température douce indiquait qu'on était un peu avant midi. Malgré le calme de cet endroit, elle se demandait bien ce qu'elle allait y trouver. C'est en ce lieu que ses pouvoirs lui seraient révélés: Maëlay et Kelm avaient été clairs sur ce point, mais aucun d'eux n'avait été en mesure de lui laisser entrevoir à quoi s'attendre.

Peu de temps s'était écoulé depuis sa venue au royaume de Shimrae. Mais il lui semblait qu'une éternité était passée, et elle se retrouvait maintenant, seule, à chercher ce qui ferait naître en elle sa vie de Sitay. Difficile à croire, murmura-t-elle.

Olivia n'eut pas à se demander plus longtemps ce qu'elle devait faire... Plusieurs mètres devant elle, une colonne de flammes prit naissance dans les cieux et vint éclater au sol. À cet instant précis, son anxiété atteignit son paroxysme. Elle était complètement subjuguée par ce qui venait de se produire. Une silhouette émergea alors de l'emplacement exact où les flammes venaient de lécher la verdure.

Plus cette personne avançait vers elle, plus sa nervosité grandissait. Elle ne fit pas un pas. Elle ne ressentait aucune crainte, mais son corps se figeait et ses muscles ne lui répondaient plus. Nerveuse, elle attendit que la silhouette, maintenant bien perceptible, la rejoigne. Que pouvait-elle faire de plus?

L'homme se rapprochait d'un pas souple et s'arrêta à moins d'un mètre d'Olivia. Celui qui se tenait devant elle avait la peau couleur ivoire, aussi pâle que la sienne, et ses cheveux marron avaient un léger dégradé sous les oreilles. Ils auraient pu passer pour frère et sœur tant ils se ressemblaient.

Olivia sentit une gêne l'envahir sous le regard persistant de cet inconnu. Il semblait voir en elle et il lui souriait, connaissant le malaise qu'elle éprouvait. D'une voix grave et suave, il s'adressa à elle et, en guise de révérence, il plaça sa main droite sur son cœur tout en inclinant la tête.

— Bonjour, Olivia. Je me nomme Cyrm.

Son regard marron s'éclaira lorsqu'il la regarda à nouveau.

Ne sachant pas où elle trouvait la force de parler, elle dit :

— Pourquoi ne suis-je pas surprise que vous connaissiez mon nom ? Et qui êtes-vous, Cyrm ? Olivia avait toujours eu un aplomb en toutes circonstances, mais en ce moment elle se surprenait. Ce Cyrm devait certainement être l'Yrshu dont tous lui avaient parlé.

— Marchons un peu, Olivia.

Cyrm lui tendit son bras dans un souci de galanterie romanesque. Son sourire confirma à la jeune femme l'exactitude de sa déduction mentale.

Une aisance s'installa aussitôt entre eux, comme si un lien s'était tissé entre leurs âmes sur un simple regard. Cyrm, lui, s'était attendu à cela. Il enchaîna, tout en marchant lentement :

— As-tu entendu parler des Yrshus ?

Beaucoup d'informations avaient dû être assimilées par Olivia depuis son arrivée au royaume de Shimrae. Mais *Yrshus*, les maîtres des éléments de qui les Sitays dépendaient directement – et puisque le reste de sa vie dépendrait de son Yrshu –, jamais elle ne pourrait oublier ce mot et ce qu'il impliquait.

— J'ai appris qu'il y a un Yrshu pour maîtriser chacun des quatre éléments nécessaires à toute vie sur les mondes. Que pour chacun de vous, une Sitay sera désignée pour l'aider à sa tâche. On m'a expliqué que c'était là une des raisons de ma venue dans ce monde.

Olivia hésita à continuer, mais Cyrm avait bien deviné qu'une question restait éternellement sans réponse dans l'esprit de sa Sitay. Alors, d'un simple regard, il lui intima de poursuivre, désireux de la laisser enfin exprimer ses inquiétudes.

— Je ne comprends pas comment je pourrais vaincre Viktor, ni même aucun vampire. Depuis mon arrivée dans cet endroit, je me perçois comme un fardeau supplémentaire pour ce peuple.

Tout en marchant, Olivia se disait qu'elle se sentait étrangement bien en compagnie de Cyrm. Avec tout ce qu'elle avait reçu comme information à ce sujet, elle se doutait bien de la provenance de cette confiance, mais elle n'avait jamais été le genre de femme à se laisser charmer facilement. Toutefois, son contact lui apportait une sorte d'apaisement. Décidément, ce monde lui faisait non seulement découvrir une vie mythique, mais elle se découvrait aussi elle-même. Sa perception des choses qui l'entouraient s'était accrue depuis que ses leçons auprès de Kelm avaient commencé.

— Olivia, tu es la clé... La voix de Cyrm la tira de ses pensées. Il se tourna vers elle, stoppant net la cadence de leurs pas.

— Je suis bien ton Yrshu, le Maître de l'élément du Feu.

Ce qu'il lui annonça de but en blanc avait déjà fait son chemin dans l'esprit d'Olivia. Néanmoins, sachant bien qu'il ne répondait pas à la question de sa protégée, Cyrm enchaîna :

— Je tenais à être celui qui t'explique ce qui se prépare dans ce monde et je suis conscient de ta curiosité sur ce qui arrive. Il est donc grand temps que des informations te soient données.

Non loin d'eux, en bordure de la plaine, poussaient d'immenses arbres plus que centenaires. Cyrm se tourna vers eux.

— Allons nous asseoir pour discuter. À l'ombre de ces arbres, nous trouverons plus d'aise. De plus, sache que Maëlay contrôle les végétaux, alors ne sois pas surprise de sentir sa présence, peu importe où tu seras... mais pas en ces lieux : ce moment n'est que pour nous.

Il fit cette dernière remarque en la ponctuant d'un rapide clin d'œil. Cyrm était ravi de pouvoir enfin rencontrer sa Sitay. Par-dessus tout, il essayait de cacher les craintes qu'il ressentait depuis le début de cette expédition. Il avait confiance en ses frères, mais c'était au-dessus de ses forces de rester impassible face aux épreuves qu'ils osaient tous imposer à sa Sitay.

C'est enfin à mon tour d'agir, se disait-il.

Olivia le regarda se diriger vers un énorme tronc, devant lequel il s'assit en tailleur. Elle prit place en face de lui. Ce fut elle qui brisa le silence.

— Mais pourquoi suis-je ici ? Cette simple question restait encore sans réponse. Je veux dire, je sais pour les dons de Sitay, mais...

— J'y venais, ma chère Olivia, lui répondit-il. Nous avons tout notre temps. Ici les minutes ne s'écoulent pas de la même manière que sur la terre de Faöws. Mais laisse-moi tout d'abord t'expliquer notre passé... À la création des mondes, les Dieux nous donnèrent la vie à moi et à mes frères. Comme tu le sais à présent, nous sommes Maîtres des éléments permettant la vie dans chacun des mondes. Sache que les Dieux créèrent différents mondes au fil des siècles. Afin de nous aider dans notre tâche, nous attendons la venue de nos Sitays. Chacune de vous contrôle une partie de notre élément. Nous-mêmes ne savons pas quand arrivera notre Sitay, ni même quelle sera la nature exacte de ses pouvoirs... les Dieux se gardent un peu de mystère ! Malgré les pouvoirs qui nous ont été attribués, en aucun cas nous n'avons la possibilité d'intervenir directement sur la vie des mortels. Tu dois savoir que cette terre est le seul endroit où vous, les Sitays, pouvez apprendre la maîtrise des dons qui vous sont donnés. Si nous n'intercédons pas dans les événements à venir, nous craignons pour la vie de tous les êtres vivants ici et des Sitays à venir, toi y compris. L'élément que je contrôle pourrait réduire à néant le mal qui pervertit cette terre, et jusqu'à présent, j'avais les mains liées.

Cyrm marqua une pause, étudiant les traits d'Olivia qui s'étaient durcis après ces explications.

— Ce n'est pas pour me rassurer, dit-elle.

Olivia assimilait toutes les informations qui lui étaient données et s'étonnait presque de l'émotion qu'elle décelait chez cet être divin. Perplexe, elle renchérit :

— Si j'ai bien compris, vous ne savez pas quels seront les pouvoirs qui me seront attribués par les Dieux. Comment donc pourrais-je les connaître moi-même ?

Avant de lui répondre, Cyrm se releva. À peine fut-il sur ses deux jambes qu'il tendit la main à Olivia, l'aidant à se relever. D'un mouvement fluide, elle se retrouva debout, son visage à quelques centimètres de son Yrshu.

— La seule manière de connaître tes dons, Olivia, est de te les transmettre. Ton pouvoir passe par le mien.

Cyrm lui parlait à voix basse, au creux de l'oreille.

— Es-tu prête, Olivia ? murmura-t-il.

D'un seul souffle, impatiente de voir se concrétiser ce que tout le monde attendait d'elle, Olivia lui répondit :

— Je le suis !

Sa voix vibrait de nervosité et de témérité.

Ils étaient si proches que leurs souffles se mélangeaient l'un à l'autre. Cyrm lâcha la main d'Olivia qu'il tenait toujours au creux de la sienne, afin de replacer une de ses longues mèches de cheveux derrière son oreille. Le regard rivé à celui de la jeune femme, il se sentait captif comme elle. Aucun d'eux n'aurait pu se détacher de ce qui était leur destin. Enfin, Cyrm découvrait ces émotions qu'il avait tant enviées chez les hommes...

Olivia sentait la température augmenter rapidement autour d'eux et cette chaleur l'enivrait. Des papillons lui labourèrent les entrailles quand les doigts de Cyrm s'attardèrent sur son cou, caressant sa jugulaire, et se mêlèrent à ses cheveux.

N'y tenant plus, tant par la passion qu'il ressentait envers sa Sitay que par le désir de lui offrir ses pouvoirs, Cyrm relâcha l'emprise de son regard ténébreux et vint cueillir les lèvres d'Olivia.

La déflagration qui s'ensuivit aurait anéanti n'importe quel mortel se trouvant en son centre. Une immense colonne de feu s'éleva vers les cieux, laissant le couple en son œil. La passion de leur étreinte n'avait d'égal que le brasier qui les entourait, puisque l'Yrshu en était l'instigateur.

Une force arracha Olivia à la douce étreinte de Cyrm. Tout à coup, de son corps jaillirent d'innombrables éclairs allant se perdre dans le couloir de feu les entourant. Ses longs cheveux volant autour d'elle, ondoyant au rythme d'un courant d'air chaud instauré par la magie, elle ressentait cette même chaleur à l'intérieur de son cœur, comme si son corps en entier allait se consumer dans ce fourmillement d'éclairs.

Malgré les craintes légitimes qu'il ressentait pour sa Sitay, Cyrm se sentait choyé d'avoir maintenant cette femme dans sa vie, bien qu'il sache devoir la partager : la laisser vivre cette vie entière avant de l'avoir à ses côtés. Mais en ce moment, cela lui importait peu. La voir ainsi était pour lui déjà un accomplissement. Tous ces éclairs qui fourmillaient à la surface de sa peau montraient l'énergie que leur étreinte avait transférée dans son corps et, par le fait même, l'essence même du pouvoir qu'elle pourrait désormais contrôler.

Lentement, le phénomène perdit de l'ampleur. Les éclairs diminuèrent, emportant avec eux la colonne de flammes qui les encerclaient. Au fur et à mesure que l'air regagnait son calme, la température retrouvait sa fraîcheur habituelle. Lorsqu'Olivia reprit contact avec le sol, l'énergie libérée par son propre corps l'avait exténuée. Au lieu de retrouver son aplomb, elle fut incapable de soutenir son propre poids et ses jambes se dérobèrent sous elle. Manquant de s'écrouler, elle se retrouva blottie dans les bras de Cyrm.

Ce dernier n'arrivait pas à effacer le sourire qui illuminait son visage d'ivoire. Comment aurait-il pu en être autrement, puisqu'il savait maintenant que sa Sitay avait reçu le pouvoir qui lui permettrait de combattre les vampires ? Au lieu d'aider Olivia à s'asseoir, il la maintenait debout en la tenant fermement par la taille.

Tremblante, elle trouva la force de lever des yeux vidés de leur essence. D'une voix sans vie, elle puisa en elle-même l'énergie nécessaire pour parler.

— Que... que s'est-il passé ? Je me sens si faible...

La force de son corps diminuant, elle prenait appui sur Cyrm.

— Laisse-moi t'aider, ma Sitay.

Cyrm lui caressa la joue du bout des doigts comme s'il avait craint de se brûler, effleurant à peine la chaleur de sa peau.

L'Yrshu n'était pas aussi troublé qu'Olivia devant la magie libérée dans ce transfert et il avait déjà repris possession de ses sens. Il savait comment offrir à sa Sitay l'énergie dont elle avait besoin. Par chance, son apprentissage avait été entamé et bien supervisé par le jeune mage qu'avaient choisi les Dieux pour accompagner Olivia, puisqu'acquérir de la sorte tant de pouvoir en un seul souffle aurait pu lui être mortel.

L'esprit de Cyrm s'ouvrait avec aisance sur les fondements des sorts et des pouvoirs qui naissaient en elle. Sans cela, il aurait dû la laisser maîtriser la magie pendant quelques années encore : jamais il n'aurait risqué la vie d'Olivia en lui transfusant une partie de ses pouvoirs. Sentant que son aimée était sur le point de défaillir, il cueillit enfin sa bouche. Frôlant légèrement ses lèvres, il ressentit la chaleur dégagée par le transfert qu'il entamait.

Au moment où une vague brumeuse avait engourdi tous les sens d'Olivia, l'étreinte de Cyrm se fit plus intense, écrasant son corps contre le sien. Elle sentit sa bouche fusionner avec ses lèvres, laissant un maelström de chaleur prendre naissance dans sa chair. Leur baiser se fit passionné, liant leurs âmes. Ce qui permit à l'Yrshu de transférer une partie de son énergie vitale à sa protégée.

Lorsque vint la fin de leur enlacement, que chacun d'eux reprit possession de ses sens, la jeune femme leva des yeux écarquillés vers Cyrm.

— Mais... que vient-il de se produire ? demanda-t-elle.

— Olivia, nous savons maintenant de quelle partie de l'élément Feu tu as le contrôle, répondit Cyrm, fier.

— Nous savons ? Peut-être devriez-vous me mettre au courant... Et je ne parlais pas que de cette magie, risqua-t-elle, masquant à peine sa gêne.

Cyrm déposa une main rassurante sur le bras d'Olivia. Il pouvait très bien concevoir le tourbillon de questions qui se formait en elle.

— Tends la main, paume vers le ciel, lui demanda-t-il.

Tout en étirant son bras, Olivia vit que Cyrm faisait de même et positionnait sa main à quelques centimètres au-dessus de la sienne. Elle sentit une chaleur picoter la surface de sa peau. Lorsque l'Yrshu releva un peu sa main en augmentant la distance les séparant, elle ne put émettre aucun son. Sa mâchoire se crispa sous la surprise.

Ce qui la frappa, ce ne fut pas le fait que des flammes prenaient naissance dans la paume de Cyrm, ni qu'à mi-chemin elles semblaient diminuer pour se muer en des dizaines d'éclairs. Mais plutôt le fait que ces éclairs ne provenaient pas des flammes de son Yrshu, qu'elles émergeaient de sa propre main !

— Reste concentrée encore quelques instants, Olivia ! La voix de Cyrm était ferme, mais douce, la calmant instantanément.

Dans sa surprise, Olivia avait laissé son trouble envahir son esprit et le phénomène dont elle était témoin vacilla. Respirant lentement, elle ne savait pas trop sur quoi porter son attention, alors elle s'efforça de se laisser diriger par Cyrm. Bien que les flammes n'aient pas perdu de leur intensité, les éclairs qui avaient diminué reprirent des forces. Enfin, Cyrm retira doucement sa main, laissant mourir les flammes qu'il contrôlait.

Il se tenait fier et droit devant sa Sitay, captant son regard qui passait de sa paume à elle à son visage à lui. Pour une femme dont la seule magie avait eu comme fondement divers romans qu'elle avait parcourus, voir s'épanouir de sa propre main un faisceau d'éclairs prenant une forme sphérique, cela dépassait l'entendement !

Olivia releva le bras, laissant la sphère perdre sa forme pour que les éclairs puissent courir sur son avant-bras.

— C'est impensable, finit-elle par dire.

Dans sa voix se devinait l'émerveillement. Comment aurait-elle pu s'expliquer qu'elle se sentait si bien en ce lieu, avec cet homme et ce don ? Elle n'arrivait pas à se l'avouer à elle-même.

— Olivia, il te faut maintenant repartir, mais je dois t'avertir que tu ne garderas qu'un vague souvenir de notre rencontre. Tout ce qui te sera utile te sera révélé par ceux qui furent choisis pour t'accompagner, lui expliqua Cyrm. Tu devras apprendre à contrôler ce don, avec les étapes que cela implique.

Déçue que ce moment prenne fin, Olivia baissa le bras, laissant mourir le phénomène qui caressait sa peau. Elle s'étonnait de voir tant de magie émaner de son propre corps... Tout lui semblait si irréel !

Elle ne montra plus aucune gêne lorsque Cyrm se rapprocha sensiblement d'elle.

— Quel souvenir garderai-je de vous, Cyrm ? demanda-t-elle d'une voix à peine audible.

— L'essentiel, Olivia... souffla ce dernier.

Pour la deuxième fois, ils purent sentir l'air former un tourbillon de chaleur autour d'eux. Cyrm tint la nuque d'Olivia d'une main ferme et leurs lèvres fusionnèrent une fois de plus.

Les pulsions qui envahissaient Cyrm l'étonnèrent ! C'était donc cela, les émotions qui faisaient que les hommes et les femmes se battaient avec tant de passion pour sauver leur vie, se dit-il. Jamais pareille sensation ne l'avait habité. Leurs respirations se faisaient haletantes. Olivia ne sut combien de temps ils restèrent là, leurs corps soudés l'un à l'autre. Les mains de Cyrm caressaient délicatement les formes de sa Sitay, lui imprimant des frissons malgré la chaleur qui les enveloppait.

— À bientôt, Olivia, dit Cyrm à travers leurs souffles mêlés. N'oublie jamais que je veille sur toi et que rien en ces mondes ne m'est plus précieux que ta vie !

Lentement, une noirceur profonde remplaça le soleil. La chaleur se retira, de même que la passion de l'étreinte de Cyrm. Un vide engourdit les sens de la Sitay et envahit son âme. Elle se retrouva seule, la main effleurant à nouveau la paroi rocheuse de la froide caverne... Une éternité semblait s'être écoulée depuis son entrée dans cette grotte. La lueur lui indiqua le chemin à suivre, et ce qui l'attendait à son retour à la lumière du soleil était identique à l'image qu'elle avait gardée de la plaine de Sihayll.

Pendant ce temps, Kelm s'était affairé à préparer un repas au-dessus du feu. Il avait d'ailleurs terminé de monter le campement pour la nuit, ne sachant combien de temps Olivia resterait dans cette caverne ni dans quel état elle en ressortirait.

Tout dans l'esprit d'Olivia bouillonnait, et les informations restaient malheureusement diffuses. Elle s'avança lentement, mais sans les parois de pierre pour la supporter, elle se sentait faible. La jeune femme préféra ne pas déranger Kelm, qui semblait tellement concentré. Elle s'adossa contre la roche fraîche, le temps de recouvrer ses forces.

Le Paetrym était accroupi devant les flammes naissantes. La Sitay semblait capter des détails qu'auparavant elle n'aurait pas remarqués. Était-ce dû au transfert de pouvoirs ? Tous les mouvements du mage avaient une certaine fluidité, malgré ses muscles saillants qui révélaient qu'il restait constamment aux aguets. Maintenant, Olivia arrivait à déceler clairement la magie en lui. D'ailleurs, comme s'il avait capté ses pensées, il se retourna d'un bond et à une vitesse fulgurante se retrouva près d'elle.

— Vous êtes si pâle et froide ! dit-il en l'aidant à soutenir son poids. Venez près du feu, il est hors de question que nous reprenions la route dans la journée.

Olivia sourit de le voir si soucieux. Je dois réellement avoir une mine affreuse pour qu'il soit si inquiet, car autrement il m'aurait sermonnée, pensa-t-elle.

Lentement, le front plissé par l'inquiétude, Kelm la laissa s'asseoir près du feu en lui couvrant les épaules d'une couverture. Il alla s'installer à son côté, la fixant d'un regard lourd de questions. Il ne voulait en aucun cas la brusquer. En ce moment, sa peau était d'une couleur grisâtre qui n'augurait rien de bon sur les forces vitales qu'elle avait dû déployer durant sa visite.

— Je ne saurais par où commencer, les images semblent verrouillées à l'intérieur de moi. Tout comme les mots, qui ne peuvent sortir de ma bouche, finit-elle par dire sous son regard persistant.

Malgré le transfert d'énergie offert par Cyrm, la jeune femme ressentait une profonde lassitude.

Elle put voir la déception se peindre sur les traits du Paetrym. Elle ne pouvait le blâmer : ce n'était que le reflet de sa propre déconvenue.

Un long soupir s'échappa de sa bouche tandis qu'elle essayait de mettre de l'ordre dans ses idées.

— Combien de temps ai-je été absente ? demanda-t-elle.

— À peine une trentaine de minutes, répondit-il. J'aurais pensé que vous seriez partie plus longtemps d'ailleurs... Qu'avez-vous vu dans cette caverne ?

Certaines images lui revenaient par bribes.

— Lorsque j'ai atteint la sortie, je me suis retrouvée face à une plaine identique à celle-ci, sauf qu'il n'y avait plus aucune trace de notre campement. Un homme m'a rejointe, Cyrm...

En prononçant son nom, une vague de chaleur l'envahit, mais elle n'en comprit pas le sens.

— Cyrm ! Les épaules de Kelm se relâchèrent, un soulagement évident le traversa. Alors, vous avez rencontré votre Yrshu, tout se déroule comme prévu, ajouta-t-il. Vous devez savoir quel don vous est attribué.

Tout en parlant d'une voix accélérée par la curiosité, Kelm se releva pour éviter de faire face à Olivia. Il gardait en lui le souvenir des avertissements de Maëlay. Combien de fois l'avait-il entendu lui dire de prendre garde à son empressement... que chaque réponse viendrait seulement en son temps ?

Il sentit au fond de lui que cette dernière lui répétait encore une fois cette mise en garde en ce moment même. Olivia reprit la parole.

— Outre le fait que je ressens un étrange picotement dans mon bras droit, je n'ai aucun souvenir de ce qui entoure ce phénomène.

Ce fut au tour de Kelm de pousser un long soupir. Maëlay avait raison, chaque chose avait sa place dans les événements à venir et rien ne saurait précipiter davantage ce qui l'avait déjà été. En aucune façon cela n'était la faute d'Olivia. Lorsqu'il se retourna, ce fut un visage vexé qui le fixait. Toutes paroles réconfortantes s'évaporèrent de sa bouche. Pourquoi se retrouvait-il aussi souvent pris au dépourvu devant son regard abyssal ? Ne désirant pas laisser paraître son trouble, il enchaîna :

— Dès notre retour au château, Lady Saint-Pierre, il nous faudra pousser les leçons de base de la magie. Vous ne pourrez maîtriser votre don sans cela.

Se rapprochant d'Olivia, il poursuivit :

— À partir de maintenant, j'entamerai ce pour quoi j'ai été mis sur votre route. Il nous faudra trouver la clé qui ouvrira votre esprit aux pouvoirs qui viennent de vous être transmis.

— J'imagine donc que vous allez ajouter que nous prenons déjà du retard...

Ce fut plus fort qu'elle. Olivia trouvait son manque de compréhension exaspérant. Elle se demandait ce qu'il ferait si c'était lui qui s'était retrouvé propulsé dans son monde à elle. Mais cet homme semblait imperturbable. Elle avait beau fixer son regard bleu azur, il ne reflétait pas ses émotions profondes.

— Eh bien, il y a au moins cela que vous mémorisez ! répondit-il à brûle-pourpoint, d'un ton beaucoup plus léger.

Elle fut surprise par l'apparition dans son champ de vision d'un plat préparé par Kelm à son attention. Le sourire sarcastique de ce dernier annonçait que pour lui aussi la conversation était close.

Olivia reprenait des couleurs. Manger l'aidait davantage que de discuter de la sorte.

— Reposez-vous, nos chamailleries ne nous serviront à rien. Reprenez des forces. Nous ne reprendrons pas la route, malgré le temps qu'il nous reste dans la journée, dit-il.

Son esprit de précepteur s'enflammait déjà en prévision des nouvelles facultés à découvrir chez la jeune Sitay !

***

Olivia retrouva rapidement son énergie. Tous deux terminèrent leur repas en silence. Elle préféra ensuite se dégourdir les jambes. Elle finit par se diriger vers un fin ruisselet, où elle retrouva Kelm, qui s'était éloigné lui aussi.

— Venez vous asseoir. Nous pouvons dès maintenant commencer un nouveau volet de votre apprentissage.

Kelm parla d'une voix forte, sans même se retourner.

À peine fut-elle installée près de lui que ce dernier prit de l'eau fraîche au creux de sa main.

Kelm lui parla des éléments que les Dieux eux-mêmes créèrent, puis des Maîtres qui les contrôlaient. Ressentir les liens magiques entre chacune des fibres de ce qui formait la vie était à la base de toute magie. Maintenant, Olivia pouvait capter avec plus de facilité ces connexions entre les éléments. L'échange avec Cyrm avait grandement accéléré son apprentissage, aidant le travail du Paetrym.

Longuement, Olivia écouta Kelm, s'abreuvant de sa voix profonde, en mémorisant chaque syllabe. La pénombre s'installa confortablement lorsque le flot de paroles se tut.

Olivia avait caressé tour à tour les gouttelettes d'eau dans sa paume, les grains de sable réchauffés par le soleil, ou encore la douceur des brins d'herbe, et ressenti la chaleur des flammes qui venaient chasser la fraîcheur du soir. Tout cela en suivant les explications du Paetrym. Grâce à l'essence même de Cyrm qui coulait dans ses veines, elle arrivait à déceler d'infimes détails dans tout ce qu'elle découvrait et elle s'en émerveillait!

Kelm mit fin à l'état hypnotique de la Sitay en se levant lentement.

— Retournons raviver les flammes. La nuit sera calme et vous pourrez dormir, lui dit-il. Jamais il ne lui avait tant parlé.

Il ne lui avait pas menti, la nuit fut sereine. Il s'occupa de laisser une barrière magique qu'il savait suffisante pour leur protection en ces lieux. La magie était bénéfique et de nombreux êtres surnaturels veillaient sur eux. Ils s'endormirent donc sous un ciel sans nuage, la lune et les étoiles éclairant leurs songes.

Olivia était d'un calme contrastant avec sa première nuit en forêt. Malgré cela, sans un mot, d'un accord tacite, les deux jeunes gens dormirent tout près l'un de l'autre.

Chapitre 13

Cyrm n'avait pas soufflé mot depuis son retour. Aucun d'eux n'avait su quoi lui dire, n'ayant jamais ressenti ce que ce dernier vivait en ce moment.

Les émotions qui le consumaient l'empêchaient de contrôler la chaleur qui embrasait l'air tout autour de lui. Une brume envahissait toutes les molécules autour de son corps, tandis qu'il laissait baigner ses pieds dans le cours d'eau qu'Heelu avait créé dans leur plan d'Ysandrell. C'est d'ailleurs ce dernier qui avait décidé de rompre le silence qui pesait depuis le retour de l'Yrshu du Feu. Heelu rejoignit Cyrm. Sachant qu'il ne courait aucun risque de se brûler, il posa une main sur son épaule. À ce contact, une lourde vapeur s'éleva autour d'eux. Le corps tout entier de son frère était l'épicentre de ce four. Heureusement, son élément, l'Eau, lui permettait de contrer ce brasier.

— Cyrm, parle-moi, je t'en conjure. Nous avons toujours été proches et je me doute bien que ce que tu ressens te ronge le cœur, lui dit-il après plusieurs secondes.

— J'ai... j'ai effacé sa mémoire. Du moins en partie. Elle ne gardera que très peu de souvenirs de moi.

La voix de l'Yrshu de Feu se cassa et il laissa sa phrase sans plus d'explications. Les émotions qui l'envahissaient étaient nouvelles pour lui: l'humilité de devoir céder sa place à quelqu'un d'autre dans le cœur de la jeune Sitay le sidérait.

— De nous quatre, mon frère, tu es celui qui a le tempérament le plus impulsif... Tu me surprends, continua-t-il en souriant intérieurement. Cyrm semblait si désemparé devant ce qu'il ressentait pour cette femme !

Tout en parlant, Heelu prit place près de son frère et le laissa répondre.

— Ce fut plus fort que moi, pour lui transmettre ses dons, j'ai choisi de ne pas réfréner ce que je ressentais pour elle, avoua-t-il à contrecœur.

Il lui semblait qu'Heelu lisait aisément en lui, néanmoins il continua à exprimer ce qui le rongeait.

— Voir le lien qui unit Lorn et Maëlay, la passion qui emplit la pièce lorsque leurs regards se croisent. Je voulais ressentir ça au moins une fois dans ma longue existence d'immortel. Tu as raison, je suis impulsif... comme tu le dis si bien. Je sais pertinemment que j'aurais dû contrôler mes sentiments pour Olivia. En raison de mon égoïsme, j'ai dû effacer une plus grande partie de ses souvenirs que ce que j'avais prévu, conclut-il.

— Cyrm, comment pourrions-nous te reprocher tes sentiments ? Bien que, tout comme Lorn, tu aies enfin connu ta Sitay, une ombre plane sur votre rencontre. Nous savons tous que l'histoire des hommes et des femmes est parsemée de bonheurs et de malheurs. Il en a toujours été ainsi et cela ne changera jamais. Mais le danger qui frappe le royaume de Simrae va au-delà des normes, même pour Ysandrell, termina, pragmatique, l'Yrshu de l'Eau.

Ils savaient tous les quatre que les Dieux n'avaient pas prévu que les sentiments humains que sont la haine et l'amour survivent chez les vampires. Encore moins que ces sentiments passent d'une victime à son meurtrier.

Heelu se releva... Les événements se pressaient, car si les jours s'écoulaient normalement sur la terre de Faöws, sur le plan d'Ysandrell la notion du temps n'était pas la même.

— Cyrm, nous avons senti ton désarroi !

Cette fois, ce fut la voix de Feyll qui vint résonner autour d'eux.

Heelu s'éloigna un peu de Cyrm. Derrière eux se tenaient leurs frères, qui attendaient en retrait.

— Nous ne sommes pas les seuls à l'avoir ressenti. Les Dieux sont prêts à nous entendre, enchaîna Lorn.

— Mais voudront-ils transgresser les règles qui régissent l'équilibre des mondes ?

Cyrm s'était levé avec une célérité surprenante. Il voyait s'ouvrir devant lui la possibilité d'aider sa Sitay.

— Allons voir ce qu'ils ont à nous proposer !

Ce fut la douce voix de Feyll qui continua la conversation. Ils ne pouvaient ordonner aux Dieux de les entendre, mais ils savaient que ces derniers étaient dans de bonnes dispositions pour leur accorder une aide qui serait bienvenue.

Dans un silence qui témoignait de leur accord commun, ils attendirent en appelant intérieurement leur élément respectif.

Quiconque aurait assisté à cette scène aurait été subjugué. Il devenait impossible de différencier physiquement les quatre Yrshus : quatre colonnes, quatre silhouettes. L'Eau, la Terre, l'Air et le Feu dominaient le paysage où une blancheur profonde s'installa. Les Yrshus étaient prêts, peu leur importait le temps qui s'écoulerait : les Dieux les recevraient, ils en étaient convaincus.

Les quatre Yrshus étaient légèrement déstabilisés par l'absence de toute substance, mais ils ressentaient tous la présence d'un de leurs hôtes divins. Ils se regardèrent, ils avaient compris l'enjeu. Se retrouver devant un seul de leur Dieu, c'était évidemment parce que les décisions étaient prises tout de suite. Il n'y aurait aucune place pour la négociation.

Égal à lui-même, ce fut Cyrm qui parla le premier. Il s'avança de deux pas, puis sa voix se perdit dans l'air.

— L'une de vos créations menace d'en anéantir une autre : celle que vous avez mise sous notre protection !

L'Yrshu de Feu continua. La crainte qu'il éprouvait en pensant aux obstacles qui se dressaient devant sa Sitay lui intimait de faire comprendre aux Dieux l'urgence de la situation. Alors, sans se soucier des protocoles, il ajouta :

— Nous avons risqué la vie de ma Sitay afin de sauver l'équilibre qui permet à toute vie de subsister sur la terre de Faöws. Aura-t-elle le temps de maîtriser le don qu'elle vient à peine d'acquérir ?

Le silence se fit lourd autour d'eux. Une forme humanoïde se dessina sous leurs regards, sans toutefois prendre ni couleur ni consistance. Le Dieu se déplaça à l'écart du quatuor, leur tournant le dos afin de formuler sa réponse. Quelques secondes seulement s'écoulèrent avant qu'une voix gutturale et métallique ne s'élève, brisant le silence qui avait suivi la tirade de Cyrm.

— Nul d'entre nous n'avait prévu que Kahinë porterait son choix vers une âme aussi noire. La décision de devancer l'intrusion de la Sitay de Feu ne fut pas unanime parmi les nôtres, mais je fus le premier à en accepter l'idée.

Se retournant lentement, la silhouette revint prendre place devant Cyrm. Ce dernier ne pouvait déceler les traits de son interlocuteur, mais il sentait son regard pénétrer en lui.

— Maintenant que ce qui est fait est fait, nous ne pouvons laisser le sort de Faöws reposer sur les épaules d'une seule femme, Sitay ou pas. Néanmoins, sachez que les règles immuables ne peuvent être changées : vous ne pourrez intervenir directement sur ce monde !

Les traits de Cyrm se figèrent dans une moue de mécontentement qui frôlait la colère, mais avant que les protestations ne franchissent le seuil de ses lèvres, le Dieu reprit la parole.

— Cyrm, malgré le fait que nous soyons tous concernés par les événements qui prennent naissance dans le royaume de Shimrae, je comprends la sensation de perte qui vous envahit. Malgré cela, il en reviendra à vous, une fois de plus, d'offrir à ce monde une chance de survie...

Heelu n'arrivait pas à croire ce qu'il entendait.

— Notre frère est le seul qui a déjà affaibli une partie de ses pouvoirs afin de rétablir l'équilibre. Pourquoi serait-ce encore à lui de se sacrifier ? demanda Heelu, avec son calme habituel.

— Le Feu est le seul élément perturbé : sa puissance a été augmentée par la venue devancée de sa Sitay. Nous, les Dieux, avons décidé de ne pas créer de bouleversement dans les autres éléments que vous contrôlez. Nous offrons à la terre de Faöws deux aides : *Celui qui sera* et *Celui qui n'est plus*.

— Qui seront ces deux âmes ? questionna encore une fois Heelu.

Toutefois, la divinité donna sa réponse à Cyrm, qui tentait tant bien que mal de paraître impassible.

— En tant qu'Yrshu du Feu, Cyrm, vous serez le seul à pouvoir transférer une partie de vos pouvoirs dans le corps d'un homme que vous jugerez capable de la recevoir, annonça-t-il d'une voix grave. Ainsi viendra *Celui qui sera*.

— Et qu'est-ce que cela implique concrètement ? demanda le principal intéressé.

— Votre Sitay aura à ses côtés un être possédant, dans une certaine mesure, des dons similaires aux siens. Elle contrôlera les éclairs, et lui les flammes d'Ysandrell, tout comme vous. Par contre, jusqu'à la mort de votre élu, vous n'aurez plus la force de vous matérialiser sur quelque monde que ce soit.

Cyrm réalisa que le seul choix qui s'offrait à lui tisserait encore plus profondément les liens grandissant entre sa Sitay et le jeune mage qui veillait à son apprentissage... Mais sa jalousie était inutile.

— Faible sacrifice, compte tenu des circonstances, maugréa l'Yrshu du Feu. Mais sera-ce suffisant ?

— Vous mettrez la Sitay et l'élu sur la piste de Jeerdhs Lëanoläk, ajouta le Dieu.

— Jeerdhs est donc *Celui qui n'est plus* ! En quoi ce vampire pourra-t-il aider la Sitay ? demanda Feyll, qui ne s'était pas encore manifesté.

— Il est le doyen des vampires et le dernier vivant toujours sous les anciens préceptes. Ils devront le convaincre de se joindre à cette bataille, s'ils veulent vaincre Viktor, termina la divinité.

Cette annonce mit fin abruptement à la conversation. Les Yrshus sentirent leur corps quitter doucement le lieu de rencontre. Avant même qu'ils n'aient pu renchérir, la forme qu'avait empruntée le Dieu s'était volatilisée et ils étaient tous les quatre de retour dans le plan d'Ysandrell. Ils avaient une autre rencontre à préparer.

***

Olivia apprenait à maîtriser le pouvoir qui lui avait été transmis par Cyrm. Sa rencontre avec son Yrshu la bouleversait encore, malgré les semaines qui s'étaient écoulées. Étrangement, elle sentait qu'un voile s'était levé sur son esprit, si bien qu'elle n'arrivait plus à se cacher derrière le rêve. La jeune femme pouvait enfin dire qu'elle se sentait entière pour la première fois de sa vie, un gouffre séparant son corps et son esprit s'étant comblé après cette réunion.

Un énième soupir de Kelm la ramena subitement à la réalité, lui faisant comprendre que sa main s'étirait vers le mauvais flacon... une fois de plus ! Bien entendu, elle comprenait l'importance de la préparation permettant à son corps de bien guérir des blessures qu'elle s'infligeait lors des leçons, toutefois elle se sentait exténuée. Elle avait appris beaucoup en un court laps de temps et l'assouplissement dans l'attitude de Kelm leur avait permis de mieux dialoguer, même s'ils n'avaient jamais abordé le sujet de ces deux nuits en forêt.

En retrait, Kelm la regardait : ses cheveux, relevés en un chignon qui laissait s'échapper de nombreuses mèches, attestaient des longues heures et des efforts qu'Olivia mettait dans son apprentissage. Les muscles de ses épaules étaient si tendus qu'aucun de ses mouvements n'échappait à la raideur de la charge qui lui était dévolue. Le Paetrym s'efforçait de paraître austère, ne voulant pas troubler les leçons de sa nouvelle apprentie. Il laissait de côté le torrent d'émotions que sa vue faisait naître en lui.

Olivia comprenait l'urgence de maîtriser l'énergie qui lui avait été transmise lors de sa visite à la plaine de Sihayll. Elle devait rester concentrée et mémoriser chaque leçon de Kelm, malgré l'aigreur dont il continuait de faire preuve face à chacune de ses bourdes, comme si elle devait savoir à l'avance tout ce qu'elle apprenait. Sentant le lourd regard de son professeur, l'exaspération montait en elle. Mais il était hors de question de lui donner la chance de la sermonner.

La chaleur de l'atelier devenait insoutenable. Olivia sentait un tourbillon de rage monter en elle. Elle aurait voulu réussir plus rapidement. Mais son esprit tergiversait afin de contrôler son énergie. La jeune femme se sentait vraiment épuisée et n'osait dire tout haut qu'elle devrait bientôt s'arrêter.

Lorsqu'elle sentit bouger derrière elle, son esprit voguait entre la concentration et l'épuisement. Elle entendit un cri de douleur qui la ramena à la réalité. Sans comprendre, elle ressentit un élancement au creux de son crâne. Elle se retourna brusquement malgré une langueur subite et elle se sentit défaillir en voyant Kelm effondré contre le mur de pierre. Il serrait sa main droite contre sa poitrine et fixait sur elle un regard ahuri.

Le Paetrym se ressaisit rapidement et se releva, légèrement chancelant. Il voulut faire comme si rien ne s'était passé et se retirer de la pièce afin de se soigner, mais Olivia ne l'entendait pas de la sorte. Lorsqu'il se dirigea, livide, vers la porte, elle lui ferma le passage.

— Que vous est-il arrivé ? Votre main saigne...

— Vous devriez le savoir, non ? lui répondit-il. Dans sa voix, Olivia pouvait discerner un mélange de colère et de surprise.

— Savoir ? Pourquoi êtes-vous fâché ? Vous vous blessez et c'est contre moi que vous vous retournez ? La peur qu'elle avait ressentie l'avait bouleversée. Là, c'est l'incompréhension qui l'envahissait.

Bien que la plaie meurtrissant sa main fût peu profonde, le choc causé par sa projection contre le mur de pierre laissait Kelm encore stupéfait par ce qui venait de se produire. Aucun d'eux ne semblait réellement comprendre cette attaque ! Il réalisa qu'Olivia n'avait pas eu conscience du pouvoir qui s'était matérialisé autour de son corps.

Le jeune mage avait voulu tirer la Sitay de sa concentration, désirant seulement l'aider à assimiler le calcul de la poudre tirée des graines d'hyrmalek. Peut-être essayait-il de se convaincre lui-même de ce qui l'avait poussé à tendre la main vers le dos de la jeune femme ? Aurait-il pu autrement percevoir les changements d'atmosphère dans l'atelier ?

J'aurais dû ! se dit-il. La chaleur avait alourdi chaque molécule d'air, et s'il avait été attentif comme à son habitude, il aurait perçu les éclairs parcourant le dos d'Olivia, presque imperceptibles, mais dangereux. Lorsque ses doigts avaient atteint cette partie, les éclairs s'étaient ramassés en un faisceau douloureux qui s'était fracassé contre sa peau, le propulsant lourdement contre le mur de pierre.

Quand il voulut quitter la pièce afin de se soigner, Olivia lui barrait le passage... Il était trop tard.

Sa paume ensanglantée était déjà entre les mains de son apprentie, qui essayait un sort de guérison. À la vue du doux visage de la jeune femme, figé par la peur, où de fines larmes coulaient délicatement, le Paetrym en perdit le fil de ses pensées ainsi que tout contrôle sur lui-même. Il sentait sur sa paume le léger picotement de la brûlure qui se résorbait. Lorsqu'Olivia termina l'incantation, elle réalisa que son regard s'était fixé sur lui, sans pouvoir s'en détacher.

Aucun d'eux ne put maîtriser les pulsions qui l'envahissaient, comme si ce qu'ils rejetaient depuis leur première rencontre ne pouvait l'être une fois de plus. S'ils avaient perçu la toile que la magie libérée avait tissée dans la pièce, ils auraient compris que ce qui les rapprochait à ce moment même dépassait tout ce qu'ils pouvaient contrôler.

Sentant que son corps ne lui appartenait plus, Kelm saisit la nuque d'Olivia d'un mouvement brusque qui le libéra de toutes ses inhibitions et leurs lèvres s'épousèrent. Il savourait la douceur de la bouche choquée par ce désir exprimé de façon si inattendue. Au fond de lui-même, il aurait voulu arrêter ses mouvements, mais la passion qu'il avait censurée jusqu'à présent était irrépressible et il se délectait enfin de ce moment. Un démon de désir sévissait dans son être, labourant chacune de ses pensées et réduisant à néant toute tentative de contrôle sur ce qui arrivait.

Olivia se retrouva blottie contre le corps de Kelm. Tout s'était bousculé en quelques secondes. Les images se tordaient dans son esprit : elle réalisa qu'elle avait failli tuer Kelm, qui l'avait surprise dans sa concentration. Ensuite, lorsque le simple sortilège qu'elle connaissait avait fait son effet, la jeune femme avait senti des liens étranges se tisser dans l'air autour d'eux. D'un geste désespéré, les lèvres de Kelm s'étaient soudées aux siennes, et elle avait voulu se fondre entièrement en lui.

Le Paetrym la saisit par la taille et la souleva, acceptant enfin en lui les émotions qui le submergeaient. Il la laissa entourer sa taille de ses jambes et lui dévora les lèvres, n'osant reprendre son souffle de peur que ce moment ne se termine. Dénouant les longs cheveux d'Olivia, il caressa la cascade que cela créa le long de son épine dorsale, savourant les frissons de désir qui étreignaient le corps de sa partenaire, exacerbant ainsi sa propre passion.

Son atelier faisant partie de son banshal, Kelm déposa Olivia doucement sur le lit qui y trônait, ne se concentrant que sur son souffle saccadé. La jeune femme savourait la douceur de ses mouvements, oubliant l'austérité qu'il avait manifestée envers elle. Il entreprit de retirer lentement sa tunique et pour chaque morceau de tissu qu'il retirait de son corps, il le couvrait de ses lèvres chaudes, faisant monter en elle un désir bouillant.

Ayant connu plusieurs hommes tout au long de sa vie, Olivia aurait dû se maîtriser : du moins, c'est ce qu'elle se répétait. Mais tous ses sens semblaient enflammés par un désir si puissant qu'elle préféra se laisser diriger par la passion manifestée par Kelm.

Ni l'un ni l'autre n'arrivait à prononcer une parole, la passion étouffant tout ce qui aurait été superflu. La main de Kelm s'attardait à caresser sa gorge ; lorsque ses doigts laissaient une parcelle de peau frissonnante, il la recouvrait de ses lèvres. Olivia sentait son souffle s'accélérer et, gardant les yeux fermés, elle distinguait à peine la douceur de sa bouche du contact de sa main, comme si cette étreinte n'avait ni début ni fin. Tout autour d'elle n'était que tourbillon, alors lorsque la langue de son amant effleura furtivement son mamelon, un râle de plaisir s'échappa de sa bouche. Râle qui se mua en long gémissement lorsqu'il engloba son sein de ses lèvres. Sa main continua lentement sa caresse le long de son ventre.

Du bout de ses doigts, il s'évertuait à laisser le léger roulement des hanches d'Olivia diriger les effleurements qu'il lui infligeait. Kelm prenait connaissance du plaisir insoutenable de son propre corps et peinait à retirer ses propres vêtements, se refusant à relâcher la pression de ses caresses. Tout en continuant à savourer le goût de sa peau, il entreprit de rejoindre la bouche haletante de son apprentie et ses lèvres assaillirent à nouveau les siennes.

Lorsqu'il pénétra en elle avec force, laissant enfin libre cours à son désir, elle ne put s'empêcher de pousser un cri de surprise, gardant son regard fixé au sien. Elle était submergée par la profondeur du bleu de ses yeux, ainsi que par l'appétit qui animait chacun de ses traits. Les muscles d'Olivia crispés de désir n'obéissaient plus qu'au mouvement puissant du corps de Kelm. Il lui fit l'amour passionnément sans être capable de détourner son regard du sien. Alors, lorsque la jouissance les envahit tous les deux, les éclairs qui jaillirent du corps d'Olivia ne touchèrent nullement Kelm. Ils parurent prendre naissance de leur union.

Épuisés par de longues heures de travail ainsi que par leur passion, les amants trouvèrent rapidement un sommeil serein.

Dès qu'Olivia s'éveilla, elle sentit le souffle chaud et régulier de Kelm sur sa nuque. Son bras la retenait par la taille. Elle referma les yeux, savourant la douceur de ce contact. Les souvenirs de cette nuit se bousculaient dans sa mémoire. La passion qui les avait terrassés la laissait dans un état de consternation. Les émotions qui lui tenaillaient les entrailles depuis la première fois où elle avait aperçu Kelm étaient un désir qu'elle ne croyait pouvoir se permettre. Elle s'en était accommodée, compte tenu des maintes remontrances qu'il s'évertuait à lui faire à la moindre occasion. Mais à présent, le bien-être qu'elle ressentait lovée contre son amant lui faisait redouter les regrets qu'il pourrait éprouver au soleil levant.

À ce moment-là, comme s'il avait perçu ses craintes, Kelm resserra son étreinte. Ses lèvres vinrent chercher le goût de sa peau à la base de la nuque, laissant un frisson parcourir son dos et un doux soupir s'échapper de sa bouche.

— Bonjour, *Sitay* ! lui dit-il. Contre toute attente, son ton était très doux, comme métamorphosé après la nuit.

Écrasant davantage son corps contre le sien, Olivia ne put s'empêcher de relever ce qu'elle devinait être une taquinerie de la part de Kelm.

— Ne m'appelle pas Sitay... Olivia fera très bien l'affaire !

Il était rare qu'elle l'ait entendu utiliser son prénom. De plus, il savait pertinemment qu'elle n'aimait pas être appelée par ce titre.

Grommelant une réponse inintelligible, Kelm força doucement Olivia à se retourner et plongea son regard dans le sien, se tenant au-dessus d'elle.

Il ne put s'empêcher de rire en voyant le trouble se peindre sur les traits de son amante. Il effleura du bout de sa langue les lèvres d'Olivia, une lueur espiègle dans les yeux.

Esquissant un sourire, Olivia ajouta :

— Je devrais commencer à m'habituer à ne pas comprendre ce qui se passe dans ta tête !

Même si Kelm comprit le sens de cette pique, il ne voulait pas pour le moment expliquer les pulsions qui le submergeaient. Il réalisait que le lien qui unissait les deux sœurs s'était joué de lui. Il s'était cru amoureux de Maëlay. C'est seulement maintenant qu'il prenait conscience que depuis le début, c'était l'essence même d'Olivia qu'il avait détectée chez la Sitay de la Terre. Voilà qui explique ces regards pleins de sous-entendus de la part de Maëlay...

Olivia vit son regard se colorer d'indigo une fraction de seconde, signe qu'il utilisait ses pouvoirs. Elle en eut d'ailleurs la confirmation lorsqu'elle sentit une caresse rafraîchissante, comme un souffle frais, prendre naissance dans sa nuque pour s'attarder sur sa poitrine et venir mourir à l'intérieur de ses cuisses.

— Si tu veux, *Olivia*, je peux t'apprendre cela aussi... Kelm avait mis l'accent sur son nom, mais ne désirant pas poursuivre la conversation, il cueillit plutôt sa bouche.

Le ton railleur du jeune mage fit sourire Olivia et le baiser passionné qu'ils échangèrent lui apporta un frisson de désir. Elle sentait une douce chaleur monter par vagues dans son corps.

Kelm relâcha son étreinte et vint capturer les yeux marron d'Olivia. Ce regard si profond, sans âge, tel un abîme dans lequel il aurait voulu se perdre, et ce, depuis le premier jour...

— Olivia... Il murmura son nom cette fois-ci comme pour s'en imprégner.

C'est elle qui mit fin à ses pensées en glissant ses doigts dans son épaisse chevelure noire, reprenant là où ses lèvres s'étaient arrêtées. Leur étreinte se fit de plus en plus passionnée, engendrant une course haletante vers le plaisir.

En susurrant à nouveau son nom, il pénétra en elle avec douceur, savourant les tremblements de désir qui secouaient le corps d'Olivia. Il s'imprégnait de la caresse de ses doigts sur son dos et des morsures qu'elle laissait dans son cou. Tout en elle n'était que passion pour lui. Jamais il n'avait ressenti cela à un tel point avec une femme.

C'est ensemble, leurs cœurs battant à l'unisson, qu'ils atteignirent une fois de plus une douce extase, qui les laissa tremblants, leurs corps en sueur enlacés, comme si rien au monde n'aurait pu les séparer.

Ils reprenaient leur souffle. Quelques minutes passèrent sans qu'aucun d'eux ait envie de briser leur étreinte. Alors Kelm se glissa en dehors des draps, laissant la fraîcheur du matin mordre sa peau moite, afin de quérir deux gobelets d'eau. Olivia prit volontiers le rafraîchissement qu'il lui tendait. Kelm s'allongea de nouveau à ses côtés et replaça doucement une longue mèche qui cachait en partie son visage. Il sentit alors que son cœur aurait pu mourir pour elle.

— Olivia... *mi sayl*, je crois qu'il faut éclaircir ce qui nous arrive. Kelm parlait avec douceur en lui caressant la joue.

— Tu as raison, lui répondit-elle, tout sourire. Commence donc par me dire ce que signifie *mi sayl*.

Kelm se pencha jusqu'à ce que ses lèvres effleurent l'oreille d'Olivia.

— *Mi sayl* veut dire mon amour.

En poursuivant son mouvement, il se leva et alla enfiler un pantalon. Il offrit une tunique propre à Olivia qui était encore rougissante :

— Tu seras moins perturbante avec quelque chose sur ta peau.

Éclatant de rire, Olivia enfila la tunique de Kelm. Elle se leva. Le vêtement lui arrivait à mi-cuisse. Avec ses manches trop longues, il lui donnait un air enfantin accentué par ses longs cheveux tombant dans son dos.

Encerclant de ses bras le torse nu de son amant, elle alla chercher un léger baiser, car elle était d'accord sur le fait qu'ils devaient discuter. Elle s'assit ensuite sur le rebord de la fenêtre et laissa la chaleur des rayons du soleil réchauffer son corps. Elle attendit que Kelm prenne place sur une chaise avant de parler.

— Hier soir, que s'est-il passé ? Je me souviens à peine t'avoir blessé à la main et envoyé balader contre le mur ! Sa voix trahissait un soupçon de plaisir malicieux à l'idée d'avoir malgré elle déjoué son précepteur.

Sans relever la pique, Kelm sourit en dépit de la colère qu'il ressentait envers lui-même à ce souvenir de manquement dont il avait fait preuve.

— Je crois que tu étais en colère contre moi à ce moment-là, et surtout à bout de force, bien entendu avec raison.

Kelm marqua une pause, le visage sévère. Qu'allait penser Olivia si elle comprenait pourquoi il avait été si austère envers elle depuis son arrivée dans ce monde ? Mais elle n'ajouta rien. Elle se contenta de le fixer, lui indiquant qu'elle désirait qu'il continue.

— Pour arrêter un de tes mouvements, j'ai tendu la main vers ton dos... Et ton pouvoir de Sitay m'a heurté de plein fouet ! Maintenant, nous savons que tu contrôles les éclairs. Dérivé directement de l'élément du Feu, ajouta-t-il en se regardant la paume de la main. Il réalisa qu'il n'en gardait aucune trace. Je dois dire que je pensais ressentir plus de douleur après ma réception contre le mur. Toutefois, il semble que tes pouvoirs de guérison soient plus grands que je le pensais.

— Tu as raison, Kelm. Je me souviens avoir ressenti de la colère, mais envers moi-même et non envers toi. Puis je t'ai entendu lorsque tu as percuté le mur. J'ai cru défaillir...

Olivia fonça les sourcils, essayant de remettre des images sur ce qui s'était produit, en vain.

— Mais je n'ai aucun souvenir de ces éclairs dont tu me parles, et cela m'inquiète.

Kelm la vit blêmir. Il comprenait ce qu'elle pouvait ressentir, elle qui s'efforçait, depuis son arrivée, d'apprendre et de maîtriser tant de sorts et de connaissances. Avoir à conquérir un pouvoir dont les secrets les dépassaient tous les deux ajoutait une grande difficulté. Ils discutèrent des enseignements à venir, qui seraient axés sur la découverte de ce don. Il était impératif pour la jeune femme de ne pas craindre de blesser accidentellement les gens qui l'entouraient.

Alors les jours et les semaines se succéderaient dans cette recherche. Peu de repos serait accordé, et ce, tant et aussi longtemps qu'Olivia n'aurait pas un parfait contrôle sur son esprit. Kelm s'était promis de faire en sorte que la jeune femme soit apte à se défendre et, maintenant plus que jamais, il était prêt à tout afin de lui éviter un sort similaire à celui de Maëlay.

Chapitre 14

Quand les circonstances le lui permettaient, Olivia se retrouvait au jardin de la cour intérieure. Les enseignements de Kelm portaient leurs fruits et son âme s'apaisait : enfin elle pouvait se détendre en parcourant des livres. Bien que sa connaissance du vocabulaire ne soit pas encore totale, les histoires qu'elle assimilait étaient si fantastiques qu'elle avait peine à croire que son mentor lui avait remis un ouvrage qui traitait de l'histoire du royaume de Shimrae. Dans son monde d'origine, ce livre aurait logé sur une tablette de la section fantastique de n'importe quelle bibliothèque.

Depuis déjà plusieurs semaines, sa vie n'était plus constituée de rédaction d'articles, de déplacements en métro ou en autobus, anonyme. Au château, elle apprenait bon nombre de choses et tous s'inclinaient sur son passage, ce à quoi elle ne s'habituait pas.

Le calme de la brise qui venait faire frémir les pages lui rappelait que ces moments de quiétude se faisaient de plus en plus rares.

— Je vois que votre désarroi face à notre écriture est chose du passé, Sitay Olivia !

La voix profonde qui vint troubler sa concentration était d'une telle douceur qu'elle ne sursauta pas lorsqu'elle reconnut son interlocuteur.

— Monseigneur...

Olivia esquissa le mouvement de se lever afin d'accueillir le roi Shoëg, mais ce dernier stoppa son mouvement.

— Ne vous dérangez pas ! Puis-je me joindre à vous, Lady Saint-Pierre ? demanda-t-il.

— Avec joie, Seigneur Shoëg, lui répondit-elle.

Le roi s'installa sur le gazon et s'adossa au tronc du chêne massif. Olivia avait dû rassembler le tissu noir et ocre de sa robe, tant le souverain s'était rapproché d'elle. Elle se disait qu'ils devaient avoir une allure passablement libertine.

— Alors, Milady, que pensez-vous de notre passé? demanda le roi en se référant à l'ouvrage qui était posé sur les genoux de la jeune femme.

— Tout ceci est fantastique!

Olivia caressa la couverture de cuir ornée d'or, geste affectueux qui n'avait pas échappé à l'œil attentif du souverain.

Le roi posa son imposante main sur celle d'Olivia, couvrant ainsi une grande partie du livre.

— Comment vous sentez-vous? Vous venez de si loin afin de nous aider... J'espère sincèrement que le récit contenu dans ce livre saura pénétrer votre cœur jusqu'à devenir votre propre histoire, lui dit-il d'un ton protecteur.

Très peu de femmes ou de courtisanes avaient pu soutenir le profond regard de cet homme charismatique sans prendre quelques couleurs, mais Olivia ressentait une attirance paternelle émaner du roi. Ce fut donc sans aucune gêne qu'elle ouvrit ses pensées, tout en laissant son âme se fixer dans le vide:

— Tout au long de ma vie, j'ai été à la recherche de qui j'étais... de ma place dans mon monde. De nombreux mauvais choix sont nés de cette méconnaissance de ma propre âme.

— Chacun d'entre nous cherche sa place, parfois le chemin est sinueux et ardu à traverser, avisa le roi.

— Je vous le concède. Néanmoins, alors que tous bâtissaient des familles, j'en étais encore à tenter de recoller les morceaux de ma vie. Chaque jour, je me questionnais sur comment me sortir de la routine du travail qui m'engluait.

La jeune femme marqua une pause. En elle remontaient les images de sa vie, ses mauvais choix et la maladie qui l'avaient malheureusement isolée de ses amis et qui avaient fait de son existence une perpétuelle solitude.

Les yeux humides, elle relança la discussion avec le roi Shoëg.

— J'ai vu et souffert ma propre mort, avoua Olivia.

Elle semblait dire ces mots, tant pour s'en imprégner que pour en réaliser la réalité.

— Je ne peux concevoir l'ampleur de tout ce que vous avez traversé et je ne puis qu'être désolé de ce que nous exigeons de vous.

La franche sympathie qui émanait du souverain ramena le contact visuel entre la Sitay et lui.

— Depuis l'acquisition de mes dons, j'ai la sensation qu'un voile s'est levé sur mon esprit. Enfin, pour la première fois de ma vie, je n'ai pas besoin de chercher qui je suis. Tout semble prendre sa place et les bons choix coulent de source dans votre monde... Je me sens enfin chez moi, conclut-elle.

— Vous faites de moi un homme comblé, très chère! Le souverain emprisonna la main de la Sitay dans les siennes.

— J'ai été accueillie en votre royaume comme une personne de marque. C'est à moi de vous remercier pour tout ce que vous faites afin de faciliter mon adaptation, renchérit-elle.

Le sourire du roi fut sa seule réponse. Il se leva lentement, puis il tendit la main afin d'aider Olivia à se lever à son tour.

— Venez, Lady Saint-Pierre, assoyons-nous sur ce banc... Je me fais vieux pour rester à même le sol.

Le clin d'œil qu'il lui lança confirma ce qu'elle pensait: le roi était beaucoup plus coriace qu'il le disait, tout comme l'attestait sa forte musculature. La robe noire brodée d'ocre emprisonnait quelques brindilles qu'Olivia tentait de déloger avant de prendre place sur le banc de pierre.

— Que savez-vous de ce parc, Milady? demanda le roi.

Ce dernier semblait vouloir faire la conversation et cela plaisait à Olivia. Cela la changeait de ses journées d'apprentissage. Tous ses jours étant occupés avec les leçons et les mémorisations, il restait peu de place pour le côté social de la vie. Bien qu'elle ait croisé quelques femmes de militaires et des courtisanes, toutes semblant lui porter une attention particulière, la jeune femme n'avait jamais pu s'accorder le temps de socialiser.

— Très peu de choses, à part qu'il est étrangement peu fréquenté, répondit-elle.

— Ce lieu fut aménagé pour ma femme, la reine Fylia. Le regard du roi se perdit dans l'infini. Lorsqu'elle portait notre enfant, ce parc l'apaisait. Je n'avais pas à la chercher, je la trouvais immanquablement ici. L'accouchement eut une conclusion funeste et le chagrin fut trop lourd à porter, particulièrement en ce lieu qu'elle chérissait. Cela fait déjà plus de vingt-cinq années... Au fil des ans, les gens cessèrent de venir en ces lieux.

La voix du roi Shoëg se perdit dans la brise. Le vide laissé par cette perte était loin d'être comblé.

— Je suis sincèrement navrée, Monseigneur. Je ne savais pas que cet endroit avait ce caractère sacré. Sachez que votre douleur me touche.

— Ce n'est plus une douleur vive, je dirais que cela fait partie de mon histoire. Un peu comme vous, Milady, j'ai le fardeau de garder en mémoire ce qui me fait l'effet de la mort.

Voyant que ses paroles touchaient profondément la jeune femme, le roi enchaîna :

— Cela m'apaise de savoir que grâce à vous et à Kelm, peu à peu le parc de Fylia reprend vie. Et je vous en remercie.

Olivia se demandait s'il faisait allusion à la passion qui s'était installée entre elle et le Paetrym. Comme elle s'en doutait, le roi était une personne perspicace. C'est d'ailleurs lui qui lui confirma ce qu'elle anticipait.

— Ne rougissez pas, Sitay Olivia. Je me réjouis de ce qui vous arrive et le peu de gens qui sont au courant respecte votre vie privée.

Le roi Shoëg se leva, mais continua à parler, invitant Olivia à le suivre.

— Au départ, j'étais venu ici vous informer des préparatifs du bal d'Ymalt, annonçant le solstice d'été.

— J'ai bien eu connaissance que les gens s'affairaient dans tous les sens depuis quelques jours, mais je dois avouer que j'étais si occupée par les leçons de magie que je n'ai pas pris part à ces préparatifs.

La jeune femme se mordit la lèvre. Avait-elle été impolie de ne guère se soucier de tout ce branle-bas de combat, alors qu'elle était traitée avec tant d'égards! La réponse ne se fit pas attendre puisque sa culpabilité n'échappa pas à Shoëg.

— Ne vous en faites pas. Il ne revient pas à une personne de votre rang de s'occuper des nombreux préparatifs. Mais l'Ymalt est particulièrement important cette année.

L'interrogation qui se lisait sur le visage d'Olivia poussa le roi à continuer ses explications. C'est en tenant la jeune femme par la taille qu'il déambula dans les corridors du château. Sa voix résonnait sur la pierre.

— La population connaît actuellement une période de peur et d'hostilité. La sécurité du château sera assurée afin de permettre à tous ces gens de vivre une trêve bien méritée.

— Les esprits seront allégés durant ces quelques instants de réjouissance, conclut-elle.

— J'ai pris la liberté de charger Merryl de vous enseigner une valse de notre coutume. Milady, la tradition veut que le roi ouvre les festivités avec cette danse, et si Kelm me le permet, j'aimerais que vous soyez ma cavalière...

Olivia manqua de trébucher à cette demande. Elle qui n'avait jamais été une excellente danseuse, se retrouver sous la lumière... Elle comprit que Shoëg avait volontairement dirigé la conversation vers la relation qui évoluait entre elle et Kelm pour lui faire cette demande pour le bal. Force lui était d'admettre que cet homme savait aisément obtenir ce qu'il voulait. Elle sourit devant la sagesse de cette rhétorique.

— Monseigneur, ça serait pour moi un honneur, mais ne craignez-vous pas quelques faux pas de ma part? demanda-t-elle habilement.

— Ne soyez pas inquiète pour cela, cette valse est d'une simplicité désarmante. C'est sans compter que vous aurez un excellent cavalier, vous n'aurez qu'à me suivre! répondit-il avec enthousiasme.

— Alors, j'avertirai Kelm qu'il devra me partager le temps d'une valse, avança-t-elle, mais le clin d'œil du roi lui apprit que cela serait inutile.

— Notre Paetrym est déjà au courant, ne vous en faites pas. Il aurait été malvenu de ma part de ne pas en discuter avec lui au préalable et encore plus de vous mettre mal à l'aise en vous l'annonçant d'emblée.

Décidément, Olivia devait convenir que le roi Shoëg savait comment arriver à ses fins !

— Le bal de l'Ymalt a lieu dans combien de jours, Monseigneur ? s'informa Olivia, ravie de l'affection du souverain, mais néanmoins anxieuse à l'idée de cette valse.

— Dans neuf jours, vous serez ma cavalière... Je sais que je m'y prends au dernier moment. J'aimerais d'ailleurs vous conduire à ma meilleure couturière afin qu'elle puisse confectionner votre tenue, ajouta-t-il.

— Je ne sais quoi vous dire, vous êtes tellement avenant et généreux avec moi, finit-elle par répondre d'une voix mal assurée. Elle se sentait gênée par tant de considération.

— Ne doutez pas que vous méritez toute cette attention... Je vous laisse aux bons soins de ma couturière. Nous nous reverrons bientôt, Sitay Olivia. Prenez bien soin de vous.

La jeune femme ne s'était pas aperçue qu'ils avaient marché jusqu'à s'enfoncer dans les dédales du château. Tout en remerciant le roi, elle entra chez la couturière afin de faire prendre ses mesures. La robe devait être une surprise pour le jour de l'Ymalt.

***

Olivia décida d'aller rejoindre Kelm directement à son banshal. Comme ils avaient l'habitude de le faire, la jeune femme avait demandé à ce que le repas soit apporté directement à l'atelier de travail. Elle remarqua donc les plateaux déjà disposés sur la table près de la porte. On s'habitue rapidement à ces petites attentions, se disait-elle. Mais pour le moment, elle préférait discuter de choses un peu plus futiles que d'habitude.

Kelm s'affairait dans ses grimoires, et à en juger par les yeux d'un bleu sombre qu'il leva vers elle, Olivia comprit qu'il pratiquait quelques sorts complexes. L'air était lourd et la sueur faisait briller sa peau.

Elle se disait qu'elle avait bien raison de toujours frapper avant d'entrer dans le banshal du Paetrym. Car l'humidité qui collait ses cheveux noirs sur sa nuque révélait que les sorts qu'il maniait devaient puiser dans les flammes.

— Prendrais-tu une pause, Kelm ? demanda-t-elle.

Si la vue de cet homme la rendait nerveuse auparavant, elle ressentait maintenant une vague d'apaisement l'envahir. Elle qui avait tant espéré que cette nouvelle vie ne soit qu'un rêve ne pouvait aujourd'hui s'imaginer vivre autrement.

— En effet, une pause ne sera pas de refus, avoua le mage.

Kelm prit Olivia par la taille et lui vola un baiser avant de se diriger vers le bain de la pièce voisine. Se rafraîchir et changer de chemise ne seraient pas du luxe.

— J'ai réussi à emmagasiner une plus grande réserve d'énergie. La maîtrise de l'élément du Feu demande énormément de contrôle, expliqua-t-il en revenant auprès d'Olivia.

L'invitant à s'asseoir près de lui, Kelm enchaîna ses explications. Décidément, c'est la journée où les hommes semblent enclins à discuter ! constata-t-elle.

— Vois-tu, plus je serai en mesure de contrôler les flammes et d'augmenter mes capacités, plus je serai apte à te protéger et à remplir ma fonction de Paetrym contre ces vampires.

— Si ma tâche semble ardue par sa nature nébuleuse, je dois avouer que ton rôle est d'une complexité que je ne t'envie pas le moins du monde ! confia la Sitay.

Le léger sourire qu'Olivia envoya à son précepteur lui indiqua qu'elle n'était pas d'humeur à se plonger dans les grimoires. Si le roi Shoëg était perspicace, Kelm, lui, l'était à outrance.

— À en juger par ton humeur, tu dois avoir eu un entretien avec notre souverain...

Olivia ne contrôla pas son geste et abattit sa main sur le bras de Kelm. Le ton de ce dernier attestait clairement qu'il était ravi de ne pas avoir à suivre la Sitay pour la valse d'ouverture.

Son geste fut accueilli par un éclat de rire de la part du jeune homme.

— Ne t'inquiète pas, *mi sayl*. Bien que peu de personnes soient au courant de notre relation – en prononçant ces mots, Kelm l'invita à se lever en la saisissant par la taille –, il n'est pas question de te laisser tomber devant les huiles du royaume.

Le Paetrym alla activer un système musical probablement surnaturel à en juger par la mélodie qui s'en échappa...

***

— Seigneur, pourquoi ne pas profiter de la fête du solstice pour attaquer directement le château de Shimrae?

Miryano Judarfin ruminait cette question depuis qu'il avait pris connaissance des plans de Viktor. Envoyer plus d'une vingtaine de leurs meilleurs attaquants décimer un petit village n'était pas pour lui déplaire. Néanmoins, rater l'occasion de profiter d'un relâchement de la garde durant cette fête revenait à ne pas compter sur un avantage considérable.

S'il n'avait pas été convaincu de sa propre importance dans les plans de leur chef, il n'aurait pas risqué de poser la question, sinon sa tête aurait pu rouler bien loin. La place que Miryano avait su prendre auprès de Viktor était probablement ce qui se rapprochait le plus de l'amitié.

Un échec était sévèrement puni. Il n'avait qu'à garder en mémoire le temps qu'il avait fallu aux soigneurs pour replacer la mâchoire de ce pauvre Sorik...

— Je comprends ton questionnement, mon ami!

La voix de Viktor était d'un calme qui permit à Miryano de se détendre: il appréhendait la réaction de ce dernier.

Seules quelques chandelles éclairaient la vaste bibliothèque personnelle de leur souverain, et à cette heure de la nuit, comme à son habitude, il se trouvait à approfondir les détails des opérations à venir. Viktor referma le livre qu'il étudiait, puis se leva afin de leur servir à boire. Au fond de la pièce trônaient, devant un énorme foyer, deux lourds fauteuils séparés par un guéridon où étaient disposées une carafe et des coupes de cristal finement ciselées.

Il invita Miryano à le rejoindre, tout en lui versant une coupe de sang encore tiède.

— Installons-nous, je comptais t'exposer les raisons de cette attaque, annonça-t-il. Nous pourrions, comme tu le suggères, lancer une attaque massive directement contre le château du roi Shoëg, ce qui nous permettrait de faire un grand ménage chez nos ennemis.

— Alors pourquoi ce plan n'est-il pas celui que tu as retenu? questionna le général du vampire.

Viktor prit le temps de goûter au doux nectar qu'il avait fait porter à sa suite. Le sang d'un homme dans la fleur de l'âge avait toujours un parfum fort en bouche. Il laissa le liquide aromatique glisser dans son œsophage, le savourant tel un grand millésime.

Le feu dans l'âtre ajoutait une touche sordide à la scène qui se déroulait. Les deux vampires aimaient bien profiter de ces moments de calme pour discuter, tels de vieux amis lors de retrouvailles.

Viktor scrutait le visage émacié de son plus grand dirigeant militaire sous la lumière dansante des flammes. La cicatrice qu'il avait à l'extrémité de l'œil droit ressemblait étrangement à une larme. C'était un souvenir de sa vie humaine et il n'avait jamais voulu que les mages vampires la guérissent.

Alors qu'il n'était qu'un jeune homme, bien qu'il ait été doté d'une musculature imposante, il n'avait pas eu le dessus lors d'une attaque de voleurs. C'est Viktor qui le trouva agonisant et qui lui apporta une nouvelle vie. Cette marque faite de la pointe d'une dague lui rappelait chaque jour pourquoi il méprisait le genre humain.

— Viktor, tu as toujours eu un goût exquis en matière de cidre humain! commenta son invité.

Ce dernier lui sourit en guise de remerciement et enchaîna :

— Pour l'attaque du soir de l'Ymalt, j'ai choisi un petit hameau non loin du château. J'avais pensé que tu aurais saisi les motivations de cette décision, ajouta le vampire, esquissant un léger sourire. S'il préférait les jeux de subtilités, il savait que son général était de nature beaucoup plus expéditive.

Il déposa sa coupe après en avoir savouré une gorgée supplémentaire.

— J'ai confiance en ton esprit militaire, mais éclaire-moi, je suis tout ouïe, renchérit Miryano.

— Au-delà de la tactique militaire... nous lancer dans une bataille de longue haleine pourrait nous coûter la victoire. Les humains ne méritent pas la vie qui coule dans leurs pauvres veines et la mort leur serait un cadeau bien facile.

— Jusqu'à présent, je suis parfaitement d'accord avec toi, dit le général, tout sourire devant l'esprit cruel de Viktor.

Celui-ci se pencha légèrement, attirant l'attention de son interlocuteur. Les coudes appuyés sur ses genoux, il continua ses explications, plantant son regard noir dans les yeux bleus de Miryano.

— Prends une mouche... Nous pouvons la tuer d'une pression de la main. Simple, efficace, et nous voilà débarrassés de cette nuisance. Mais ce n'est pas dans mes plans de les achever tous d'un unique mouvement de la main.

Afin d'illustrer ce qu'il expliquait, il fit mine de balayer l'invisible du revers de la main. Puis il s'adossa contre le fauteuil, prenant sa coupe au passage avant de parler à nouveau.

— Mais si tu arraches les ailes de la mouche, tu la verras souffrir et agoniser avant de lui porter aisément le coup final. Voilà ce que je te propose : massacrer la majorité des résidents de Tyurn. Que quelques-uns survivent afin de faire naître la peur dans les villages et hameaux avoisinants !

Tout en terminant de dévoiler ses plans, Viktor faisait tournoyer le sang sur la paroi de cristal de sa coupe, en savourant du regard la robe onctueuse.

C'est Miryano qui continua :

— Anéantir l'espoir, briser leurs âmes, et ce, avant de broyer leurs corps. Cela me plaît !

Ce dernier leva sa coupe et ils portèrent un toast.

— Nos assassins devront partir dès la nuit prochaine, devina Miryano.

— Effectivement, et il te faudra les accompagner. J'ai pour toi une mission particulière...

Chapitre 15

C'est Merryl qui sortit Olivia de sa méditation. Cela faisait déjà un bon moment qu'elle marinait dans l'eau chaude, laissant son corps et son âme se délier par les essences de rose. Les nombreuses bougies qu'elle avait allumées miroitaient sur la pierre, qui était le seul matériau utilisé dans cette pièce. Elle tenta de concentrer son esprit sur son ancienne vie, mais tout lui semblait si lointain. Les quelques images qui se reflétaient en elle paraissaient appartenir à une personne qu'elle n'était plus...

— Est-ce la nervosité qui vous garde encore dans le bain, malgré l'heure avancée?

Sa gouvernante savait ce qui attendait sa protégée, mais elle la savait prête. Merryl trouvait ironique de voir cette jeune femme qui apprenait l'art de la magie et du combat ressentir tant de nervosité pour une danse.

Voilà l'innocence qui devra survivre à la guerre! se disait-elle.

— J'ai dû mémoriser des sorts supplémentaires ce matin... Je dois avouer que cela était préférable à l'angoisse que je ressens depuis le repas de midi, soupira Olivia.

Devant le silence de Merryl, elle enchaîna:

— J'ai toujours eu la sensation d'être celle qu'on ne voit pas. Toutefois, depuis mon arrivée dans le monde de Faöws, il n'y a point d'endroit où on ne me dévisage pas avec insistance. Alors, si croiser tous ces gens dans les corridors et les salles de repas me gêne en raison des espoirs qu'ils ont mis en moi... imaginez me retrouver au centre de l'attention!

Bien qu'elle parlât à haute voix, Olivia gardait son regard fixé sur la danse des flammes. C'était à se demander si elle ne se parlait pas à elle-même.

La main de Merryl vint faire pression sur l'épaule de la Sitay.

— Vous pouvez sortir de votre solitude. Je vous confirme que vous serez parfaite pour l'Ymalt. D'ailleurs, les invités affluent déjà et la musique retentit deux étages plus bas.

— Grâce à vous et à Kelm, je devrais être bonne pour ne pas écraser les pieds de notre roi, répondit Olivia, en lançant un clin d'œil à sa gouvernante.

— Il aura plus de chance que mes propres orteils ! Venez, laissez-moi commencer vos préparatifs... Le roi Shoëg vous a fait porter un présent.
Merryl avait dans ses bras une robe somptueuse qui laissa la jeune femme sans voix.

***

Miryano se retrouva à la tête de vingt des meilleurs assassins au service de Viktor. Ce bataillon était le sien et ces vampires, ses frères d'armes. Il était évident pour eux que ce soir était le coup d'envoi donné à leurs ennemis. Ils devaient opérer rapidement et sans bavure, c'était là les ordres de leur maître. Le général n'avait aucune inquiétude : ils étaient tous des tueurs émérites ! Grâce à la célérité qui leur était propre, ils purent parcourir la distance qui séparait le château de Viktor du hameau de Tyurn en un laps de temps qui leur donnerait suffisamment de latitude pour décimer les maisons. Leur commandement était simple : laisser fuir quelques villageois après s'être assurés qu'ils avaient été témoins de leur savoir-faire.

Le général ne pouvait espérer meilleure nuit pour mettre en appétit ses troupes. Seuls les rayons de la lune arrivaient à percer la couche de nuages qui plongeait la forêt dans une pénombre quasi totale. Aucun des habitants ne pouvait deviner la force qui se déployait autour d'eux, les encerclant telle une meute de loups.

Pas un son, ni même un bruissement de feuille ne se firent entendre.

— Tuez, mes frères ! Amusez-vous cette nuit, vous aurez suffisamment de proies pour chacun d'entre vous. Miryano usa de ses dons télépathiques pour communiquer avec ses soldats.

— À combien d'entre eux désires-tu que nous laissions la vie sauve ? répondit la voix d'Ysaph, qui fit rouler ses deux lames courtes, créant un éclair menaçant de chaque côté de son corps.

— La vie sauve, un sursis tu veux dire... Je te trouve l'âme bien généreuse, mon frère ! le nargua Abaël, toujours sans qu'aucun mot soit proféré à haute voix. Il se tenait non loin d'Ysaph, et son allure sombre accentuait ses traits meurtriers.

Puis, de plus loin encore, ce fut Nizar, le plus jeune des vampires, qui renchérit :

— Une âme ? Humain, Ysaph n'en possédait pas, encore bien moins maintenant qu'il est vampire !

— Suffit ! tonna Miryano. Malgré la teneur de son appel mental, tous ses soldats purent remarquer le sourire qui ornait sa tonalité. Leur général ne comprenait que trop bien l'impatience de tuer qui les habitait tous. Cela faisait plusieurs mois qu'ils étaient confinés à de petites attaques, se partageant les soirs de combat entre différentes troupes de l'armée de Viktor. Il ne s'agissait plus de se nourrir, mais bien de faire naître une peur mortelle en ces cœurs qui battaient encore... pour l'instant.

— Concentrez-vous en premier sur ceux et celles qui oseront se défendre, puis sur les lâches qui tenteront de fuir, reprit Miryano. De cette vermine, rassemblez-en vingt et un près de ce puits ; un chacun, selon votre choix. À ce moment-là, vous verrez la beauté du plan de notre Maître.

Le général ponctua son ordre en s'élançant discrètement entre les deux premières maisons de Tyurn. Sans être en mesure d'apercevoir l'entièreté de son groupe, Miryano savait que d'un même mouvement, tous l'avaient suivi.

C'est ainsi que le massacre eut lieu. Si certains vampires préférèrent commencer par s'abreuver directement aux jugulaires des paysans qui suppliaient pour leur survie, certains s'amusèrent à guerroyer contre les plus téméraires.

Miryano ne fut pas surpris de voir dans son champ de vision la silhouette du colosse Ysaph qui ne cessait de faire danser ses lames, terminant d'effrayer tous ceux qui se rendaient compte de l'imminence de leur mort. Lui-même devait s'avouer qu'il prenait un malin plaisir à voir l'éclair de compréhension qui franchissait le regard de chaque humain qu'il tuait en cette nuit noire.

Les paysans tentaient tant bien que mal de défendre ceux qui leur étaient chers, mais ils n'avaient pour ce faire que des fourches et d'autres outils de moisson. Tous ces valeureux furent les premiers à tomber. D'un simple coup de pied lancé avec force, Nizar fracassa la porte de bois qui abritait une femme dans la trentaine. La pauvre avait le visage baigné de larmes et serrait contre son cœur un jeune garçon, tout aussi terrorisé qu'elle. Le vampire ne fit pas de différence, son mépris pour la race humaine tout comme pour ses frères relevant directement du legs de Viktor.

Il se pencha doucement devant le duo craintif et larmoyant. Ses cheveux blonds encadraient son visage, tandis que son regard bleu comme le ciel qu'il n'avait plus revu depuis des décennies se faisait tout à coup compatissant. Prise au dépourvu, ne sachant si celui qui se tenait devant elle était son sauveur ou l'assassin de son époux, la femme décida de s'accrocher à l'espoir et tendit une main suppliante.

Nizar sourit enfin, jouissant de voir la faiblesse de ses ennemis. La femme hurla en vain lorsqu'elle remarqua les canines meurtrières qui soulignèrent le sourire de celui qu'elle avait pris pour un homme. Le vampire n'était pas le seul des siens à prendre du plaisir à cette bataille, mais il ne devait pas que tuer. À quel mortel offrirait-il la possibilité de repartir vivant, l'esprit à jamais torturé ?

Quelques-uns des assaillants ne se donnèrent pas la peine de boire le sang, ils égorgèrent ceux qui tentaient de fuir. Lorsque chaque maison fut vidée de toute âme humaine, les vingt et un vampires rassemblèrent un nombre égal d'humains qui pleuraient et se serraient les uns contre les autres.

Sous leurs yeux pétrifiés s'avança un vampire dont les grands yeux bleus ne laissaient paraître aucune émotion.

Miryano agrippa un des seuls hommes qui avaient été épargnés : l'humain qu'il avait lui-même choisi. Le paysan, qui avait la fin de la vingtaine, aurait voulu échapper à la poigne d'acier qui lui serrait la gorge, toutefois l'air se raréfiait dans ses poumons. Après quelques secondes, il frôla l'inconscience. Mais le vampire avait reçu de son maître un autre plan pour cet homme et il le traîna à l'écart du groupe. Un cheval avait été sellé et était prêt à partir.

Le dernier souvenir que gardèrent les survivants de leur hameau fut le hurlement de douleur que poussa Jerym. Nul ne sut ce qu'il advint de lui, ni pourquoi il avait été mené à l'écart. Lorsque les vampires leur ordonnèrent de courir afin de sauver leurs peaux, ils savaient qu'ils n'auraient aucune autre chance.

Ils s'élancèrent en direction de Jourm, priant tous les Dieux qu'ils connaissaient pour que leurs assaillants ne les rattrapent pas afin de les achever.

Comment réussiraient-ils à sécher les larmes qui lavaient le sang de leur visage ? Oublieraient-ils un jour le cri de Jerym ? Ils étaient tous certains que leurs nuits seraient à jamais hantées par ce souvenir.

* * *

Plus ses pas la conduisaient vers l'entrée de la salle de bal, plus la musique et les voix retentissaient. Grandes ouvertes, les portes laissaient entrer et sortir les invités, mais aussi les servantes portant divers plateaux débordant de nourriture ou de coupes de vin et de cidre.

Les lustres ornés de bougies illuminaient la vaste pièce richement décorée de rouge et d'or. Lorsqu'Olivia y entra, elle en avait presque oublié l'angoisse qui la tenaillait. Comment ne pas être absorbée par la féérie de ce moment, en voyant les musiciens qui laissaient danser les notes dans la grande salle ? Les hommes et les femmes richement vêtus, qui semblaient attendre tout en discutant un verre à la main, attirèrent son attention.

Kelm discutait avec quelques-uns des invités non loin du roi. Lorsqu'il aperçut la Sitay arriver, marchant au rythme doux de la musique, il resta sans voix, ce qui attira immanquablement le regard du souverain. D'un sourire charmeur lancé à son Paetrym, il partit à la rencontre d'Olivia, qui s'était figée sous les yeux captivés du jeune mage. Celui-ci n'éprouvait aucun sentiment de jalousie envers le souverain : l'affection que le roi Shoëg portait à la Sitay était celle d'un père. À dire vrai, il semblait les avoir adoptés tous les deux.

Ses longs cheveux marron étaient remontés en un chignon ondulé, parsemé de pierres rouges. Quelques mèches retombaient volontairement sur sa peau, dirigeant les regards vers la longue robe qui avait été savamment préparée expressément pour elle. Le bustier rouge comme le sang semblait mu par une vague de rubis qui chatoyaient de sa hanche droite à sa poitrine.

À chaque pas qu'elle effectuait, le tissu satiné laissait voir qu'il était entrecoupé de voilages de la même couleur, reprenant l'effet de vagues des centaines de rubis. Malgré tout cet ornement et la traîne derrière elle, Olivia semblait se mouvoir dans un nuage ayant la couleur du sang.

— Bonsoir, Monseigneur. Olivia s'inclina comme Merryl le lui avait précieusement enseigné.

— Ma très chère, il en revient plutôt à moi de vous faire une révérence, vous êtes tout simplement magnifique !

Le souverain prit la main d'Olivia dans la sienne et l'effleura de ses lèvres. Puis gardant sa poigne fermée, il la conduisit au centre de la salle.

Rayonnante, Olivia tremblait légèrement lorsque la musique s'éleva. Seules les notes se faisaient entendre. Les spectateurs attendaient en silence, subjugués par la jeune femme au bras de leur souverain.

Le noir et le rouge, du même ton que la robe de la jeune femme, étaient les couleurs choisies par le roi Shoëg pour cette soirée. Les tissus amples de la robe qui enrobaient les jambes du cavalier les isolaient du reste de la foule, et chaque note semblait inviter le pas de danse suivant. Le roi n'avait pas menti, il était un excellent danseur et elle n'avait pas à se soucier de ses faux pas. Shoëg contrôlait parfaitement leur rythme. Le sourire confiant qu'il lui offrait lui permit de se détendre et de savourer la magie de ce moment. Elle en oublia les centaines de personnes qui les encerclaient.

Lorsque les notes de musique se perdirent dans l'intensité de la valse, le couple s'immobilisa enfin.

Alors, sans qu'Olivia sache ce qui se passait, une centaine de papillons d'un rouge étrangement similaire aux tenues de la Sitay et du roi s'envolèrent des quatre coins de la pièce. Le tourbillon qui s'ensuivit au-dessus de leurs têtes finit par s'évanouir par un large balcon. C'était maintenant au tour des habitants qui faisaient la fête à l'extérieur du château de pousser des cris de joie. Pour Olivia, il fut clair que cette manifestation surnaturelle était une coutume bien ancrée dans les mœurs de ce royaume.

Hommes ou femmes, riches ou pauvres, tous profitaient du solstice pour oublier les tracas... particulièrement en ces temps touchés par la mort.

Cette convocation à célébrer l'été fut accompagnée par les musiciens, qui invitèrent les nobles qui attendaient de fouler le plancher de danse.

À son oreille, le roi demanda à Olivia :

— Voulez-vous me faire l'honneur de cette mélodie ? Je vous promets de vous épargner la suivante !

Il lui était impossible de répliquer quoi que ce soit, non pas que le charme de ce dernier n'opérât pas, mais il avait déjà commencé à la faire tournoyer au rythme qui emportait les danseurs s'étant joints à eux.

Lorsqu'enfin Olivia fut libérée, elle se dirigea vers le long buffet afin de goûter à un cidre dont elle n'aurait jamais pu deviner la provenance. Cette pause ne fut pas de longue durée, puisqu'une voix féminine s'éleva derrière elle.

— Soit vous êtes une nouvelle courtisane pour notre souverain, soit vous êtes la Sitay dont tout le monde parle...

Olivia n'avait pas vu arriver la grande femme richement vêtue. Ses longs cheveux châtain clair ondulaient jusqu'à ses hanches et étaient parsemés de fines fleurs du même or que sa tenue.

— ... et je pencherais pour la seconde option ! ajouta-t-elle d'un ton plus bas.

— Vous êtes perspicace. Mais, je vous en prie, appelez-moi Olivia ! dit-elle sur le même ton rieur.

— Avec joie, Olivia ! Elle lui tendit la main et continua : Je suis Joyssa, épouse du Seigneur Novan Quiryan. Mon époux est un des généraux de l'armée de notre bon roi.

Cette femme à peine plus âgée qu'Olivia semblait aussi aimable que curieuse, ce qui était peu dire, compte tenu des mille et une questions qui semblaient s'agiter dans son esprit.

Les deux femmes discutèrent de tout et de rien. Joyssa n'osait pas questionner Olivia sur son passé, ce qui n'aurait pas été convenable dans une telle soirée, mais la Sitay avoua volontiers que ce répit dans son rythme de vie lui plaisait. Rapidement, une amitié s'installa entre elles.

— Voici Olissan et Gehona, les épouses des deux généraux servant avec mon époux. Vous verrez, elles sont adorables !

Olivia devait convenir que le côté social de ce bal la changeait de la routine d'apprentissage et de travail qui meublait ses journées depuis son arrivée. Elle qui n'avait jamais été friande des soirées mondaines, s'étourdissait à présent à écouter les trois femmes parler en même temps.

— Regardez qui s'approche... Olivia, voici un des meilleurs partis du royaume de Shimrae ! Gehona gloussait, faisant rebondir ses boucles rousses sur ses épaules. Légèrement arrondie, cette femme respirait la bonté dans sa robe lavande.

— Pas encore dans la trentaine, célibataire et particulièrement mignon ! renchérit Joyssa avec un clin d'œil à ses amies. Toutefois, elle fixa avec insistance la réaction d'Olivia. Elle sut alors qu'elle avait vu juste sur le lien entre les deux mages. Plusieurs courtisanes seront bien en peine, se dit-elle en esquissant un léger sourire.

Lorsque le principal intéressé s'arrêta à la hauteur des quatre femmes, il s'inclina avec révérence.

— Bonsoir, Mesdames, puis-je vous emprunter Sitay Olivia ?

La jeune femme prit la main que le Paetrym tendait et entra dans la danse avec lui, sans se soucier des petits rires de ses nouvelles compagnes. Elle aperçut néanmoins le clin d'œil bleuté que lui lança Olissan, à croire que cette grande blonde qui approchait la quarantaine avait deviné, à l'instar de Joyssa, le lien qui l'unissait à Kelm.

Kelm, lui, ne semblait pas envahi par l'effervescence, mais il avait troqué ses habits sombres pour une chemise rassemblant tous les tons de bleus dont ses yeux pouvaient se parer, ainsi qu'un pardessus indigo brodé d'argent et d'or. Olivia se doutait bien que cet homme pratique et sérieux n'avait pas souvent le loisir de danser au milieu de tant de convives.

— Je te remercie de me sauver de toutes les questions qui allaient venir ! lui murmura Olivia au creux de l'oreille, sachant que, de toute façon, elle devrait finir par y répondre, car le trio d'épouses attendait son retour tout en discutant.

— Ces trois femmes sont très gentilles et leurs époux, d'excellents meneurs d'hommes. À les voir te dévisager en ce moment, elles sont curieuses de ta personne, lui dit-il, devinant qu'être le centre d'intérêt créait chez elle un malaise.

— Tu as raison, elles sont toutes les trois loquaces et de bonne compagnie, et cette pause m'est bénéfique. *Mi suyl*, mis à part les petites leçons dont tu m'as régalée, je ne savais pas que de tels talents de danseur sommeillaient en toi !

— Très chère, il te reste tant à apprendre...

Kelm semblait se dérider et prendre goût à la musique. Cet homme ne cessait de la surprendre.

— Malheureusement, c'est la seule danse que je pourrai t'offrir ce soir, reprit-il.

Olivia lui coupa doucement la parole. Elle termina la pensée de son amant en lui montrant qu'elle comprenait.

— Ton devoir de protection du roi Shoëg te garde près de lui. Tu ne serais pas le Paetrym tant respecté par tous ces militaires si tu y dérogeais.

— Profite de cette soirée, *mi sayl*. Déjà plusieurs semaines se sont écoulées depuis ton intrusion et les moments de repos ne se sont pas succédé.

Olivia ne savait que répondre. Il lui était impossible dans tout ce bruit de lui expliquer à quel point elle désirait être à la hauteur des espoirs qu'ils mettaient tous en ses dons.

Le Paetrym capta sa gêne, puis sa voix grave raisonna directement dans l'esprit de la jeune femme, masquant la musique et tous les bruits ambiants. Olivia se sentit isolée avec Kelm, tout en suivant la danse qu'il continuait de diriger.

— Olivia, je comprends ce que tu ressens. Ne doute jamais que tu mérites toutes ces marques d'attention et toutes ces révérences : ton pouvoir grandit de jour en jour ! Je connais ton malaise, sache que mon accession au titre de Paetrym, surtout à l'âge que j'avais à cette époque, ne m'avait pas préparé à ce type de reconnaissance. Comprends le besoin d'espoir de ces gens et tu sauras gérer cette situation, lui conseilla-t-il.

Lentement, les notes de musique recommencèrent à envahir les oreilles de la jeune femme. Elle s'étonna encore une fois de voir la métamorphose de couleur dans son regard, lorsqu'il mit fin à ce simple sort.

— Et surtout, n'oublie pas qu'en ce moment plus que jamais, il n'y a pas d'homme plus fier que moi... Tu es ravissante et probablement la personne qui suscite le plus d'intérêt dans cette soirée, murmura Kelm à voix haute.

Les deux mages continuèrent de danser, incapables de se détacher l'un de l'autre. Même lorsque les musiciens lancèrent un nouveau rythme, ils s'accordèrent cette dernière valse.

* * *

Le vin, la musique et la foule, tout en cette soirée avait un effet enivrant. L'air frais du balcon de la salle du trône permit à Olivia de profiter de la brise.

Après avoir dansé, elle et Kelm se perdirent de vue. Toutefois, dès que ce dernier eut rejoint l'ombre du roi, le trio de femmes qui les épiait avait pressé la Sitay de questions sur sa relation. Lorsqu'enfin elle s'excusa auprès de ses compagnes du moment, Olivia put se rendre à la salle du trône dans le but de prendre une bouffée d'air frais. L'alcool aidant, elle ressentait l'engourdissement euphorisant, accompagné de légers frissons que ses mèches de cheveux bercées par le vent créaient en caressant sa peau.

Tout son corps la remerciait de cette pause. Olivia admirait les étoiles, se disant que si elle avait appris la position et le nom des constellations, elle aurait sûrement constaté qu'un ciel différent veillait sur ce monde... Après plusieurs jours sans se souvenir qu'elle était étrangère à ce monde, ce fut l'image de sa vieille amie Martyne, qui, elle, aurait pu lui parler longuement des astres, qui la ramena à la réalité.

Au moment où elle laissait échapper un long soupir, un cri à glacer le sang se répercuta dans le corridor et la fit sursauter.

Joyssa venait à sa rencontre. L'angoisse attristait chacun de ses traits. Le débit de sa voix était si rapide qu'Olivia capta mal la cause de tout cet émoi.

— Sur un cheval ! L'homme était sur son cheval ! Les soigneurs accourent déjà à l'entrée nord, mais je crains que rien ne puisse être fait pour sa vie, réussit-elle à articuler.

Joyssa tentait de se ressaisir. Si son mari était maintenant accoutumé aux horreurs de la guerre, ce n'était pas son cas. Olivia eut tout juste le temps de l'empoigner par la taille pour l'aider à s'asseoir. L'esprit torturé par l'image qu'elle venait de voir, elle se sentait défaillir.

— Je peux te laisser ici, Joyssa? J'envoie quelqu'un t'aider, ne t'inquiète pas. La Sitay n'arrivait pas à saisir la teneur des propos de la jeune femme et désirait voir par elle-même.

— Va, très chère, j'ai seulement besoin de reprendre mes esprits. Bien que son visage n'affichât plus aucune couleur, elle repoussa doucement Olivia vers la porte, lui signifiant qu'on l'attendait à l'entrée dont elle venait de lui parler.

Les gens affichaient un masque d'incrédulité.

Dès qu'il la vit entrer, Kelm se retira rapidement de l'attroupement. Il aurait voulu la soustraire de la vision de l'homme agonisant, mais Olivia était maintenant trop près pour l'éviter. Celui qui avait survécu au massacre était étendu sur la pierre, l'inondant de son sang. Il semblait avoir été égorgé, mais on lui avait laissé suffisamment de sang pour qu'il puisse transmettre la peur jusqu'au château.

Olivia blêmit lorsqu'un bouillon de sang s'échappa de la bouche du mourant. Un murmure s'éleva qui se répandit dans le château tout entier à une vitesse inouïe. C'est à peine s'ils purent entendre une longue inspiration rauque qui provenait du corps de Jerym. Kelm fut le plus prompt à réagir, se positionnant devant le souverain alors que tous les autres se reculèrent. Le souffle que venait de prendre le paysan n'était plus qu'un simple réflexe. Respirer ne lui était plus vital!

Son teint blafard, vidé de toute trace de sang, semblait terne face aux crocs qui saillaient maintenant de sa dentition. Assoiffé, le nouveau vampire arrachait les derniers liens qui l'entravaient et l'empêchaient de se nourrir. Heureusement, les gardes n'avaient pas eu le temps de couper la totalité du cordage qui l'avait gardé ficelé à sa monture. Le Paetrym se tenait prêt, et sans plus attendre, sachant que ce qui se trouvait devant eux n'avait plus rien d'humain, il s'avança afin d'achever les tourments de son âme. Toutefois, il dut retenir subitement le trait de flamme qu'il avait préparé: le général Zoguar Dyhmaull pénétra dans son champ de vision! Le général avait dégainé sa dague dorée, puis à une vitesse qui témoignait de son expérience, vint perforer le cœur de Jerym, qui, affaibli par la soif de sang, ne put esquiver la force de l'homme. Un cri inhumain vint se répercuter sur les murs, puis ce fut au tour de Kelm de veiller à ce que la mort du vampire soit immédiate.

Les flammes qu'il avait retenues incendièrent sa dépouille, laissant une odeur de chair brûlée parvenir jusqu'à eux.

Reprenant leurs esprits, les militaires partirent s'assurer qu'une horde de vampires n'était pas sur le point de fondre sur le château. Shoëg capta le regard de son mage. Tous deux en étaient rapidement venus à la même conclusion. Le message était on ne peut plus clair : les massacrer ne suffisait pas, les vampires les hanteraient par-delà la mort.

Sidérée, Olivia était sous le choc. Des tas de questions se bousculaient en elle. Laissant Kelm la conduire jusqu'à la bibliothèque du roi Shoëg, la jeune femme s'efforçait de remettre de l'ordre dans son esprit.

— Reste ici, je dois m'assurer que le royaume ne sera pas attaqué ce soir. S'il arrive quoi que ce soit, je serai à la tour de garde de l'aile ouest. Je viendrai te chercher dès que j'aurai terminé, en espérant qu'une guerre n'éclate pas ce soir ! souffla-t-il, visiblement nerveux pour l'ensemble du royaume, mais aussi pour Olivia.

— Ne t'inquiète pas pour moi, j'attendrai ici. Est-ce que quelqu'un s'occupe de Joyssa ? Elle doit toujours être dans la salle du trône...

Contrairement à Joyssa, Olivia reprit rapidement possession de ses moyens, bien que l'image de cet homme, le visage tuméfié, poussant un ultime râle d'agonie lui tenaillait les entrailles.

— Novan est déjà auprès d'elle, nous essayons de préserver le calme dans l'enceinte du château. Une panique serait ingérable en ce moment, lui répondit Kelm.

Il laissa Olivia seule parmi les livres du souverain. Malgré toute cette pagaille, il était sidéré de voir avec quel calme la jeune femme gérait ses propres émotions.

Le Paetrym priait les Dieux de ne pas avoir à lever une armée en cette nuit... Alors, sans perdre de temps, il s'élança à grandes enjambées dans le château jusqu'à la tour. Il savait que, de cet endroit, il aurait une vue dégagée du secteur nord-ouest du royaume de Shimrae. Aménagée de façon austère, la tour était dégagée à son sommet ; Kelm se posta sur le balcon qui faisait le tour des quatre côtés du bâtiment.

— *Oriils fumaws jyqhma !*

À peine l'incantation lancée à haute voix, Kelm sentit s'ouvrir en lui le portail magique.

Il put ainsi laisser son esprit visiter une vaste partie du territoire. Plaines, forêts et villages, tout semblait paisible. Mais lorsque son esprit surplomba le hameau de Tyurn, il lui fut impossible de détecter âme qui vive. La désolation avait envahi toutes les maisons et aucune trace des assaillants ne subsistait.

Ce sort était très peu utilisé, et Kelm ne l'aurait pas lancé s'il n'avait pas eu peur que cette attaque se poursuive jusqu'au château. Il était essentiel de s'assurer qu'aucune autre vie humaine ne se trouvait menacée. Le paysan mort faisait partie d'une mise en scène morbide et n'était pas l'annonce d'affrontements pour ce soir même, il en fut convaincu !

Épuisé, lorsque son âme réintégra son corps et que le portail se referma, le mage tomba à genoux : il était ébranlé tant par ce qu'il venait de voir que par l'énergie qu'il venait de déployer. Avec difficulté, il réussit à reprendre appui sur ses jambes. Il savait que le roi l'attendrait à la salle du trône, accompagné de ses conseillers et de ses généraux, tandis que non loin de là se terminait le bal, bien plus tôt que prévu.

Le mage fit néanmoins un arrêt à la bibliothèque. Olivia ne devait pas être mise à l'écart. Après tout, sa vie se jouerait par la guerre qui se déclenchait en ce moment même.

Elle l'attendait tout près de la fenêtre. Kelm ne put s'empêcher de lui trouver un air royal ainsi vêtue. Il voyait en elle l'image d'une reine qui craignait que son souverain ne revienne pas.

— *Mi sayl*, joins-toi à nous pour la réunion du roi. Le jeune mage ne prit pas le temps de s'assurer de l'état d'esprit d'Olivia et espérait qu'elle ne le trouverait pas cavalier.

Elle vint rapidement à sa rencontre et le prit par surprise en passant ses bras autour de son cou afin de blottir son visage contre son torse. Pour le coup, il se demanda s'il n'avait pas raté une récidive de l'attaque.

— J'ai senti ton énergie vitale diminuer sans comprendre ce qui se passait, j'ai craint le pire... Olivia parlait rapidement, réalisant qu'ils étaient tous deux attendus. Alors que je m'inquiétais pour toi, tout est rentré dans l'ordre. Je réalise l'ampleur du fléau qui vous... nous guette.

La jeune femme plongea son regard sombre dans celui du Paetrym. Ce fut elle qui ajouta :

— Je suis prête. Il faut nous rendre à ce village.

Nerveuse, elle se mordillait la lèvre inférieure.

Comment avait-elle su pour le village dévasté ? Kelm réalisa alors une chose qu'il n'aurait jamais crue possible.

— Olivia... qu'as-tu vu ? Sa voix était légèrement anxieuse.

— J'ai vu apparaître devant mes yeux des images d'un petit village. Plus aucune âme n'y était en vie.

Des larmes perlèrent sur ses joues alors qu'elle terminait :

— Je n'y ai ressenti que la mort et la souffrance...

Alors, il comprit.

— Je te demande pardon, Olivia, tu n'aurais pas dû voir cela. Du moins, pas sans y être préparée. Je n'aurais pas cru cela envisageable, mais la magie qui s'est tissée entre nous semble nous unir plus étroitement que je ne l'aurais pensé. Il caressa la joue de la jeune femme, sincèrement navré de ce qu'il venait de lui infliger.

— Comment est-ce possible ?

La Sitay s'interrompit. Le rouge lui monta aux joues lorsque lui revint en mémoire leur première nuit ensemble. Jusqu'à présent, elle n'avait pas réfléchi au lien qui les avait poussés l'un vers l'autre, ni pourquoi tant d'éclairs s'étaient échappés de leur union.

— Nous devons veiller à contrôler ce pouvoir. Je crois qu'au moment de survoler le hameau qui a été victime de l'attaque de cette nuit, mes émotions et ma faiblesse ont dû t'interpeller. Mais pour l'instant, rendons-nous auprès du roi. Ils doivent tous s'impatienter, termina Kelm.

Le mage se sentait coupable du tourment supplémentaire qu'il ajoutait sur le cœur d'Olivia. Cette vision avait été pénible pour lui alors qu'il y était préparé. Il n'osait concevoir le désarroi que la jeune femme avait dû ressentir !

— Je t'accompagne, lui dit-elle, maintenant plus maîtresse d'elle-même. C'est du moins ce qu'elle laissa paraître.

Olivia tenta de masquer son état d'esprit lorsqu'ils traversèrent le seuil menant au conseil du roi, vainement. La tristesse de son âme se reflétait sur chacun de ses traits.

Bien qu'habituellement Kelm se tienne en retrait, préférant analyser la situation, cette fois-ci il se mêla aux discussions. Olivia, elle, demeura dans l'ombre de ces hommes d'influence, et c'est exactement la place qu'elle voulait tenir.

Durant près d'une demi-heure, les uns tentèrent d'imposer la nécessité de lancer un assaut pour poursuivre les attaquants, stipulant qu'ils ne pouvaient être bien loin et probablement assez nombreux pour être une menace pour les villages et hameaux avoisinants. Les autres voulaient lancer les effectifs pour protéger les survivants. Selon eux, la protection du royaume devait demeurer la priorité.

Après le discours de Kelm, les généraux s'opposèrent aux conseillers politiques. Olivia n'était plus la seule à attendre qu'on trouve un accord. Le Paetrym et le roi écoutaient patiemment les arguments de chaque partie. Pour le souverain, la tâche s'avérait beaucoup plus complexe : la décision définitive lui reviendrait. Il se devait de protéger le plus grand nombre de paysans, leurs vies étaient entre ses mains.

Lorsqu'enfin les discussions prirent fin, Shoëg se leva lentement. Sa forte carrure dominait maintenant l'assemblée présente. Les six principaux intervenants, qui avaient pris place au centre de la pièce, se turent immédiatement. De part et d'autre se tenaient Kelm et Olivia.

— L'attaque ou la défense. Les deux options se valent, dit-il enfin de sa voix forte et assurée. Lorsque Reesom, conseiller attitré à la politique commerciale, tenta de répliquer, le roi leva sa main gauche pour lui imposer le silence. Si nous lançons une offensive immédiate, le risque d'envoyer un bon nombre de soldats à la mort est grand. Néanmoins, fortifier nos positions et défendre la monarchie reviendrait à condamner trop de nos paysans.

Les faits étaient simples. Aucune des deux parties ne pouvait contredire cela. Celui qu'Olivia savait être Bemyrl Seyrguh, le mari d'Olissan, s'avança afin de prendre la parole.

— Nous sommes conscients que le peu d'information dont nous disposons ne nous permet pas de statuer sur un accord entre le militaire et le politique. Je parle au nom de tous ici présents, afin de dire que nous exécuterons avec la même fidélité les ordres que vous donnerez.

Étonnamment, les conseillers politiques du roi ne trouvèrent rien à répliquer et tous s'inclinèrent devant leur souverain. Kelm insista du regard auprès de la jeune Sitay afin qu'elle fasse la même chose. Il s'agissait d'une tournure protocolaire, que Shoëg n'appréciait guère, mais la décision devait être prise.

Shoëg leva un sourcil incrédule. Qu'ils soient tous d'accord avec les propos de Bemyrl était étonnant. C'était une des rares fois que le roi les vit du même avis… pour lui laisser la décision définitive.

Après un court soupir, la voix grave du roi résonna sur la pierre, tandis que chacun retenait son souffle.

— Pour l'heure, vous avez en partie tous raison. Une milice devra partir promptement afin de porter assistance aux survivants et protection au village de Jourm, qui les accueille. Shoëg se dirigea vers les larges fenêtres, scrutant la nuit qui était d'un calme incongru face à la souffrance qui en était née. Néanmoins, nous devons nous préparer à la suite de cette guerre. Les vampires n'en resteront pas là et nous non plus. Mais je n'enverrai aucunement mes hommes à l'abattoir ! laissa-t-il tomber d'une voix forte.

Lentement, il se retourna, fixant son regard dans celui du Paetrym.

— Kelm, vous nous assurez qu'aucun ennemi n'est resté sur le site du massacre ? demanda-t-il.

— Aucun, Monseigneur. Ami ou ennemi, plus personne n'est resté à Tyurn, répondit le jeune mage, la voix assombrie par la teneur de ses propos.

Satisfait de la réponse, le roi se tourna vers la seule personne qui n'avait pas pris part à la discussion.

— Sitay Saint-Pierre, si vous êtes ici, est-ce bien parce que vous êtes prête à prendre part à ces événements ?

Alors que tous les yeux se tournèrent vers elle, Kelm blêmit face à ces implications. Les mots sortirent de la bouche de la jeune femme sans même qu'elle réalise l'ampleur de leurs répercussions.

— Monseigneur, je suis prête à vous aider afin de vaincre ce fléau.

Olivia ne sut comment elle réussit à donner tant de fermeté à sa voix, mais l'impact fut tel que Kelm parut hésiter entre la fierté et la crainte pour la vie de celle qui partageait maintenant ses jours. Novan, qui était le plus proche du Paetrym, l'avait rarement vu aussi nerveux. Le général se souvenait de la discussion qu'il avait eue avec sa femme quelques semaines auparavant, cette dernière ayant une fois de plus bien deviné ce qui se passait.

— Voici ma décision, Messieurs. Paetrym Hirms, toi et Lady Saint-Pierre partirez dès le lever du soleil vers le hameau de Tyurn. Tentez d'en apprendre le maximum sur ce qui s'est passé. En cas d'attaque, vous serez en mesure de vous replier rapidement, chose qu'une délégation de soldats ne pourrait faire.

Plus vous aurez d'information, plus nous serons en mesure de constituer un plan de guerre adéquat. Et ce départ vous permettra de perfectionner l'apprentissage de notre Sitay, termina le souverain de Shimrae.

Le principal intéressé s'inclina, acceptant la décision du roi. À dire vrai, c'était certainement la plus sage décision à prendre dans ce genre de situation.

— Monseigneur, nous partirons au début du jour. Pour l'instant, nous allons profiter du reste de la nuit pour préparer notre départ.

— Allez et, je vous en conjure, soyez vigilants.

Les deux mages sortirent de la salle, laissant les hommes d'influence devant leur roi. La stupeur ne dura pas. À peine la porte refermée, des éclats de voix se firent entendre à nouveau. Ils avaient le départ de la milice pour Jourm à préparer, dont Bemyrl hérita de la charge.

***

Kelm savait que la chevauchée ne prendrait pas plus de quelques heures. Bien que la nuit fût avancée, il avait fait réveiller le palefrenier afin de donner les ordres de départ, un peu moins de cinq heures plus tard. Le jeune mage n'avait pas eu de grands préparatifs à faire et Olivia avait respecté ses ordres et dormi dans son propre banshal. Lui-même avait profité d'un moment de répit avant de la retrouver aux écuries.

Il salua le jeune palefrenier qui attendait à l'extérieur. À son teint blafard et à son regard nerveux, il était évident qu'il avait eu connaissance des détails de l'attaque de la veille. Pendant qu'il passait prendre les sacs de voyage contenant les provisions et le nécessaire pour une nuit à l'extérieur, Olivia s'était rendue directement auprès de la jument qu'elle avait appris à monter lors de sa première sortie. Il la rejoignit près des chevaux.

— Tu es prête ? Sache que ce que nous trouverons sera certainement très pénible, la prévint-il. Kelm redoutait les scènes que la Sitay devrait certainement voir. Les guerres faisaient des ravages dans l'âme des vivants et lui-même en gardait certaines ombres.

Olivia avait troqué sa robe pour une tenue plus pratique, se rapprochant de sa tenue de combat. Une légère tunique rouge, dégagée sur les épaules, descendait en pointe sur une jupe noire qui ne servait qu'à recouvrir un caleçon de la même couleur sombre. Le tout était souligné par la sangle de son épée qui pendait à sa hanche.

— Je ne sais pas à quoi m'attendre, mais je suis prête à le découvrir, lui répondit-elle. Comment pouvait-il en être autrement ? Depuis son arrivée, elle ne faisait qu'assimiler des faits surnaturels et inimaginables. Pour Olivia, il était évident qu'il ne servait à rien de cacher ses inquiétudes à Kelm. Ce dernier les devinait dès que des émotions traversaient ses pensées. Elle se retourna et caressa le doux museau de sa monture.

— Je ne te cacherai pas que je suis nerveuse. Jamais je n'aurais pu concevoir que je vivrais ce genre d'existence, mais si nous voulons aider les gens de Shimrae, je dois affronter tout ça.

Elle dévisagea Kelm, qui ne semblait pas avoir dormi tant ses traits étaient tirés. Il avait troqué sa chemise bleue pour ses habits sombres.

Les deux mages partirent. Ils connaissaient l'ampleur du carnage, ayant aperçu des bribes d'images grâce au sort d'*Oriils*. La première heure de chevauchée se déroula donc en silence. Seuls les bruits ambiants de la forêt qui se réveillait se faisaient entendre. Le cheval du Paetrym ralentit afin de rythmer son pas sur la monture d'Olivia.

— *Mi sayl*, je suis conscient qu'en plus de tes dons de Sitay, les facultés magiques que tu possèdes croissent considérablement. Mais je crains fort que ce qui nous attend ne figure pas dans les leçons que je t'ai données jusqu'à présent.

Kelm était anxieux et se sentait un peu coupable.

— J'ai cru comprendre qu'aucun ennemi n'était resté sur les lieux après l'attaque. Sinon, tu n'aurais pas accepté aussi aisément que je participe à cette mission, répliqua la jeune femme.

— Je ne peux prévoir ce qui sera resté à Tyurn ni où tout cela va nous mener, renchérit-il. Son regard azuré était perçant au point de pénétrer l'âme d'Olivia. Cette dernière reporta son attention sur le chemin qui traversait la forêt. Tout y était calme et le vent faisait frémir les feuillages qui créaient une arche au-dessus de leur tête.

— Ce lieu est si paisible, la plupart des maisons que nous avons croisées n'étaient même pas encore éveillées. Bien que je sois consciente de l'horreur vers laquelle nous avançons, tout ceci me paraît irréel.

Le Paetrym ne sut quoi répondre, mais il hocha la tête. Il comprenait ce qu'elle ressentait. C'est sous un silence lourd qu'ils parcoururent la distance qui restait à franchir, Kelm ayant repris sa place en tête.

Lorsqu'enfin il annonça à Olivia qu'ils pénétraient sur le territoire du hameau de Tyurn, ce fut le choc.

Chapitre 16

Le silence qui y régnait leur glaça le sang. Laissant les chevaux à l'orée du village, les deux mages avancèrent avec lenteur, redoutant ce qu'ils allaient trouver. Quand ils franchirent le seuil de la première maison, leur cœur se noua jusqu'à ce que la Sitay sente l'air vibrer autour d'elle. Kelm s'interrogea sur sa capacité à supporter ce qu'elle voyait. Olivia ne voulait pas se dérober, les deux malheureux qui gisaient sous ses yeux méritaient qu'elle se ressaisisse.

Le cadavre d'une femme, malgré la mort, serrait son fils contre son cœur. Ils semblaient avoir été tués dans un même élan. L'amour maternel était la seule chose qui avait survécu dans cette demeure, et les pleurs d'Olivia n'effaceraient jamais toute cette douleur. Au désespoir des deux mages, des scènes similaires se répétèrent de maison en maison. De plus, çà et là, ils devaient enjamber les corps mutilés des hommes ayant farouchement combattu pour la survie des leurs. Après avoir vérifié plus de la moitié du hameau, la jeune femme n'arriva plus à soutenir les manifestations d'une telle atrocité.

N'y tenant plus, elle courut jusqu'au ruisseau derrière la maison la plus lointaine. Elle courut sans même se rendre compte de la distance qu'elle franchissait.

Le cri qui franchit ses lèvres libéra enfin la rage qui grandissait en elle : la souffrance irradiait tout son corps. La douleur avait figé les traits de tous ces gens par-delà la mort. La peau de leurs visages vidés de leur sang était blafarde. Les vampires s'en étaient abreuvés sans retenue : ils avaient tué sans vergogne. Ces images lui labouraient le crâne et lui soulevaient le cœur.

Comme si le peu de force qui vivait en elle s'était évaporé, la jeune femme s'écroula. Tremblante, elle plongea ses mains dans l'eau glacée. Un filet rougeâtre quitta délicatement ses paumes pour se diluer dans le ruissellement du courant.

Tous ces innocents ! À quoi cela pouvait-il servir d'avoir tant de pouvoir si on n'était pas capable de sauver ces hommes et ces femmes ? se demandait-elle. La chaleur de ses larmes lui réchauffait les joues, mais elle sentait le froid de la mort lui mordre la peau.

Olivia sursauta lorsque la main réconfortante de Kelm se referma sur son épaule. De cette étreinte émergea une chaleur qui se dispersa dans tout son corps. Ce soulagement engendra chez Olivia un désarroi qui la secoua de sanglots, dissipant le nuage qui engourdissait ses sens.

C'était la deuxième fois que la magie réconfortante de Kelm créait ce vide douloureux en son âme. Jamais elle ne s'était sentie aussi seule et inutile. Olivia laissa la souffrance s'échapper de son âme.

Kelm comprenait le combat intérieur qui dévorait son aimée. Il y avait déjà plusieurs années qu'il avait été confronté pour la première fois à des images de désolation. Comment aurait-il pu lui expliquer que la douleur engendrée par ces actions ne s'en irait jamais totalement ? Il rejoignit Olivia en posant les genoux au sol. Aucun mot n'aurait pu faire disparaître toute cette souffrance. Il se contenta d'envelopper son corps d'une lourde étreinte.

Pendant de longues minutes, Olivia resta blottie dans les bras puissants de Kelm et pleura, jusqu'à laisser son corps vide de toute énergie. Kelm la serra contre son torse encore un long moment.

Plus rien n'était urgent dans ce village.

Ceux qui avaient survécu à l'attaque de la nuit dernière s'étaient réfugiés à Jourm, au nord de Tyurn. Un peu plus d'une cinquantaine de cadavres témoignait de la férocité des tueurs. Un silence angoissant envahissait chaque molécule d'air autour d'eux.

— Olivia, puis-je te laisser seule quelques instants ? osa demander le Paetrym. Ce dernier savait que la jeune femme ne risquait aucune attaque, mais il s'inquiétait pour ses pensées.

Inspirant lentement et reprenant doucement son aplomb, elle leva enfin la tête vers Kelm, lui signifiant qu'elle comprenait la tâche qu'il devait accomplir.

— Va! Trouve des réponses, je t'en conjure, le supplia-t-elle, sachant que pour l'instant elle-même n'en possédait pas la force. Je t'attendrai ici, sois sans crainte.

Kelm savait qu'Olivia avait besoin de méditer les derniers événements. Il regagna la triste demeure qui avait marqué son esprit. Il se retrouva agenouillé devant la dépouille de cette mère aimante : la pauvre avait eu beau tourner le dos à son assaillant, elle n'avait pas pu sauver la vie de son fils. Serrant douloureusement la mâchoire, le Paetrym voulait savoir ce qui était arrivé réellement. Mentalement, il en appela de sa magie, puis déposa respectueusement une main sur l'épaule de la défunte.

La scène qui prit vie autour de lui le laissa confus dès les premières secondes. La paysanne, dont le doux visage était mu par la peur, serrait démesurément contre son torse un petit garçon ayant à peine cinq ans. L'enfant pleurait, gardant son regard caché contre la robe de sa mère. Kelm put entendre les bruits de la bataille à l'extérieur, les armes qui s'entrechoquaient, puis non loin de la porte, en dehors de son champ de vision, le gémissement d'un homme qui venait de perdre le combat.

Laissant échapper un hoquet de terreur au moment où la porte s'ouvrit, la femme redoubla de pleurs et de cris. Pour le mage, l'être qui venait d'entrer n'avait rien d'humain, mais la mère priait pour un sauveur. Le vampire avait dû être créé tôt dans sa vie d'homme : grand et fort, il avait un air bon enfant. Ses cheveux blonds ombrageaient à peine son regard bleu ciel et il avait savamment pu offrir un sourire cachant sa dentition, subjuguant la femme épeurée.

Kelm assista à la scène sans pouvoir intervenir. Il vit l'assassin s'accroupir tout prêt du duo larmoyant. Entre deux sanglots, la femme réussit enfin à articuler quelques mots.

— Aidez-nous, je vous en prie, Monseigneur, supplia-t-elle en tendant la main vers celui dont elle espérait qu'il serait une aide providentielle. Elle crut en un cadeau du ciel lorsqu'il lui prit la main avec douceur afin d'en embrasser le dos. Relâchant à peine cette étreinte, le vampire esquissa finalement un sourire franc dégageant ses canines meurtrières.

Elle hurla sa terreur, ce qui exacerba la panique de son fils, et le tueur vit enfin ce qu'il cherchait : la compréhension de la mort imminente. Kelm eut peine à ne pas détourner le regard lorsque le vampire dégaina la longue lame qu'il gardait à son ceinturon.

D'un seul coup lancé avec une force incroyable, il transperça le dos de la femme qui avait tenté de protéger son enfant en se détournant de son assaillant. La longue épée prit le trajet exact que désirait le vampire. Lorsqu'il retira la lame, les deux âmes avaient péri. Plus aucun son ne régnait dans la pièce, sauf le souffle accéléré de la respiration de Kelm.

Ses jambes tremblaient. Il aurait voulu se diriger vers la sortie afin de s'aérer, toutefois, il était essentiel de cerner la nature brutale de leurs adversaires. Le mage réussit à sonder celui qui se trouvait devant lui : Nivar. Le vampire paraissait savourer le moment : le sang qui s'égouttait de l'acier le subjuguait. De sa main libre, il caressa le liquide afin d'en porter quelques gouttes à sa langue. Ce monstre se délectait de cette victoire dont l'arôme s'écoulait dans sa gorge. Souriant, il prit la direction de la maison suivante, laissant derrière lui, sans en avoir conscience, le jeune mage qui réalisait l'ampleur de la cruauté des armées de Viktor.

Kelm mit fin au sort, visiblement ébranlé par cette vision. Sous ses yeux, le présent reprit forme. Les cris et les pleurs furent remplacés par les cadavres enlacés, gisant dans une mare de sang séché. Ne supportant plus la souffrance qui inondait toute la pièce, il prit, tout comme Nivar quelques secondes auparavant, le chemin le menant sous la voûte du ciel.

Le mage n'avait pas à poursuivre sa magie pour constater l'ampleur du massacre : au détour des rues, il en ressentait encore les horreurs. Ayant eu un aperçu de ce dont les tueurs étaient capables, Kelm pouvait maintenant visualiser la violence des coups contre lesquels les pauvres paysans avaient dû se défendre. Ils n'avaient eu aucune chance.

Ses pas le conduisirent jusqu'au puits qui trônait au centre du village. À cet endroit, il pouvait capter l'épicentre de la peur dont toutes les rues empestaient. Craignant ce qu'il y verrait, il hésita une fraction de seconde avant de relancer un sort de vision. Il se concentra afin de calmer ses émotions. Il sursauta vivement lorsqu'une main se posa sur son épaule.

— Pardonne-moi, dit Olivia à voix basse.

La Sitay marqua une courte pause avant de renchérir :

— Mon devoir est d'être auprès de toi. C'est ensemble que nous comprendrons ce qui est advenu en ces lieux.

Il savait qu'elle était résignée et comprenait pourquoi elle désirait l'accompagner. Toutefois, il trouva opportun de l'aviser de ce qui allait suivre.

— Le sort qui suivra sera pénible. Il te faudra garder en mémoire que ce qui prendra forme autour de toi ne sera pas en temps réel, l'avisa Kelm, soulagé de lire en la Sitay cette force de caractère qui lui était propre.

— De quel type de sort parles-tu ? questionna la jeune femme, visiblement intriguée.

— Si tu le souhaites, tu pourras revivre les événements ayant frappé Tyurn. Tout y est si fort que se détacher de ce que nous verrons sera difficile, l'informa Kelm, toujours aussi protecteur envers la jeune femme. Il s'avança jusqu'à ce qu'il puisse déposer sa main gauche sur la pierre formant les hauts rebords du puits.

Olivia le suivit, mais une question lui vint à l'esprit, réalisant que le Paetrym avait déjà utilisé ce sort avant qu'elle ne vienne le rejoindre.

— Qu'as-tu vu ? demanda-t-elle.

Son interrogation était ferme et elle ne voulait pas être épargnée, ni même devoir argumenter afin d'en savoir davantage. Le mage le comprit aisément, bien qu'il eût préféré qu'elle ne soit pas aussi clairvoyante.

— L'hypocrisie et la fourberie du vampire qui a pris la vie de la mère que tu as vue tout à l'heure. Elle a supplié pour la vie de son fils. La malveillance qui habitait ce vampire ronge l'ensemble des siens ! répondit-il. Kelm refusa de donner des détails, sachant que ce qui suivrait refléterait cette violence.

— Je veux le faire, je suis prête, lâcha-t-elle d'une voix maintenant franche et assurée.

Acquiesçant de la tête, Kelm enchaîna :

— En tout temps, je serai près de toi et je n'hésiterai pas à mettre fin au sort en cas de problème.

Le mage savait que cela pouvait être perturbant comme expérience, et ce, même en temps de paix. Alors, si ce qu'ils allaient voir était semblable à ce à quoi il venait d'assister, il craignait la réaction d'Olivia.

Sans que sa main perde contact avec la pierre froide, il étira son bras droit afin de saisir la nuque de la Sitay. Exactement comme il l'avait expérimenté quelques instants auparavant, tous les éléments perdirent leur consistance jusqu'à ce que la vision soit brouillée. Le phénomène ne dura que quelques secondes. Les gémissements et les murmures de terreur annoncèrent la scène d'horreur qui prenait forme devant le couple.

Olivia n'osa pas faire le moindre mouvement. Même sa respiration lui parut soudainement douloureuse. Devant elle et Kelm s'amassait une vingtaine de paysans, se serrant les uns contre les autres en priant toutes les divinités dont les noms leur traversaient l'esprit.

Les survivants, en majorité des femmes, étaient encerclés par les vampires. Kelm dénombra vingt et un rescapés et vingt assaillants. Le mage ne voulait pas laisser la Sitay seule. Elle semblait bouleversée par ce qui se déroulait devant elle.

— Souviens-toi, Olivia, murmura-t-il pour l'apaiser, peu importe ce que tu pourrais entreprendre afin de les sauver, tout serait vain.

L'air résigné de la jeune femme lui confirma qu'il pouvait se concentrer sur ce qui se déroulait. Malgré cela, Olivia rageait intérieurement de son impuissance. Le mage rompit finalement le contact. Il ne put faire que quelques pas avant que l'attention de toute l'assemblée ne se tourne vers la gauche.

Un vampire surgit de l'arrière d'une écurie. Il semblait colossal et s'imposait clairement comme étant le chef du groupe. Ses traits réguliers n'arrivaient pas à chasser la noirceur de son âme. Chacun des assassins semblait attendre, souriant, que leur général expose la suite de son plan. Miryano affichait un air satisfait et débordant de condescendance lorsqu'il arriva à la hauteur des survivants. Sans pouvoir prendre conscience que deux spectateurs s'étaient ajoutés à la scène, il repéra l'homme qu'il avait épargné quelques instants plus tôt. Ce dernier avait tout tenté pour sauver sa famille, mais la force et la rage du vampire étaient telles que l'homme n'avait pu le vaincre. D'une seule main, Miryano l'agrippa à la gorge, le traînant de force en comprimant l'air que ce dernier tentait désespérément d'inspirer. La peur figeait toute riposte. Ayant vu mourir tous ceux qui leur étaient chers, les autres ne surent que faire pour aider le pauvre Jerym, qui se débattait vainement, incapable d'échapper à cette poigne de fer. Les vampires resserrèrent leur garde sur les vingt paysans restants, recroquevillés : leur libération n'était pas encore arrivée !

Kelm les suivit, laissant seulement une dizaine de pas entre lui et le vampire qui traînait sa proie. Toutefois, un bruit derrière lui capta son attention.

— Es-tu certaine ? risqua le Paetrym.

— Non, répondit Olivia, mais je ne peux me résigner à demeurer inactive. Malgré le tremblement de sa voix, elle suivit Kelm, qui l'attendait afin de regagner l'arrière de l'écurie. Le vampire avait disparu vers l'endroit d'où il avait surgi avant de s'en prendre au jeune homme.

Dans la pénombre, un cheval avait été sellé. Kelm reconnaissait cette monture, l'ayant aperçue la veille, troublant le bal de l'Ymalt. Toutefois, un léger scintillement ramena son attention vers le vampire. Le pauvre Jerym sombrait dans l'inconscience, l'air raréfié n'oxygénant plus les cellules de son corps. Ce qui avait capté le regard du mage fut le reflet de la lune sur une lame courte que Miryano venait de dégainer. D'un mouvement d'une fluidité sidérante, le vampire relâcha sa poigne sur la gorge du paysan, puis l'assomma avec la garde de l'épée, qu'il planta ensuite dans le sol. Olivia voulut s'élancer, désirant porter secours à cet homme, oubliant momentanément son impuissance.

Ce fut Kelm qui la rattrapa, posant une main sur son bras. Il n'eut pas besoin de lui parler : ce simple contact lui permit de se ressaisir. Elle ouvrit la bouche, mais aucun son ne franchit ses lèvres. Pour avoir vu le résultat final, le jeune mage se doutait de ce qui suivrait. Le vampire ligota soigneusement Jerym, puis, témoignage de sa force, il souleva aisément l'inconscient pour l'installer sur la selle du cheval et termina de le fixer. Le cordage le maintenait en position assise, remplaçant ainsi le manque de tonus de son corps.

Puisque le vampire tourna soudainement le dos à sa victime, Olivia en profita pour questionner le mage.

— Que se passe-t-il ? murmura-t-elle.

— Reconnais-tu ce jeune paysan ? demanda-t-il, sachant que la réponse viendrait d'elle-même. Le souffle saccadé de la jeune femme lui indiqua qu'elle avait réalisé, tout comme lui, qu'ils assistaient à ce qui avait précédé leur découverte au château de Shimrae.

Miryano s'arma de son épée. Un gémissement indiqua que Jerym reprenait lentement ses esprits. Souriant, le vampire planta ses yeux dans ceux du malheureux, qui hurla lorsque la lame trancha une de ses jugulaires. Le cri d'horreur et de douleur se métamorphosa en gargouillis de sang.

— Ne pense pas que la mort est ta délivrance !

Le rire du vampire résonna jusqu'aux deux mages. De la lame tachée du sang du paysan, il s'entailla le poignet d'où il le força à s'abreuver. Bien que Jerym frôlât l'inconscience, il tenta de refuser le liquide au goût métallique qui lui coulait dans la gorge ; des haut-le-cœur le secouaient, décuplant la douleur de sa plaie. Voilà donc comment un vampire en crée un autre, constata le Paetrym. Vidé de son propre sang, le jeune homme n'eut d'autre choix que de s'abreuver à l'essence de ce monstre.

S'il survit à cette nuit, il viendra gonfler les rangs de l'armée de notre Maître ! Satisfait, le vampire, à peine affaibli par le sang qu'il avait offert à Jerym, lança le cheval au galop dans la direction qu'il savait être celle du château...

Kelm mit alors fin au sort. Ils en avaient assez vu et il savait contre quel type d'ennemi ils auraient tous à combattre. Le mage ne connaissait pas le nom de ce dernier vampire, mais il avait la certitude qu'il aurait à nouveau à lui faire face.

Lorsque le soleil reprit sa place, Olivia tomba à genoux. Ses entrailles se convulsèrent et elle se vida l'estomac. Kelm lui porta de l'eau, lui-même révulsé par les derniers événements.

Le corps d'Olivia se détendit dans un calme profond. Kelm se doutait de ce qui suivrait. Il ne fut donc pas surpris lorsque cette dernière leva vers lui un regard où dansaient des éclairs de haine. Chez un mage ordinaire, cela n'aurait pas inquiété outre mesure le Paetrym, mais une fureur aussi intense dans les yeux de la Sitay de Feu pouvait s'avérer destructrice si elle n'était pas contrôlée.

Les mains tremblantes par la furie qui s'éveillait en elle, Olivia empoigna les mains de Kelm, lui intimant de l'aider à se relever.

— J'aurai beau demander pourquoi, aucune réponse ne pourra justifier tous ces morts, dit-elle enfin. Puis elle se dirigea vers les maisons meurtries. Sa voix était forte, d'un aplomb surprenant. Voyant que Kelm ne la questionnait pas, elle poursuivit sa pensée :

— Ensemble, nous pouvons offrir à ces malheureux une sépulture décente.

Kelm n'avait pas besoin d'en savoir davantage, les éclairs qui fourmillaient le long des bras de la Sitay trahissaient sa volonté. Ils passèrent les heures qui suivirent, sans un mot pour troubler leurs prières, à rassembler les malheureuses dépouilles jusqu'à la place centrale de Tyurn, non loin du puits.

L'esprit meurtri, Kelm et Olivia se tenaient solennels devant les corps alignés dans un silence mortuaire. La rage qui permettait à Olivia de tenir encore debout continuait de transparaître sur tout son corps. Les éclairs, prenant naissance par centaines dans la paume de ses mains, parcouraient ses bras et venaient se percuter sur ses omoplates : un grésillement s'y faisait entendre. N'osant déranger la concentration de la Sitay et encore moins toucher sa peau, gardant en mémoire sa réception contre le mur de pierre lors de la dernière tentative, Kelm recula simplement de quelques pas. Il voulait laisser à Olivia l'occasion d'offrir une sépulture à ces gens.

— Ces malheureux s'en iront en paix dès que leurs meurtriers visiteront l'enfer ! dit Olivia avec une douceur rendant sa voix à peine audible. Elle semblait faire une promesse aux âmes tourmentées qui avaient injustement péri en ces lieux. Puis, comme le lui avait appris Kelm, elle concentra ses pensées sur l'énergie qui parcourait la surface de son corps. Elle devait visualiser son pouvoir concentré au creux de sa main, maintenant tendue devant elle.

Dans un doux crépitement, les éclairs quittèrent sa paume pour enrober les cadavres allongés devant elle. La force déployée enflamma les tissus en une fraction de seconde et le brasier né de la magie dura aussi longtemps que nécessaire. Si les flammes engendrées par le pouvoir d'Olivia avaient été contrôlées par sa rage, l'embrasement aurait perduré des heures. Le couple ne reprit la route que lorsque la chaleur du feu eut diminué. Grâce à ses dons, Kelm veilla à ce qu'ils puissent partir le plus rapidement possible. Il était inutile de prolonger leur tourment.

* * *

Tacitement, ils avaient convenu de demeurer tout près du village pour la nuit. Bien que la route les menant au château ait été rapide, ils avaient besoin de se ressourcer en mémoire de ceux qui n'avaient eu aucune chance.

La nuit était bien avancée et le feu gardait leur corps au chaud malgré la fraîcheur de l'obscurité. Peu de mots avaient été échangés depuis la fin de l'après-midi. Bien qu'aucun malaise ne pèse entre eux, Olivia demeurait dans ses pensées. Kelm le devinait au regard lointain qu'elle affichait. Il respectait ce silence d'introspection qui enveloppait la jeune femme, sachant que cela lui était nécessaire afin d'assimiler ce qu'elle venait de vivre.

Lorsqu'enfin les étoiles éclairèrent la noirceur pour se refléter sur la peau ivoire d'Olivia, celle-ci se leva. La lueur qui faisait briller ses yeux annonçait que ses réflexions venaient de prendre fin. Elle s'arrêta à quelques centimètres des flammes.

— Olivia, que se passe-t-il? La voix grave de Kelm était teintée d'inquiétude.

— Nous avons besoin d'aide. Et je ne connais qu'une seule personne pouvant nous épauler, répondit-elle.

— Cyrm... Il comprenait le raisonnement d'Olivia. Le lien qui unissait l'Yrshu à sa Sitay pouvait leur permettre de communiquer. Mais normalement, la Sitay devait avoir terminé son apprentissage pour y arriver. Il ne troublerait pas la concentration de la jeune femme, toutefois ce qui se passait le déconcertait. Il lui en coûtait beaucoup de ne pas intervenir.

Les yeux toujours rivés sur les flammes, Olivia bougea avec douceur. Un à un, elle retira ses vêtements pour les laisser tomber derrière elle. Sa peau si blanche agissait tel un miroir. Le mouvement du feu semblait prendre naissance de son corps nu. Bien qu'Olivia ne gardât que peu de souvenirs de sa rencontre avec Cyrm, une image s'était lentement insinuée en elle au cours de la dernière heure. Il lui semblait que certaines forces lui infusaient le souvenir bien précis de la fusion de ses éclairs avec les flammes de son Yrshu. À un point tel qu'il lui était impossible d'ignorer le besoin qu'elle ressentait de recréer le lien avec lui. Bien qu'elle ne soit pas initiée à cela, elle avait l'impression que le rituel qu'elle devait effectuer s'imprégnait malgré elle dans son esprit. Alors, elle se concentra sur le feu qui avait pris de l'ampleur jusqu'à atteindre la hauteur d'un homme. Sous le regard ébahi de Kelm, la peau d'Olivia se mit à briller. Après quelques secondes, il n'y eut plus une parcelle de peau qui ne fût recouverte d'éclairs. L'air se réchauffait considérablement et tournoyait autour d'eux.

Enfin, lorsque le corps d'Olivia se perdit dans les éclairs, elle fit un pas en avant et entra lentement dans le brasier. À peine la plante de son pied fut-elle posée contre la braise qu'Olivia entendit Kelm étouffer un cri de surprise, se relevant d'un bond. Elle n'en tint pas compte. Ce qui se passait autour d'elle lui parut lointain comme dans un rêve. Étrangement, ses mouvements semblaient habités d'une force qui n'était pas la sienne.

Le feu ne l'atteignit pas. Au contraire, elle en fut recouverte de la tête aux pieds après quelques secondes seulement. Le temps se figea grâce à une magie qui ne venait pas d'Olivia. Une déflagration retentit, qui fut suivie d'une colonne de flammes s'élevant à perte de vue jusqu'à embraser les cieux. Quand Kelm s'accoutuma de nouveau à la pénombre, il vit tout à coup un homme qui se tenait face à Olivia. Tous deux se trouvaient au centre des flammes qui avaient repris leur taille normale.

Une douleur sourde lui tenailla les entrailles lorsqu'il vit cette femme qui hantait désormais ses rêves nue et hypnotisée par celui qui devait être Cyrm. Kelm mit momentanément sa jalousie de côté lorsqu'Olivia s'écroula, vidée de son énergie.

Il vit Cyrm la rattraper de justesse. Enfin, ce dernier tourna les yeux vers lui. Les deux hommes se jaugèrent lourdement, chacun comprenant la place de l'autre dans la vie de la Sitay. Néanmoins, il n'y avait pas de place pour l'envie entre eux. Même si le désir de la secourir envahissait l'Yrshu, il savait que les événements avaient été précipités pour Olivia et que ce n'était pas à lui de partager sa vie pour le moment. Il accepta, résigné, la couverture que lui tendit le jeune mage et le laissa placer une de ses mains sous la nuque d'Olivia et l'autre à plat sur son front.

Ce fut donc Kelm qui transféra une partie de son énergie à la Sitay, lui permettant d'ouvrir des yeux reconnaissants sur lui. Il put y voir le contentement d'avoir réussi. Si elle avait pu, elle aurait lu en lui à quel point il en était fier, mais ce n'était ni l'endroit ni l'heure pour ce genre d'émotion.

— Tu as raison, Paetrym Hirms. Je n'ai pas beaucoup de temps à passer avec vous. D'ailleurs, je ne devrais pas être ici, dit enfin Cyrm.

Il n'avait pas eu l'occasion de côtoyer souvent les hommes et les femmes, mais l'aisance avec laquelle il lui était donné de voir en eux le consternait. Il ne voulait pas paraître insolent, mais la malice qui le caractérisait était plus forte que lui. C'est Olivia, vêtue uniquement de la couverture dont l'avait recouverte Kelm, maintenant fermement debout, qui répondit.

— Merci d'être venu, dit-elle, respectueuse.

— Comme je vous l'ai dit, en temps serein, cette rencontre ne m'aurait jamais été permise, dit-il.

Cyrm posa la main sur l'épaule de sa Sitay avant d'ajouter :

— Ce passage, aussi court soit-il, me permettra de réaliser le plan des Dieux.

Les deux hommes s'installèrent tandis qu'Olivia enfilait rapidement ses vêtements. À peine les avait-elle rejoints que Kelm posa la question qui le hantait depuis qu'il avait posé les yeux sur Olivia.

— Vous savez qui je suis, donc vous savez que je combattrai aux côtés de votre Sitay et que je lui donnerai ma vie s'il le faut, commença le mage.

Sa voix était grave et solennelle. Olivia fut surprise et garda son regard rivé sur Kelm. Elle ne put ajouter quoi que ce soit, car ce dernier enchaîna :

— Les vampires se font de plus en plus nombreux. Leurs rangs augmentent aussi rapidement que leur soif de haine et de sang ! Comment pensez-vous qu'une Sitay seule puisse affranchir Shimrae de cette menace ? conclut-il.

— Cela résume bien ce qui te perturbe, n'est-ce pas ? Cyrm s'était adressé directement à sa Sitay avant de répondre au mage. Il savait que la jeune femme était rongée par la même inquiétude.

— Si nous attendons que mes dons s'accroissent davantage...

La voix d'Olivia se cassa lorsque les images des innocents qui avaient été tués sauvagement revinrent à elle.

— ... trop de gens périront et beaucoup d'autres souffriront.

Les secondes passèrent, sans qu'aucun d'eux brise ce moment de recueillement, leurs pensées allant à ces gens dont la vie s'était achevée dans la peur et la souffrance.

— Les Dieux se sont concertés longuement à la demande des Yrshus. Chose qui n'était jamais arrivée par les siècles passés, dit Cyrm, qui savait que le temps ici serait rapidement écoulé. Il sentait déjà l'urgence de leur donner des réponses.

— Ce qui les a interpellés est qu'une de leur création menace d'en exterminer une autre.

— *Exterminer* ?

Ce mot avait un goût d'horreur dans la gorge d'Olivia. Ce fut plus fort qu'elle, le frisson qui la parcourut lui fit resserrer ses vêtements contre son corps.

— La haine qui se transmet à la naissance d'un vampire provient de Viktor lui-même. Ses descendants ne s'arrêteront que lorsque cette terre sera décimée de toute vie humaine et de la chaleur qui en découle. La conclusion de nos créateurs est que l'équilibre de toute chose dépendra de ce qui adviendra au royaume de Shimrae. Mais les Dieux eux-mêmes ont droit à leur orgueil. Cette rencontre, aussi courte soit-elle, sera la seule que nous aurons. C'est pour ces raisons, Olivia, que tu as ressenti le besoin de me faire venir ici, tout en sachant que cela t'aurait été normalement impossible.

Jusqu'à présent, l'Yrshu s'adressait à sa Sitay, mais il poursuivit en captant le regard du Paetrym.

— Kelm, tu as absolument raison, ma Sitay seule ne saurait risquer sa vie contre cette légion d'assassins et je sais que tu ne doutes pas de la force qui coule dans ses veines.

Ce dernier acquiesça d'un signe de tête. Cyrm n'en attendait pas moins de sa part. Il continua :

— Deux êtres différents l'un de l'autre t'accompagneront dans ta quête, Olivia. L'un qui n'est plus et l'autre qui sera. Cyrm marqua une pause, gardant son regard maître des pupilles de sa Sitay. Il voulait lui faire comprendre que jamais il ne la laisserait seule face à la mort.

— Est-ce bien le moment de parler par énigme? dit Kelm, qui ne parlait pas à outrance, mais ne cachait pas ce qu'il avait à dire.

— Sachez, jeune mage, que je ne suis pas libre de dire et de faire ce que bon me semble, lui répondit Cyrm. Son regard, qui s'embrasa légèrement, exprimait la colère que cela lui inspirait.

— Comment trouverons-nous ces êtres? demanda Olivia, beaucoup plus conciliante...

— Dans trois jours, tous les deux vous partirez vers l'ouest. La forêt de Tykquarr est sombre et dangereuse, mais la chaleur que vous trouverez au-delà, dans le labyrinthe de dunes du désert d'Ahamhs, est impossible à franchir. Sauf si votre corps supporte une température de feu, ajouta-t-il en esquissant un sourire.

Lorsque la fraîcheur de la nuit mordra votre âme, *Celui qui n'est plus* viendra à vous. Sachez par contre qu'il ne connaît pas le mal qui ronge la vie des hommes. Il vous incombera de lui insuffler la volonté de mener cette guerre.

— Bon, jusque là, cela semble assez tortueux. Désolé de poser la question, coupa Kelm, mais il me semble que si Olivia peut supporter le contact des flammes, jusqu'à preuve du contraire, ce n'est pas mon cas. Vous avez dit que nous devions nous y rendre tous les deux.

—Je sais ce que j'ai dit, Kelm! Sa remontrance n'avait rien d'un reproche, mais sa voix était ferme.

Olivia sentait la nervosité qui vibrait chez le Paetrym. Il n'y aurait rien de pire pour lui en ce moment que d'être mis de côté et de voir la femme qu'il aimait se lancer seule vers ces dangers.

— Nous irons chercher *Celui qui n'est plus*, assura Olivia, mais où devons-nous trouver *Celui qui sera*? Elle-même n'aimait pas devoir deviner les étapes. Mais jouant ce jeu énigmatique, elle attendit que son Yrshu continue.

— *Celui qui sera* te viendra en aide à chaque instant, ma Sitay. Cyrm marqua une pause avant de prononcer son nom: Olivia, ton pouvoir n'est pas illimité, tu devras apprendre à le contrôler et à gérer tes énergies, et ce, pour ta propre sécurité. *Celui qui sera* aura ses propres ressources, mais lui contrôlera mes flammes, bien qu'avec quelques restrictions.

— Bien des mages peuvent invoquer l'élément du Feu, expliqua respectueusement Kelm pour Olivia. À ma connaissance, aucun ne peut user de ce type de sort bien longtemps sans se vider de son énergie.

— Tu as raison, Kelm, reprit Cyrm. Aucun mage ne peut invoquer l'élément du Feu sans puiser dans sa source vitale, car ce dernier doit protéger son corps tout en lançant cette magie. Mais je n'ai pas à te l'enseigner, puisque malgré ton jeune âge tu parviens à un contrôle qui t'honore.

Le Paetrym fut pris au dépourvu, il ne comprenait pas où Cyrm voulait en venir.

— Où cette flatterie nous mènera-t-elle ?

Le mage ne se voulait pas insolent, mais il désirait comprendre le pourquoi de cette tirade. Dans les différents royaumes de la terre de Faöws, plusieurs mages avaient pris naissance selon les quatre éléments, vénérant ainsi un Dieu différent. Il était apparu clairement, dès son plus jeune âge, qu'il avait été choisi pour ses affinités avec les flammes. Kelm avait accepté sa nature ainsi que ses dons afin de servir son roi.

— Cette tirade nous mènera à *Celui qui sera*, rétorqua Cyrm, qui se disait que le Paetrym lui ressemblait beaucoup plus qu'il n'aurait voulu l'admettre !

L'Yrshu se leva et attendit que ses protégés l'imitent avant de se poster à l'opposé du feu qui les éclairait.

— Je dois partir maintenant...

Cyrm leva la main, interrompant ainsi les questions qui se bousculaient dans l'esprit d'Olivia.

— Ma Sitay, je compte sur toi pour le réveil de *Celui qui sera*.

De sa main droite qu'il tenait toujours levée, il fit naître des flammes. Lorsqu'une boule de feu recouvrit son poing, il la laissa partir vers Kelm, qui fut atteint en plein thorax.

Le mage encaissa le dur choc et laissa s'échapper un grognement de douleur du fond de sa gorge. L'impact fut si fort qu'il perdit momentanément connaissance, sans néanmoins heurter le sol. Des vagues de flammes recouvrirent son corps. Son visage fut d'un calme irréel, à un point tel qu'il semblait dormir.

En deux enjambées, le cœur manquant de s'arrêter, Olivia se retrouva à genoux, une main sur le front de Kelm. Constatant qu'il respirait toujours, elle leva vers Cyrm un regard d'étonnement mêlé d'horreur. Toutefois, elle constata qu'aucune trace de brûlure n'apparaissait sur le corps du mage, ni même sur ses vêtements.

— Qu'avez-vous fait? Que lui arrive-t-il? Olivia fixait toujours Cyrm, qui se tenait impassible de l'autre côté des flammes.

— Ma Sitay…

Tout en lui parlant, il s'avança et tendit une main légèrement tremblante à Olivia, l'aidant à se relever.

— Comme tu l'as constaté, je ne lui ai fait aucun mal.

La jeune femme remarqua alors que lui-même semblait affaibli par cette attaque. Néanmoins, sa voix se voulait profonde et réconfortante. Il continua:

— Sois là pour lui, à son réveil. *Celui qui sera* a été choisi! Ses pouvoirs pourront rivaliser avec les tiens, mais il devra prendre garde à ne pas vider son énergie vitale. Cela pourrait lui être fatal, et ce, encore plus qu'à toi. Ce jeune mage est maintenant porteur de la flamme d'Ysandrell, un peu comme tu l'es toi-même… Je les sens qui me rappellent. Ne sois pas inquiète pour Kelm. Explique-lui ce qui s'est déroulé. Cette nuit, je continuerai de veiller sur vous deux, ajouta-t-il.

Du bout des doigts, il caressa la joue de sa Sitay jusqu'à ses clavicules. S'il laissait libre cours à ses envies, il troublerait l'âme de cette femme. Dans cette existence, il n'était pas celui qui vivrait à ses côtés et il en était conscient. Cette évidence lui arrachait le cœur, mais à partir de cette nuit, Kelm et lui partageraient une même source de vie. D'une certaine façon, cela le rapprochait de sa Sitay!

Alors, laissant les deux êtres sur qui il comptait, Cyrm recula. Il atteignit le centre du feu et les flammes montèrent vers la cime des arbres qui bordaient la clairière. En une fraction de seconde, tout reprit son aspect normal et il ne resta plus aucune trace de la venue de l'Yrshu, à part Kelm qui gisait sur le sol, inconscient.

Un bouclier s'était dressé autour du campement. Sentant que Cyrm avait dit vrai et qu'il veillait sur eux pendant cette nuit, Olivia put se reposer tout en surveillant continuellement l'état de Kelm. N'ayant pas osé bouger le corps de ce dernier, elle s'installa pour une nuit calme qui contrastait avec son âme mouvementée. Elle était anxieuse pour le mage. Elle avait beau avoir pleine confiance en Cyrm et sentir sa présence autour d'eux, elle sursautait à chacun des mouvements du Paetrym. Quand allait-il se réveiller?

Par chance, elle remarqua que les flammes ne diminuaient pas. Nul besoin donc d'alimenter le feu. Sentant la présence de Cyrm, elle réussit à dormir quelques heures.

Olivia émergea du sommeil aux tout premiers rayons du soleil. Une langueur alourdissait chacun des muscles de son corps, mais à la vue de Kelm, qui se reposait toujours, elle en oublia ses propres douleurs. Elle mit alors à profit ce début de matinée en préparant leurs effets et en sellant les chevaux pour leur départ. Elle tentait de mettre en pratique tous les enseignements de Kelm. Dans les sacoches qu'elle avait attachées avec soin sur la selle de son cheval, elle trouva du pain ainsi que de la viande grillée qu'elle réchauffa sur le feu. Elle n'eut aucun mal à le raviver grâce à ses pouvoirs. La journée s'annonçait fraîche et belle. Les rayons du soleil perçaient maintenant le lourd feuillage des arbres.

Était-ce la lumière du jour ou la douce odeur de la viande grillant sur le feu qui réveilla le Paetrym? Seul un gémissement sortit de sa bouche lorsqu'il tenta de se lever.

— Doucement, Kelm! D'un geste rapide, Olivia se précipita vers ce dernier, l'aidant à s'asseoir. Son teint était blafard, toutefois il était indemne. D'une voix très ferme compte tenu de son état, il la questionna.

— Peux-tu me dire ce qui m'est arrivé?

Olivia lui servit de la viande et du thé, qu'elle avait préparés à son attention, laissant la chaleur de l'infusion raviver les couleurs de son visage.

— Kelm, te souviens-tu de l'annonce de Cyrm concernant l'aide que je devais quérir pour mener à bien cette mission qui m'est échue?

Fronçant les sourcils, le mage réussit à remettre de l'ordre dans ses souvenirs. Il était désemparé de constater que sa mémoire comportait certains trous temporels.

— En effet, cela me revient lentement... Nous devons trouver *Celui qui n'est plus* ainsi que *Celui qui sera*. Kelm poursuivit d'un ton plus bas :

— Mais cela ne me dit pas pourquoi l'Yrshu de Feu m'a attaqué...

Olivia sourit à cette question. C'est bien la première fois depuis mon arrivée au royaume de Shimrae que j'ai un coup d'avance sur lui ! se dit-elle.

— S'il te plaît, lève la main...

Elle savait que la meilleure façon de lui expliquer l'étendue du pouvoir que Cyrm lui avait offert consistait à lui en faire la démonstration. Kelm obéit. Il s'efforçait de faire abstraction de la douleur qui résonnait dans tout son corps.

Olivia mit à profit ses heures de pratique et laissa une boule de feu envahir entièrement sa paume. Contrairement à Kelm, ce type de sort ne lui était pas familier et lui demandait un effort accru. Le mage avait basé une grande partie de son enseignement sur le contrôle de cet élément, compte tenu de son statut de Sitay de Feu. Une seule anomalie persistait dans son contrôle des flammes : des éclairs jaillissaient de l'intérieur du feu.

Les sourcils froncés, Kelm ne disait rien. Olivia semblait si sûre d'elle que le Paetrym lui fit confiance. Lorsqu'enfin la Sitay sentit que l'esprit de Kelm était prêt, elle relâcha mentalement l'emprise qui formait la boule de foudre et de flammes dans sa main. Le changement s'était opéré à une vitesse incroyable. Kelm ne pouvait détourner le regard de sa propre main. Les flammes qui y dansaient n'avaient pas été engendrées par sa pensée. Il n'avait nul besoin de jumeler le tout avec un sort de protection pour son corps.

Le jeune homme assimilait la nouvelle information à une vitesse inouïe. Malgré ses nombreuses années de magie, jamais il n'avait vu un magicien être en mesure de s'approprier le feu d'un autre lanceur de sort...

— Je suis donc *Celui qui sera* !

Kelm laissa s'échapper cette constatation dans un soupir de soulagement. Les derniers événements s'étant bousculés, il s'était inquiété du rôle qu'il aurait à jouer auprès d'Olivia, craignant d'être relégué loin d'elle. Le Paetrym devait protéger le roi et il avait cherché comment concilier cette tâche à celle de soutenir la Sitay dans cette guerre.

— Cyrm a choisi une façon bien à lui de te transmettre ce don, souligna la jeune femme.

Kelm esquissa un sourire tout en effectuant de légères pressions sur sa cage thoracique. La douleur diminuait peu à peu, mais il était loin d'oublier l'impact.

— Nous possédons la même énergie : celle de Cyrm, s'étonna-t-il. Je sens cette chaleur dans mes veines... Je te sens, toi, comme si tu vivais en moi.

Kelm semblait perplexe face à cette nouvelle énergie qu'il sentait couler dans son corps.

— Je suis soulagée. Qui d'autre que toi aurait été mieux placé pour veiller sur moi ?

— Mais vous avez tous les deux une façon bien singulière de manifester vos dons, ricana le mage, faisant allusion aux éclairs qui l'avaient brûlé quelques semaines auparavant.

Chapitre 17

Ils chevauchaient en silence et à un rythme régulier, chacun dans ses pensées. La douleur du souvenir des cadavres de Tyurn restait bien présente, mais l'excitation et les questions nées de la visite de Cyrm étaient envahissantes. Le Paetrym cherchait comment annoncer ces derniers faits au souverain, sans l'inquiéter davantage !

Il ressentait du désespoir face à la violence des vampires, à la facilité avec laquelle ils pouvaient transmettre leur poison, mais tout cela était ambivalent en lui après sa rencontre avec l'Yrshu de Feu, dont il sentait la force habiter son corps.

Bien que leur périple ait commencé la veille, ils avaient la sensation d'être sur la route depuis des jours et d'avoir vécu tant de choses ! À peine étaient-ils revenus au château que Merryl accourut à leur rencontre. Elle les trouva au banshal de Kelm.

— Paetrym Hirms...

Merryl s'inclina devant le jeune mage, puis se tourna vers sa protégée...

— Milady, le roi Shoëg m'a mandatée pour vous quérir tous les deux à sa bibliothèque. Il vous y attend.

— Merci, Merryl.

Olivia lui prit la main, savourant ce contact. Après avoir vu tant de morts, elle le ressentit comme un baume pour son âme.

Ce fut sans attendre que les deux jeunes gens se rendirent auprès du souverain de Shimrae. Lorsque Kelm ouvrit une des portes massives de la bibliothèque, ils trouvèrent le roi qui servait trois coupes de vin.

— Je vous attends depuis un bon moment déjà, mais ne vous méprenez pas, je suis comblé de vous revoir sains et saufs, dit-il en se retournant.

On lisait sur ses traits toute la nervosité qu'il avait ressentie dans l'attente de leur retour. La douleur qui l'habitait au souvenir du jeune homme mourant était toujours présente et c'était sans compter les souffrances endurées par tous les habitants de Tyurn.

Malgré ces émotions, le roi se tourna vers eux en affichant un sourire réconfortant. N'est-il pas de mon devoir de rallier mes troupes et de soutenir tous les habitants du royaume ? se motivait-il. Si lui-même se laissait aller, qui garderait la tête froide afin de les mener à la victoire ?

— Malheureusement, nous venons vous annoncer que nous devons tous deux repartir dès demain, expliqua Kelm en prenant la coupe que lui tendait le roi Shoëg.

Tous les trois s'installèrent. Sans plus attendre, Kelm et Olivia relatèrent les faits. Lorsqu'enfin ils se turent, il ne fallut que peu de temps au souverain pour assimiler tout ce qui venait d'être dit.

— Il est incroyable de penser que vous êtes partis seulement pendant deux jours. J'appréhende tout ce que vous allez vivre maintenant, commenta le roi, pensif.

— Monseigneur, je sais que mon rôle de Paetrym m'astreint à votre protection rapprochée et je ne saurais m'en décharger, quoique temporairement, sans être gratifié de votre accord et assuré de votre sécurité, risqua le jeune mage, pour qui faillir à sa tâche première était impensable. Tous les jours de son existence avaient été dévolus à cette charge.

— La part que les Dieux et les Yrshus ont décidée pour toi dans ces épreuves outrepasse ton rôle de Paetrym. Ma sécurité réside dans la réussite de votre recherche . Tu as mon approbation, lui répondit Shoëg.

Cela faisait déjà près d'une heure qu'ils discutaient. Le roi se leva et, après avoir resservi du vin, préféra sentir la caresse de la brise sur son visage. Il invita ses protégés à en faire de même.

— Je serai donc serein au moment de partir à la prochaine aube, souffla le mage, brisant le silence qui s'était installé.

Kelm s'appuya contre le rebord de pierre. Ses avant-bras captèrent la fraîcheur de la pierre. Il resta ainsi à réfléchir.

Sous le soleil qui se couchait, le paysage se teintait lentement d'orange. Sentant que l'atmosphère était plus détendue et que l'essentiel avait été dit afin de planifier leur périple vers *Celui qui n'est plus*, Olivia prit la parole.

— Nous espérons revenir assez rapidement. Laisser le château sans la protection du Paetrym en ce temps de guerre n'est pas recommandé et nous en sommes conscients, dit-elle d'une voix douce.

— Lady Saint-Pierre, vous voilà maintenant aussi protectrice que notre cher Paetrym ! ricana le souverain. Il était tout sourire en pensant qu'il avait maintenant deux chaperons.

La conversation prit un tour plus serein, puis les mages quittèrent le souverain, qui restait soucieux. Tous les trois avaient convenu de garder le silence sur la visite de Cyrm. Le travail de Kelm serait ingérable si ses nouveaux pouvoirs étaient connus dans le royaume. En temps et lieu, son conseil serait avisé, mais d'ici là, Shoëg ne l'informerait que des détails du carnage.

* * *

L'aube tira les deux amants du lit. Olivia était allongée sur le ventre, laissant son dos entièrement aux doigts du Paetrym. Après leur conversation avec le souverain, les deux mages n'avaient pas tardé à trouver le sommeil.

— Nous devons partir d'ici quelques heures à la recherche de *Celui qui n'est plus.*

La voix grave de Kelm n'était plus la même. J'espère qu'elle ne le sera plus jamais, se disait-elle. Il ne manifestait plus cette froideur implacable, mais murmurait ce qu'il ressentait pour elle. Olivia savourait ces petits moments, même s'ils étaient rares.

— Le temps file trop rapidement, soupira la jeune femme.

Elle vint se blottir contre le torse de son amant et lui vola un baiser avant de poursuivre :

— Je parie que tu as déjà fait préparer les bagages et que tu vas m'annoncer que nous pourrons déjà partir dans une heure. Elle affichait un petit sourire au coin des lèvres.

— Suis-je si prévisible ?

Sa moue de déception n'était pas totalement feinte. Kelm lui soutira un dernier baiser, puis se glissa hors du lit afin de se vêtir et de se préparer pour le départ. Peu de temps après, les deux cavaliers étaient déjà sur la route qui les éloignait du royaume.

Olivia s'habituait maintenant aux mouvements du cheval andalou qu'elle avait adopté. Ryjns était une femelle couleur sable aussi docile que téméraire. Toutefois, traverser les différents hameaux afin de se rendre dans le secteur à l'ouest du continent était la tâche la plus simple de ce périple. Le Paetrym du roi était connu de tous les villageois, et qu'on apprécie ou qu'on honnisse le souverain, personne n'aurait voulu se mesurer à son protecteur. La légende des pouvoirs dévolus aux Paetryms qui s'étaient succédé à travers les siècles était respectée de tous. Olivia en fut impressionnée.

Ils chevauchaient sans relâche depuis quatre jours et, par chance, ils pouvaient dormir dans des auberges. Kelm ne s'était pas uniquement occupé des bagages, il avait personnellement tracé l'itinéraire idéal afin de leur permettre un voyage des plus aisés.

Comme si Olivia avait capté les pensées du mage, elle dit :

— Kelm, tu as changé depuis notre dernière chevauchée.

Le couple avait discuté de tout et de rien durant ces premiers jours de traversée et Olivia continuait d'en apprendre sur cette nouvelle vie, sur ses coutumes, ses aléas, mais le mage progressait aussi avec elle.

Ils approchaient de la forêt de Tykquarr et, depuis leur départ, bien qu'il demeurât soucieux, le Paetrym en avait profité pour donner à Olivia le plus de détails possible sur tout ce qu'ils croisaient. Il réalisait à quel point la Sitay avait raison : jamais il n'avait été aussi loquace !

— Pourtant, tu sais bien que je faisais tout cela pour ton bien, se défendit-il.

— Je le conçois aisément ! Olivia était tout sourire malgré la gravité de cette quête. Tu sembles t'être adouci, bien que je sois consciente de ton rôle envers moi ainsi qu'envers le royaume de Shimrae tout entier.

— Si seulement je pouvais contrer ce que tu avances... Nous approchons de l'orée de la forêt de Tykquarr.

Kelm marqua une courte pause avant de poursuivre :

— Je ne cherche pas à me soustraire, mais il m'est difficile de concevoir l'ampleur des événements qui ont marqué les dernières semaines.

— Étrangement, c'est toi qui tiens ces propos ! Et pourtant c'est moi qui suis nouvellement venue dans ce monde, où la magie est monnaie courante, lui reprocha-t-elle.

— Je ne faisais pas uniquement allusion aux séismes de ténèbres qui secouent la population...

Malgré le trot des chevaux, Kelm réussit à capturer le regard de la femme qu'il devait protéger, avant de poursuivre :

— Olivia, depuis cette fameuse nuit, j'ai l'impression que chaque élément...

Il hésita avant de continuer, mais la Sitay le devança en terminant sa phrase.

— ... a enfin pris sa place.

Kelm acquiesça avec légèreté. Tous deux se turent un moment, puis Olivia demanda :

— Dis-moi, tous les gens que nous avons croisés nous ont fait part de leur crainte concernant Tykquarr, quelle en est la cause ?

— On raconte que cette forêt fut jadis aussi luxuriante qu'invitante, expliqua-t-il. Malheureusement, il y a plus de deux cents ans, un gouffre donnant accès à un plan démonique d'un autre monde fut ouvert par mégarde par un jeune sorcier. On dit aussi dans les légendes que ce dernier avait été trompé par un mage avide de force et de pouvoir.

— J'en conclus donc que la forêt de Tykquarr fut le lieu de l'affrontement de ces mages ?

— Nous savons que le portail a été ouvert ici même. Le combat final y laisse encore sa marque, affirma Kelm. À dire vrai, les détails de ce qui est arrivé à Tykquarr demeurent un mystère. Les gens qui ont connu ce dénouement ne sont plus de ce monde. Le seul legs que nous avons est un dôme surnaturel empêchant le passage des rayons du soleil et de la lune.

— Comment pourrons-nous nous y orienter ? Je suis peut-être trop pragmatique, mais allumer des torches ne suffirait-il pas ? Olivia pouvait concevoir que les hommes et les femmes des hameaux avoisinants craignaient d'y pénétrer, mais de là à s'en abstenir totalement et de tenter de décourager tous les voyageurs désirant s'y risquer, c'était beaucoup de précautions !

— Ceux et celles qui s'y sont aventurés n'ont pu se rendre bien loin, puisque les lumières de ce monde ne peuvent transpercer les ténèbres qui y règnent.

Ryjns ralentit sa cadence, suivant le rythme qu'Olivia lui ordonnait. Il n'en fallut pas moins pour attirer l'attention du Paetrym, qui s'empressa de questionner sa protégée du regard.

— Jure-moi que tu sais de quelle façon nous pourrons traverser cette forêt ensorcelée !

Olivia aurait bien aimé que la possibilité de contourner Tykquarr soit envisageable. Devant ses yeux se découpait une chaîne de montagnes abrupte qui surplombait la forêt. Si cette dernière était bordée par les monts de Peyns vers l'ouest, vers l'est le coup d'œil était identique. Le vallon apportait une ombre qui alourdissait l'atmosphère ! La Sitay avait conclu depuis déjà plus d'une heure qu'aucune autre possibilité n'était envisageable. D'ailleurs, elle en était convaincue depuis le départ, puisqu'elle avait toute confiance dans les directives que Cyrm leur avait données.

Kelm la tira de ses pensées.

— Les seules sources de lumière de ce monde sont naturelles. Peu importe que l'homme allume un feu pour son campement, ou qu'un autre crée un sort pour allumer une torche : dans les deux cas, ils puisent dans les éléments de la nature.

Il la gratifia d'un sourire confiant qui illumina son regard, puis continua ses explications :

— Alors que ton pouvoir vient d'un autre plan, d'un monde où les Yrshus eux-mêmes ne peuvent intercéder! Si une partie de ma magie vient dorénavant de Cyrm, tes dons, eux, tirent leur origine de plus haut encore.

Kelm arrêta sa monture, intimant à sa protégée d'en faire autant. Le couple était maintenant à quelques pas seulement de l'ombre projetée par la forêt de Tykquarr.

— Nous traverserons à pied. Les chevaux seront nerveux et par le fait même difficiles à contrôler dans cet environnement, annonça le Paetrym, tout en descendant de sa monture.

Olivia fit de même, mais demeurait silencieuse. Elle franchit la courte distance qui la séparait de la forêt. La jeune femme semblait minuscule devant l'ampleur de cet ombrage.

Elle inspira une grande bouffée d'air et ses épaules semblèrent se décharger d'un fardeau. Olivia n'avait jamais été une adepte de la méditation, mais faire le vide dans son esprit lui était maintenant régulièrement nécessaire afin de se concentrer.

— Je suis prête à éclairer le chemin, dit enfin Olivia en se retournant vers Kelm, qui se tenait toujours en retrait, encadré par les deux chevaux qu'il retenait par les brides.

— Nous aurons besoin de pousser tes capacités à leurs limites. Selon les anciennes cartes que j'ai répertoriées à la bibliothèque du château, la forêt n'est pas si profonde, mais nous devrons nous déplacer lentement.

Kelm marqua une pause, sachant pourtant qu'Olivia connaissait les détails de cette expédition. Il enchaîna afin de lui confirmer ce qu'elle craignait:

— Nous devons envisager les préparatifs d'une nuit dans la forêt de Tykquarr.

— Serai-je en mesure d'alimenter suffisamment d'éclairs pour veiller toute une nuit? demanda-t-elle, sachant pertinemment que la réponse ne serait pas positive.

— Je veillerai sur les flammes cette nuit. Toi, tu pourras reprendre des forces. Mais la nuit sera courte et entrecoupée de réveils. Au minimum, nous risquons de perdre les chevaux, répondit Kelm.

Le regard d'Olivia s'assombrit.

— Au minimum... murmura la Sitay, en se retournant afin de fixer l'ombre qui menaçait de l'engloutir.

— Si la chevauchée s'est passée sans problème, nous entrons maintenant dans une zone hors de la protection des royaumes... Olivia, il m'est impossible de prévoir ce que nous allons rencontrer et affronter dans les prochains jours.

La voix de Kelm était ferme, mais la nervosité s'y décelait.

— Je suis consciente que cette expédition a été commandée par les Dieux, sinon nous ne serions pas ici. Je sais néanmoins que nous ne pouvons tout prévoir et qu'ils ne peuvent nous protéger constamment, ajouta-t-elle en levant le regard vers le ciel, comme si elle leur adressait une requête personnelle.

— Alors, allons-y. Tu es prête, *mi sayl*?

Un calme digne de son titre de Paetrym irradiait tout son être. On pouvait voir en lui le changement apporté par Cyrm, en assurance, certes, mais aussi par la flamme au fond de son regard. Il ne reste jamais bien longtemps déstabilisé, celui-là, se dit-elle.

La Sitay n'eut pas besoin de répondre de vive voix. Les yeux fermés, elle inspira profondément, puis, comme Kelm le lui avait patiemment enseigné, elle libéra progressivement la chaleur qui montait au creux de son ventre. Lorsqu'elle ouvrit enfin les yeux, de larges éclairs parcouraient ses bras pour venir se percuter en un crépitement derrière ses omoplates. Le mage alla prendre une des torches qu'il avait préparées à cette fin et la tendit à Olivia.

Seul un léger courant d'air bourdonnant d'électricité quitta les mains de la jeune femme. La décharge embrasa la torche qu'il brandissait. Kelm transféra cette flamme sur le second flambeau, qu'il lui tendit. Tenant sa monture d'une main et une torche dans l'autre, Kelm ouvrit la marche. Ils pénétrèrent dans l'épaisse ombre de la forêt de Tykquarr. Le mage n'avait pas menti, il leur était impossible d'accélérer le pas, la noirceur elle-même était presque palpable! Kelm avait dû utiliser la magie pour calmer les chevaux, sinon ils n'auraient jamais accepté de les suivre dans ce néant.

Il semblait à Olivia que les heures étaient interminables tandis qu'ils marchaient. Elle ne faisait que suivre la légère lueur qui les guidait quelques pas devant. Ni le mage ni elle n'osaient prononcer une parole, concentrés sur ce nouvel environnement.

— Arrêtons-nous, Olivia. La journée est presque déjà passée.

La voix de Kelm parvint jusqu'aux oreilles de la Sitay, la tirant brusquement de ses pensées.

Autour d'eux, un bruissement de feuille très léger se fit entendre.

— Quel est ce bruit? demanda brusquement Olivia.

— Cela fait maintenant près d'une demi-heure que nous sommes suivis, apprit-il à la jeune femme. Aucun autre son n'était venu troubler le silence qui enveloppait ces lieux.

Nerveuse, la Sitay se rapprocha de Kelm. La faible lueur de la torche rendait la peau du visage du mage aussi dure que l'ivoire, dont les reflets vacillaient en une danse macabre.

Kelm est toujours attentif à son environnement, tandis que moi, il me reste tant à apprendre! songea-t-elle.

— Suivis? Mais par qui... ou par quoi? Sa voix s'étrangla. Olivia avait prié afin de ne pas avoir à vivre cela.

— J'avais espéré que la distance aurait été plus rapide à combler, mais nous devons affronter ce qui se regroupe autour de nous...

Kelm avait déjà combattu par le passé, mais jamais sans connaître ni même voir l'ennemi. Il ne savait pas quoi dire à la jeune femme pour la rassurer. Il la sentait tremblante d'inquiétude et elle était incapable de répondre quoi que ce soit.

— Établissons le campement pour quelques heures. Olivia, occupe-toi d'allumer quatre brasiers autour de nous, ainsi nous y verrons mieux.

Laissant la jeune femme s'affairer, Kelm rassembla les chevaux au centre des axes qu'elle traçait, puis lança un sort d'hypnose. Il fixa durement le regard des deux montures, qui se couchèrent au sol et y restèrent immobiles.

— Que se passe-t-il? le questionna Olivia en regardant sa jument.

— Ceux qui nous entourent semblent opérer telle une meute de loups. Ils resserrent lentement leur étau. En simulant la mort de nos chevaux, nous les obligeons à porter leur attention sur nous, l'informa le Paetrym.

— Ce n'est pas pour me rassurer, dit-elle en se retournant vers Kelm, qui venait tout juste de dégainer une épée aussi longue qu'un cimeterre. Sa cape était posée près de lui, et seule sa chemise ondoyait sur sa peau sous l'effet d'une légère brise. Les muscles de sa mâchoire qui saillaient révélèrent à Olivia la nervosité qui grandissait en lui.

L'épée à la main elle aussi, la Sitay le rejoignit, mais contrairement au Paetrym, elle n'avait pas appris le combat à deux lames : sa main gauche s'était recouverte d'éclairs. Elle était prête à se battre, mais ne savait pas ce que cela impliquait. Les leçons de Kelm dans le jardin intérieur n'auraient jamais pu la préparer à cette réalité.

— Je t'en conjure, reste près de moi. Les dents serrées, il parlait de manière à peine audible.

— Ne t'inquiète pas, murmura Olivia.

L'air frais lui mordait les bras, mais elle ne sentait rien sous la poussée d'adrénaline.

Les bruits n'avaient pas cessé de s'intensifier autour d'eux.

— Ils ne sont que trois...

Ce fut les derniers mots que put entendre Olivia avant d'apercevoir une lueur bleutée qui émanait de trois paires d'yeux.

Deux des attaquants s'étaient détachés afin de les cerner. Celui du centre s'avança lentement. Comme l'avait anticipé Kelm, ce qui pénétra dans la lueur des feux allumés par la magie d'Olivia avait l'apparence d'un loup.

Il était probable qu'avant la guerre des mages qui avait ravagé la forêt de Tykquarr, ces bêtes aient effectivement été des loups, mais celui qui se dressait devant eux avait près du double de la taille habituelle. De plus, sa gueule était pourvue d'une articulation double, permettant une ouverture impressionnante.

De la bave s'en écoulait et une brume se formait à chacune des expirations de la bête. La jeune femme en oublia de respirer, la peur lui glaçant le sang.

Maintenant, les trois loups immondes, aussi noirs que les ténèbres, se tenaient selon un arc autour des deux mages. Deux d'entre eux menaçaient Kelm, ayant choisi leur proie selon sa stature, mais tous trois attaquèrent d'un même saut.

Olivia put éviter l'assaut de justesse. Les réflexes acquis grâce aux leçons du Paetrym lui sauvèrent la vie. Elle se lança sur sa droite, gardant sa lame bien haute, comme lors de ses longues heures de pratique au combat. Ce fut le sol qui vint douloureusement à sa rencontre.

Les yeux ébahis, la jeune femme réalisait à peine que du sang s'écoulait le long de la lame qu'elle tenait toujours fermement, sa vie en dépendant.

Devançant l'impact, Kelm s'élança sur le loup le plus près d'Olivia, voulant éviter que ces monstres prennent place entre eux. Sachant que la force brute de la bête pouvait le blesser mortellement, le mage se lança au sol afin de se retrouver sous l'assaillant, les deux lames brandies en une seule attaque. Un hurlement de douleur s'échappa du loup éventré. Kelm atterrit sur le sol, puis se releva du même élan afin de recevoir le troisième monstre qui s'élançait. Ce dernier buta contre le loup mort et perdit l'équilibre, ce qui sauva la vie de Kelm.

La bête avait pourtant percuté le mage de plein fouet. La peau lacérée, celui-ci fut projeté non loin d'Olivia, qui eut tout juste le temps de se positionner avant de subir un second assaut.

La jeune femme éprouva une peur terrible en voyant Kelm se relever difficilement, sa chemise de lin déchirée et poisseuse de sang. La surprise ne lui avait pas donné le temps d'avoir recours à la magie. À présent, il ne lui fallut qu'une fraction de seconde pour décocher un éclair meurtrier sur le loup qui venait d'attaquer. Mais la Sitay ne réalisa pas que la bête qu'elle avait elle-même blessée s'élançait.

Plantant son épée dans la terre afin de s'offrir le levier nécessaire, Kelm fondit, malgré sa blessure, sur le monstre arrivé déjà trop près de la Sitay.

Les énormes pattes se refermèrent sur le corps du Paetrym et tous deux tombèrent à la renverse, sous le regard pétrifié de la jeune femme.

Olivia franchit rapidement la distance qui la séparait des deux combattants. Le mage poussa un grognement. Soulagée, elle l'aida à s'extirper de la carcasse du loup, son cimeterre toujours coincé en travers de la gorge de l'animal maintenant mort. Le choc avait ouvert la plaie du Paetrym, qui saignait abondamment de son flanc droit.

Kelm laissa Olivia lancer un sort de guérison. Grimaçant, il étouffa un cri de douleur lorsque ses côtes cassées se ressoudèrent.

— Merci, finit-il par dire, haletant. Par chance, la douleur s'estompait rapidement. Tu n'as rien ?

— Quelques ecchymoses pour demain. Uniquement grâce à toi.

Kelm se risqua à bouger. Il ne souffrait plus autant. Seules quelques courbatures le gênaient encore. Il tendit la main, invitant la Sitay à l'aider à se remettre sur ses jambes.

— Tu t'es bien débrouillée. Il est difficile de combattre dans une telle noirceur et pire encore lorsqu'on s'inquiète pour son partenaire, dit le Paetrym.

La jeune femme se contenta d'esquisser un sourire gêné. Elle avait agi sous l'impulsion, oubliant sa propre protection afin de venir en aide à Kelm, mais elle se doutait qu'il aurait agi de la même manière si les rôles avaient été inversés.

— Pourrais-tu incinérer les loups ? Il faudrait éviter d'inviter les carnassiers. De plus, je suis convaincu que l'ampleur des feux allumés et l'odeur des monstres en crémation permettront de tenir éloignés les visiteurs potentiels, lui indiqua le mage, qui avait très vite oublié sa douleur pour s'inquiéter de leur sécurité.

— J'espère sincèrement que tu vois juste.

Après qu'elle eut embrasé les dépouilles et ravivé les quatre feux, la fatigue la terrassa. Kelm alla la rejoindre, ayant préparé un campement pour elle.

— Dors quelques heures, ensuite tu me remplaceras.

Le mage n'avait pas l'intention de s'attarder dans cette forêt. S'il n'en avait tenu qu'à lui, ils auraient marché sans relâche. Mais le risque était trop grand. Les heures défilèrent et donnèrent raison au Paetrym : peu d'êtres vivaient dans ces bois ravagés par la magie et aucun n'aurait voulu affronter ces deux visiteurs ayant réussi à tuer les loups. Plusieurs d'entre eux n'avaient même jamais vu de lumière de leur vie et le feu les effraya.

Plusieurs heures après avoir repris la route, les deux mages, qui avaient à peine pu récupérer leur énergie pendant la nuit, aperçurent au loin la lumière du soleil. Aucun rayon ne parvenait à pénétrer dans la forêt, la barrière magique y veillant. Ils durent maintenir allumée leur torche jusqu'à la sortie. Leur vision s'accoutumait lentement à la clarté du jour, mais il leur fallut quelques instants afin de découvrir avec exactitude le paysage qui s'offrait à eux.

La chaleur était si lourde que peu de végétation y poussait. Toute verdure, au-delà du dôme de magie, avait péri. C'était une scène de désolation qui se dessinait devant leurs yeux ! Quelques débris ayant jadis été une forêt luxuriante jonchaient le sol, et s'ils portaient leur regard au loin, ces vestiges se raréfiaient pour laisser la place à d'innombrables dunes.

— Les chevaux ne pourront survivre sous cette chaleur, finit par articuler Kelm, qui semblait aussi surpris qu'Olivia devant le changement de climat.

— Pourront-ils survivre ici ? demanda-t-elle tout en caressant le museau de Ryjns. L'idée d'envoyer sa jument andalouse à la mort lui brisait le cœur. La jeune femme repensa à l'impressionnante mâchoire des loups qu'ils avaient affrontés la veille...

— Nous n'avons pas réellement le choix. Je peux les calmer une fois de plus, mais nous devons prendre le risque de les laisser à l'orée de cette forêt.

Tournant le dos à la lisière qui les séparait des ténèbres, les deux mages se lancèrent, chargés du minimum nécessaire à leur survie, dans ce dédale de sable. Aucun d'eux ne savait vers quel point se diriger. L'Yrshu de Feu avait été clair : *Celui qui n'est plus* viendrait à eux.

Chapitre 18

La nuit s'était installée, laissant un froid mortel mordre leur peau bouillante.

Kelm eut beau alimenter magiquement le feu afin de leur permettre de supporter la chute radicale de la température, rien n'y faisait. Olivia était secouée de frissons, blottie contre lui, et ce dernier pouvait sentir chaque vague de froid qui envahissait son corps.

L'odeur florale qui flottait autour de la chevelure de la Sitay engourdissait les sens du Paetrym. Elle semblait s'être assoupie tant par fatigue que parce qu'elle était gelée. Lui-même sentait ses forces le quitter lentement. Dormir était dangereux en ce milieu hostile, mais Kelm avait besoin de repos. Il leur avait fallu faire preuve d'une totale abnégation afin de se lancer tête baissée dans ce brasier de sable ! Lorsqu'il crut défaillir, il capta dans l'angle de son champ de vision une silhouette se déplacer avec une aisance surnaturelle. Dans l'état où il se trouvait, il lui était impossible de reconnaître un ami ou un ennemi. Alors, avec précaution, il déposa Olivia près du feu pour pouvoir affronter l'homme qui approchait avec célérité. Il pria pour que ce soit celui qu'ils attendaient.

Avant même d'avoir pu se préparer mentalement à une attaque, il se retrouva captif d'un regard noir strié de vert. Jamais il n'avait vu un tel agencement de couleurs. Mais comment avait-il fait pour se retrouver devant Kelm aussi rapidement ?

L'esprit du mage combattait. Kelm sentait la pression de la poigne de glace qui se refermait tel un étau sur sa gorge. Une faible vapeur s'échappait de ses lèvres, mais étrangement, il ne sentait pas le souffle de cet homme qui se tenait pourtant à quelques centimètres de son visage. Il retrouva alors une partie de ses sens et le brouillard mental que cet être créait en lui se dissipa légèrement.

Enfin, il réussit à se concentrer suffisamment pour psalmodier un sort de défense. Il espérait que le corps de son adversaire se couvrirait bientôt de flammes. L'air commençait à se raréfier : l'homme resserrait son étreinte autour de son cou. Mais comme si l'assaillant avait lu dans ses pensées, il passa lentement une main devant les yeux de son captif. Seul un être millénaire pouvait posséder la maîtrise d'une telle hypnose. Celui qui ne pouvait être un simple homme acheva de tisser une toile de soumission sur l'âme du Paetrym.

Kelm sombra dans un brouillard de ténèbres. Il eut juste le temps d'avoir peur en pensant à ce qui pourrait arriver à Olivia.

**

Lorsque Kelm retrouva ses esprits, il lui fut impossible de savoir combien de temps s'était écoulé. Il n'eut pas le loisir de s'affoler en pensant à Olivia, puisque, sous une légère lumière, il la vit qui parlait avec un interlocuteur qui n'était pas dans son champ visuel.

Elle est saine et sauve ! Il en fut instantanément soulagé.

Kelm se redressa doucement. Il était sur un immense lit recouvert de coussins mariant le rouge écarlate et l'indigo. Il ne voulait pas attirer l'attention, préférant jeter un coup d'œil autour de lui. Comme toujours, il préférait se parer à toute éventualité. Malgré l'air détendu qu'affichait la jeune femme, il se méfiait. Une odeur envahissait ses sens : il reconnaissait vaguement un mélange de feuilles de *Pogostemon cablin*. Tout ici oscillait entre l'opulence et la simplicité, ce qui le déconcertait. L'or et le rouge dominaient, richement ornés. La chambre où il se trouvait jouxtait un vaste salon. La seule sortie devait s'y trouver.

L'attention de Kelm se reporta rapidement sur la Sitay, qui venait de tourner son regard vers lui. Ses grands yeux marron ne manifestaient aucune crainte, au contraire la profondeur de son regard l'appelait à venir les rejoindre. Mis à part un étrange élancement à la base de son crâne, le Paetrym ne sentait aucune blessure. Son assaillant ne lui avait fait aucun mal. Le plancher était recouvert d'un épais tapis carmin dont les motifs dorés avaient été tissés par des mains expertes. Au château du roi Shoëg, plusieurs pièces étaient aménagées avec luxe, mais cela n'avait rien de commun avec ce qu'il voyait maintenant.

— Prends place près de moi, Kelm.

Olivia avait eu le même sentiment d'incrédulité à son propre réveil. Elle jugea préférable de briser le silence, connaissant le tempérament soucieux du Paetrym.

Tout en s'installant sur une lourde chaise de bois ouvré, le jeune homme scruta le visage de son hôte. La voix de Maëlay résonna dans sa tête... Il se rappelait une conversation qu'ils avaient eue à la bibliothèque du château.

L'homme qui se trouvait en face de lui n'avait plus rien d'humain, et ce, depuis bien des siècles, Kelm en était convaincu. Le regard vert qui le fixait semblait translucide, tant le blanc de ses yeux était éclatant. Son visage, encadré par de longs cheveux châtains, était sans âge.

L'évidence s'imposa à lui, et Olivia avait fait le même constat: la richesse en ce lieu perdu au centre du désert ne pouvait avoir été amassée pendant une seule vie d'homme.

— De ma longue existence, je n'avais jamais eu l'occasion de rencontrer une Sitay et encore moins flanquée d'un Paetrym !

Leur hôte était franchement surpris de sa découverte nocturne. Ayant senti les pouvoirs qui vivaient en chacun d'eux, il avait su que la mort n'était pas l'invitée de cette nuit-là.

— Les Dieux ont besoin de votre aide, dit Kelm.

Sa voix était rigide et les mots lui semblaient amers au creux de sa gorge. Le mage sut que ce vampire n'était nul autre que *Celui qui n'est plus*.

Ce dernier éclata d'un rire sonore et bonasse. S'accoudant à la table qui les séparait, il planta son regard dans celui de Kelm, redevenant tout à coup d'un calme impénétrable.

— Depuis notre création, jamais les Dieux ne se sont souciés de nous. Je trouve ironique votre entrée en matière, jeune mage.

Le vampire parla d'une voix grave et si basse que ses interlocuteurs devaient y porter toute leur attention.

— Ne pas voir ne signifie pas l'indifférence... murmura le mage.

Poussant un long soupir, leur hôte se leva afin d'aller regarder les étoiles.

— Je me nomme Jeerdhs Lëanoläk, mais, je vous prie, n'utilisez que mon prénom. Au diable les formalités ! dit-il, brisant le silence qui s'était installé. Avant cette nuit, si on m'avait dit que j'accueillerais un jour un duo tel que le vôtre, je ne l'aurais pas cru.

— Dois-je en conclure, Jeerdhs, que vous êtes disposé à entendre notre requête ? Ce fut Olivia qui parla, invitant le vampire à revenir auprès d'eux.

— En effet, jeune Sitay. Un être de mon âge ne se lasse jamais d'histoires.

Le vampire alla prendre des coupes ouvrées et y versa un cidre au goût de miel, qui leur était totalement inconnu.

Kelm laissa Olivia raconter son intrusion sur la terre de Faöws ainsi que l'apprentissage de ses dons. Puis il exposa les préparatifs de guerre du roi Shoëg. Cyrm avait été clair : ils devaient le convaincre de prendre part à cette guerre... Jeerdhs resta impassible jusqu'à ce que le mage précise le mal qui étendait jour après jour son ombre sur le royaume de Shimrae, en parlant de la mort des habitants de Tyurn. Les traits du vampire se figèrent comme le marbre en entendant le nom de Viktor.

Comment son frère avait-il pu en venir à ressentir tant de haine... et à la transmettre à une légion de vampires ? Il ne doutait pas de la véracité de tout ce qu'il venait d'entendre, mais jamais Jeerdhs n'aurait cru cela possible. Du moins, il aurait voulu s'en convaincre.

Lorsqu'enfin la Sitay et le Paetrym se turent, le vampire parut égaré dans ses pensées.

— Sachez que de tous les vampires foulant toujours cette terre, je suis le plus âgé, et pendant ma longue vie, j'ai vécu maintes histoires. Ce dont vous me faites part me sidère, dit-il enfin. Le pauvre semblait ébranlé, il avait appris à réagir avec légèreté face aux nombreux aléas d'une vie plusieurs fois centenaire, mais cette fois son trouble était palpable.

— Le temps nous presse, les armées de Viktor se regroupent déjà afin de porter l'attaque finale. Kelm était fidèle à ses habitudes, il lui était inconcevable de tourner autour du pot. Accepterez-vous de nous aider dans cette bataille où le sort des hommes de Faöws se jouera ?

Jeerdhs aurait aimé répondre d'emblée par l'affirmative. Il se leva, une lassitude millénaire se faisant sentir dans tout son corps. Il se servit un verre de cidre qu'il vida d'un trait, puis il retourna se poster à la fenêtre.

— Il nous est strictement interdit d'attenter à la vie d'un de nos frères. Très peu de règles régissent notre nature, mais cette dernière n'a jamais été transgressée, dit le vampire le dos tourné.

— Et ce, même si la nature de ce vampire a complètement changé et qu'elle trahit ce pour quoi vous avez été créés? interrogea Olivia.

Elle tentait de rester maîtresse de ses émotions, mais cette réplique lui échappa. Après avoir souffert dans une existence, elle se battait encore une fois pour survivre.

Kelm la fixa, cachant son étonnement. Cette femme qui avait vu le jour sous des cieux bien différents adoptait maintenant le discours de leur monde. Le Paetrym avait vu s'opérer en elle des changements incroyables au cours des dernières semaines, mais il ne pouvait pas savoir qu'une grande partie de la mémoire de la jeune femme avait été effacée afin qu'elle fasse de sa nouvelle vie la sienne. Tout à coup, il le comprit.

D'une voix mélancolique, le vieux vampire s'adressa à eux, se retournant afin de leur faire face.

— Si je me refuse à combattre Viktor, je tenterai néanmoins de le raisonner, concéda Jeerdhs.

— Croyez-vous que Viktor est le type d'êtres qu'on puisse mener hors de la voie qu'il a choisie? demanda Kelm.

— Vous garantir ma réussite reviendrait à vous mentir, je l'avoue.

La jeune femme voyait toute l'inquiétude qui envahissait Kelm. Il craignait, au fond de lui, d'avoir fait tout ce chemin en vain, sans pouvoir apporter une aide concrète aux habitants du royaume. Olivia se leva, puis alla s'appuyer contre le rebord de la fenêtre, fixant à son tour le ciel sans nuage.

— Alors, Seigneur Lëanoläk, vous acceptez de nous accompagner lors du trajet de retour? demanda-t-elle d'une voix ferme, mais si douce qu'elle était à peine audible.

Kelm remarqua qu'elle avait retiré ses protections de cuir ainsi que ses armes. La Sitay semblait faire confiance au vampire qui se tenait toujours à sa droite.

— Je vous en prie, Olivia, je lis en vous que vous ne prisez guère les grands titres, comme celui qui vous va si bien, alors Jeerdhs fera l'affaire, lui dit-il momentanément plus serein. Je vais faire plus que vous accompagner...

Il les invita à le suivre dans un large escalier de marbre éclairé par des torches de fer ouvragé. La porte qui y menait était cachée par une tapisserie brodée de rouge et d'or. Les deux mages ne soufflaient mot, se contentant de suivre le vampire jusqu'à une vaste pièce au bout d'un long couloir aux nombreuses portes en bois massif. Il leur en coûtait beaucoup à tous les deux de ne pas le harceler de questions.

— Vous possédez chacun des ressources divines incroyables, mais vous ne pourrez combattre à vous seuls les légions de tueurs de Viktor, dit enfin Jeerdhs.

Ce dernier se rendit jusqu'au fond de la salle, en allumant au passage les nombreux flambeaux déjà rivés aux parois de pierre. Accrochées au mur se trouvaient une vingtaine d'armes de forme et de nature différentes, dont certaines étaient totalement inconnues du Paetrym.

Le vampire choisit une épée courte et une dague, qu'il tendit à Olivia, puis porta son choix vers deux cimeterres pour Kelm.

— Que voulez-vous que nous fassions avec ces lames ? l'interrogea Olivia, portant son regard vers Kelm qui, lui, semblait avoir compris la pensée de Jeerdhs.

— Vous devrez enseigner à vos hommes la danse dans laquelle ils devront entrer afin d'escompter toucher les vampires, qui eux n'auront qu'un seul but : les massacrer, répondit-il d'une voix calme.

Jeerdhs retira son chandail vert sombre qui seyait à sa musculature, montrant une peau étonnamment hâlée pour un vampire. Il sourit franchement à la jeune femme qui semblait perplexe, et cette dernière put apercevoir pour la première fois de sa vie les canines faisant la renommée de tous les vampires. Cet aspect meurtrier contrastait étrangement avec l'attitude de leur hôte.

— J'espère sincèrement que vous réussirez à m'atteindre. Si ma peau se régénère à une vitesse que vous ne pouvez imaginer, il n'en est pas de même pour mes vêtements, dit le vampire, l'air malicieux, en réponse aux interrogations qu'il devinait chez les deux mages.

— Vous croyez en vos enseignements, répliqua Kelm.

Tout en soupesant ses cimeterres, il enchaîna :

— J'aime beaucoup ces armes incurvées, mais je n'ai pas l'habitude de les manier en duo.

— La longue portée des lames est souvent privilégiée, mais en combat contre les miens la célérité qui leur est propre annulera cet avantage. Ils profiteront de l'ouverture que vous offrirez en portant vos coups, ajouta-t-il, s'affirmant déjà comme un maître d'armes prêt à dispenser sa leçon.

Prenant lui-même une épée standard, il invita Kelm à lancer la première offensive. Celui-ci ne se fit pas prier. L'échange de taille et d'estoc se développa en un ballet meurtrier. Lorsque le jeune mage ouvrit sa garde afin de porter ses coups en une fente, Jeerdhs tourna sur sa gauche à une vitesse qui sidéra même Olivia, qui assistait à l'échange. Le vampire eut le temps de sortir une dague cachée dans le haut de sa botte, puis coinça le bras tendu de Kelm et appuya la courte lame sur son flanc.

— Et vous croyez que nos hommes pourront vaincre contre vos semblables ? demanda Kelm, le souffle saccadé.

— Je dois vous avouer, Kelm, que cela faisait maintenant bien des décennies que je n'avais eu la chance d'échanger quelques parades : j'en oublie la vitesse que je peux atteindre. Sachez qu'une telle vélocité s'acquiert seulement après un grand nombre de siècles.

Contrairement au Paetrym, le vampire n'était pas essoufflé. Il semblait d'ailleurs serein, plus aucune trace ne subsistait de la mélancolie qui l'avait envahi en apprenant les agissements de son frère... car il le considérait toujours comme tel.

— Comment pouvons-nous compter vous atteindre ? demanda Olivia, doutant visiblement de ses chances de vaincre. Si Kelm n'y arrivait pas, comment le pourrait-elle ?

— J'ose espérer que vous serez plus nombreux, car Viktor misera sur les dons propres aux vampires pour vous écraser et non sur la quantité de fantassins qu'il vous enverra.

Jeerdhs se tourna vers Kelm.

— Nous ferons en sorte de les surpasser en nombre, soyez-en certain, répondit le mage.

Le vampire alla se poster au centre de la salle de combat. Olivia avait toujours peine à croire que l'être qui se tenait devant eux était âgé de plusieurs siècles. Il semblait ne pas avoir atteint la quarantaine. Aucun cheveu blanc ne venait strier ses fins cheveux châtains et son regard vert témoignait d'une sagesse et d'une vivacité qu'elle n'avait jamais rencontrées. Jeerdhs s'installa en position de garde, puis convia les deux jeunes mages à le rejoindre.

— Je vous conseille fortement de porter l'attaque à deux contre un, mais en ce lieu, pas de magie, je vous prie. Je n'ai pas envie de griller ! ricana Jeerdhs.

Olivia se débrouillait tant bien que mal, mais Kelm faisait montre d'une plus grande maîtrise du combat corps à corps. Ils échangèrent coups et meurtrissures, sans pour autant prendre le dessus sur le vampire. Les échecs s'enchaînaient les uns après les autres. Lorsqu'un des deux réussissait à ouvrir une faille pour l'autre, Jeerdhs semblait s'y soustraire, anticipant leurs mouvements.

Il fondit derrière Olivia et passa son bras de manière à la coincer contre son torse. Il plaqua son épée sur elle, tandis que son autre lame bloquait son dos. La jeune femme sentit que le souffle du vampire commençait à peine à s'accélérer et la force brute de ce dernier lui parut sans fin. Elle n'arriva pas à esquisser le moindre mouvement pour se défaire de la poigne de Jeerdhs.

Maintenant fermement la Sitay, il s'adressa à eux deux d'une voix grave. Lisant dans les yeux du Paetrym le lien qui l'unissait à la Sitay, Jeerdhs décida de provoquer la rage nécessaire à tout combat.

— Si vous désirez survivre, vous devez embrasser la mort et danser avec elle. Il vous faudra vous rapprocher davantage de votre ennemi...

Découvrant ses canines meurtrières sous le regard de Kelm, il alla caresser de ses lèvres le cou de la Sitay, tel un amant. Il ne quitta pas les yeux bleus du mage et y vit exactement ce qu'il espérait y trouver.

Libérant Olivia d'une torsion du bras, il l'envoya valser à quelques mètres de là. Se ressaisissant rapidement, elle reprit la position de garde, lame haute. Contrairement à Kelm, elle ne s'était pas sentie en danger. Lui, en la voyant à la merci d'un vampire prêt à la mordre, sut que ça aurait pu être n'importe lequel de leurs ennemis.

Le Paetrym lança un regard furtif à Olivia, s'assurant qu'elle était prête à tenter un nouvel assaut. Il attaqua avec l'agressivité que Jeerdhs espérait. Ses coups étaient précis. Il maniait avec une justesse accrue les lames incurvées, et malgré sa rapidité, le vampire se retrouvait de plus en plus débordé. Si le mage poussait plus loin ses lames, la jeune femme avait compris comment utiliser sa petite taille à son avantage, et ce, avec une agilité surprenante. La dague ainsi que l'épée courte qu'elle maniait nécessitaient une charge rapprochée, bien que dangereuse.

Occupé à repousser un énième assaut du mage, qui réussissait à faire valser ses cimeterres comme s'ils étaient l'extension de ses bras, Jeerdhs eut peine à réaliser qu'Olivia avait fait volte-face à sa gauche, se retrouvant dans son dos. Sa peau légèrement humide frissonna au contact du tissu soyeux de la tunique rouge de la Sitay. Prenant le vampire au dépourvu, Olivia bloqua de son épée le mouvement de son adversaire pour se retourner contre elle, et sa dague réussit à entailler son flanc droit. Ne désirant pas se retrouver enlacée comme plus tôt, elle se propulsa et tourna sur elle-même.

Alors, Kelm s'élança, stoppant net sa lame droite à la base de la nuque de Jeerdhs. Tous les trois s'immobilisèrent enfin.

Ce fut le vampire qui réagit le premier, touchant de sa main libre le sang qui perlait sur sa peau.

— Enfin, vous avez compris ! dit-il en riant. Il remarqua que la jeune femme fixait le sang qui maculait ses doigts.

— Ne vous en faites pas pour moi, Olivia, c'est Kelm qui aurait pu m'être fatal. La tête ou le cœur ! ajouta-t-il en esquissant un clin d'œil.

Il se retourna afin de leur montrer son torse, passant sa main là où le sang tachait sa peau. Ses deux adversaires purent admirer sa capacité de guérison, puisque plus aucune trace de coupure n'était maintenant visible.

— Nous avons peut-être compris, mais l'appliquer n'est pas aussi aisé, répondit Kelm, essoufflé par cette joute.

Ils continuèrent ainsi l'entraînement pendant plusieurs heures, jusqu'à ce que leurs bras ne puissent plus soulever les armes. Le soleil s'était levé à l'étage, mais le vampire ne s'en souciait guère. Sa crypte étant au sous-sol, il laissa donc les deux mages s'installer dans la chambre où ils s'étaient réveillés plusieurs heures auparavant. Ils auraient beaucoup de route à faire et devraient obligatoirement voyager de nuit puisqu'il avait accepté de les accompagner jusqu'au château, afin de leur offrir l'aide que son code lui permettait d'apporter.

**

L'odeur de la cire qui se consumait depuis de trop longues heures lui chatouillait le nez: preuve que cette rencontre s'éternisait. Shoëg avait choisi la grande salle de la tour ouest du château afin d'y convier ses conseillers. Très peu fréquenté, ce secteur leur permettait une parfaite discrétion pour préparer cette guerre qu'ils savaient inévitable. Bien qu'habituellement son Paetrym assistât à toutes les rencontres, il était absent ce jour-là, étant toujours en mission avec la Sitay. Le roi ne pouvait plus repousser les préparatifs. Il avait dépêché un de ses meilleurs éclaireurs pour savoir quand les deux jeunes mages ressortiraient de la triste forêt de Tykquarr.

Face à lui, ses trois conseillers militaires dominaient l'espace au-dessus de la table recouverte de multiples cartes. L'heure n'était plus aux discussions d'ordre politique, et Reesom avait été délégué à titre d'émissaire auprès du roi Hezyr. Les derniers pourparlers ne s'étant pas soldés par un accord, l'armée de Shoëg avait impérativement besoin de soldats supplémentaires.

— La plupart des villages et hameaux au nord de Tyurn ont été soit dévastés, soit désertés.

Bemyrl parlait à voix basse, tout en décrivant un arc de cercle sur la carte, accentuant ainsi la gravité de cette annonce. En effet, la zone que cela couvrait montrait l'étonnante avancée des forces de Viktor. Nuit après nuit, les attaques menées par Miryano augmentaient en nombre, laissant toujours suffisamment de survivants pour semer la peur. C'était par eux qu'ils avaient pu connaître le nom de cet ennemi. Les semaines s'étaient écoulées et le général avait dénombré exactement treize lieux ravagés par ces monstres, et c'était sans compter les voyageurs morts sur les routes.

Bien que le souverain soit de forte stature, ce général était le plus imposant des militaires présents. Son teint doré par les heures passées à l'entraînement extérieur rendait éclatant le blond de ses cheveux éclaircis par les années. Bemyrl continua ses explications, ses yeux bleu sombre captant l'attention de ses interlocuteurs. L'homme était de nature peu loquace. Lorsqu'il prenait la parole, chacun l'écoutait respectueusement.

— Cela fait maintenant près de deux mois que je suis responsable de la protection des réfugiés. Leur nombre ne cesse de croître ! Messieurs, si nous tardons avant de porter l'offensive, il nous sera bientôt impossible de nourrir et de loger tous ces gens, termina-t-il. La teneur de ses propos révélait son côté pragmatique.

Shoëg hocha seulement la tête pour donner son accord. Le roi désirait entendre les diverses tactiques de ses généraux. Durant les dernières heures, ils avaient répertorié les endroits les plus touchés, ainsi que les forces utilisées par l'ennemi.

Zoguar faisait tournoyer une dague sertie d'émeraudes. Plus petit que Bemyrl, l'homme en imposait par sa carrure. Tout en muscles, il portait toujours un pardessus en cuir matelassé noir ainsi qu'un pantalon sombre. Il semblait constamment prêt au combat et ne sortait jamais sans une arme cachée sous ses vêtements.

Stoppant le roulement de sa dague, il la planta sur une des cartes, visant un emplacement bien précis et surprenant tous les autres.

— Selon moi, c'est l'endroit logique. Ce Viktor a certainement établi ses quartiers dans l'ancien château abandonné, vers l'extrémité ouest du royaume, dit-il tout en désignant l'arme toujours plantée dans la table. Aucune indication ne figurait pourtant sur le papier.

— Et pourquoi ce château ? risqua Novan.

Étant le général en chef de la cavalerie, il connaissait les avantages militaires de ce lieu éloigné et fortifié, mais il désirait entendre le raisonnement de son frère d'armes. Après tout, ils étaient tous ici afin de donner des points de vue différents...

— Peu leur importe de défendre un château, une terre ou des familles. Nous ne pourrions rejoindre leurs fortifications avant qu'ils ne fondent sur nos hommes dès la première lune. Ce château est soigneusement évité par toutes les âmes vivantes, et ce, depuis bien longtemps ! La guerre qui l'a ravagé a laissé une ombre maudite sur ce lieu, dit-il à mi-voix, comme s'il craignait une quelconque malédiction.

Zoguar tirait ses origines de l'ancien royaume de Nomelhan. Certains l'avaient baptisé «le prince déchu», mais personne ne pouvait certifier s'il avait du sang royal. D'ailleurs, le principal intéressé ne s'en souciait guère.

— J'ai une totale confiance en ton jugement et je sais que tu as souvent parcouru ce secteur, le rassura Novan, qui abondait effectivement en son sens. Ils devaient impérativement savoir d'où étaient lancées ces attaques. Ils semblaient enfin avoir trouvé.

Le roi regarda Bemyrl qui hocha la tête, montrant qu'il appuyait les propos de Zoguar. Shoëg tourna le dos à ses hommes et regarda à l'extérieur. La nuit s'était lentement installée et le calme veillait sur les habitants de Shimrae. Le souverain se passa lentement la main dans les cheveux, puis fit de nouveau face à ses conseillers. La lueur de la lune semblait argenter le blanc qui striait sa chevelure sombre.

— Messieurs, nous n'aurons qu'une seule chance. Portons le coup fatal rapidement ou nous serons tous maudits. Le plan établi ne pourra faillir.

— Que nous frappions trop tôt ou trop tard, cela risquera pareillement de nous mener à la mort, souffla Novan en se penchant sur la carte où trônait toujours la dague de Zoguar. Alors qu'il retirait l'arme dans le but de la rendre à son propriétaire, il remarqua pour la première fois le serpent d'or enroulé sur la garde... Ce symbole lui était familier, mais il n'arrivait pas à se souvenir où il l'avait vu.

Chacun de ses frères d'armes attendait qu'il continue son exposé.

— La plaine d'Hiur longe la forêt, la séparant du château de Nomelhan. Si le soleil du jour nous est favorable, nous devrons les inviter au combat là où nos armées pourront vaincre.

— Sommes-nous donc tous d'accord pour provoquer l'assaut final ? demanda Bemyrl, qui espérait une confirmation de tous. La défensive n'était plus une option pour ce général !

C'était au roi que revenait la charge de prendre la décision. Cette fois-ci, ils étaient tous d'accord. D'un pas lent, Shoëg prit place entre ses hommes, puis parla d'une voix assurée.

— Quatre nuits se sont écoulées depuis le départ de notre Paetrym et de la Sitay de Feu. Nous pouvons estimer leur retour d'ici deux jours. Leur quête, espérons-le, nous apportera une aide non négligeable. Préparons nos armées pour un départ dans neuf nuits, conclut le roi en rassemblant les divers documents.

Les soldats continuèrent les préparatifs de guerre en tenant compte des délais décidés par le roi Shoëg. Ils s'arrêtèrent seulement au lever du jour, épuisés, mais sûrs qu'ils seraient prêts pour affronter les vampires.

Chapitre 19

La respiration lente et régulière de Kelm berça le réveil de la jeune femme. Ils n'avaient pas tardé à trouver le sommeil après leur séance d'entraînement. En ouvrant les yeux, Olivia réalisa que la nuit était déjà bien installée. Elle se lova contre le torse du mage et le réveilla du bout des lèvres.

— Nous devons nous tenir prêts pour notre départ, il fait maintenant nuit noire, l'informa-t-elle.

— Est-ce que notre hôte est remonté ? demanda Kelm, tout en enveloppant Olivia de ses bras endoloris.

Cette pause ne dura que quelques secondes. La jeune femme quitta la chaleur des draps soyeux, afin de revêtir sa tunique rouge sang ainsi que son caleçon noir. Tout en s'occupant de sa ceinture, elle se retourna pour lui répondre.

— Aucun bruit ne m'a signifié sa présence, mais j'imagine que s'il ne voulait pas que nous captions son énergie, nous serions bluffés.

— Tu me surprends chaque jour, *mi sayl*, avoua Kelm. Ta capacité d'adaptation et de perception est hors du commun.

Il se souvenait de la jeune femme fragile qu'il avait sauvée sur le port. Celle qu'il voyait maintenant lui ressemblait si peu !

— Qui l'aurait cru... dit Olivia, esquissant un clin d'œil. Elle faisait plutôt allusion à l'austérité de Kelm lors de son arrivée au château.

Le Paetrym se préparait à son tour lorsque la lourde porte d'entrée s'ouvrit sous le grincement des gonds. Jeerdhs pénétra dans sa demeure, sous le regard ébahi des deux jeunes mages qui s'étaient attendus à le voir surgir par l'escalier venant du sous-sol.

— Vous semblez avoir bien dormi tous les deux ! lança-t-il.

Il déposa un lourd paquetage sur le buffet de bois exotique, puis se tourna vers le couple. Il était prêt à partir, mais il s'était souvenu que les deux mages n'avaient rien avalé depuis la veille. Le vampire sortit de son sac de fins emballages de toile, qu'il disposa sur la table à sa gauche. Des fumets de sucre et de miel vinrent chatouiller le nez d'Olivia, dont le ventre réagit bruyamment à ces stimuli.

Jeerdhs avait revêtu un pantalon qui ressemblait à du lin d'une couleur rappelant les dunes. Il portait des bottes de cuir marron, savamment lacées jusqu'à mi-mollet, et un chandail tout aussi seyant que celui de la veille, d'un vert sombre qui venait assombrir son regard. Il retira le lourd foulard qui couvrait son cou ainsi qu'une partie de son visage et le déposa sur le dossier de la chaise près de lui.

— Pour me nourrir, j'ai ce qu'il me faut, mais il m'a fallu parcourir une grande distance afin de trouver un repas digne de mes invités, dit-il en les conviant à sa table.

— Nous vous remercions pour cet accueil, répondit Olivia devançant Kelm.

— Et nous nous excusons de ce lever tardif, renchérit ce dernier, ne sachant depuis combien de temps le vampire les attendait pour les accompagner vers le château du roi Shoëg.

Jeerdhs leur tendait différents croissants et pâtés, assortis de fruits qui leur étaient étrangers.

— Sachez que plus un vampire est âgé, plus sa résistance aux aubes et aux aurores s'accroît. Sans compter que le besoin en heures de repos diminue. Ne vous en faites donc pas, je suis sorti au moment où les derniers rayons du soleil se retiraient du ciel.

Dès que le repas fut terminé, après les avoir régalés d'histoires dignes d'un vampire, Jeerdhs retourna s'occuper du paquetage toujours posé sur le mobilier près d'eux. Il en sortit deux paquets enveloppés dans un coton épais, leur cachant ce qui s'y trouvait.

Il déposa les deux baluchons sur la table, devant ses invités.

— Qu'est-ce que c'est? demanda Olivia, ne s'attendant pas à recevoir davantage que l'apprentissage de la veille.

— Votre mission est périlleuse. C'est une charge incroyable qui pèse sur vos épaules à tous les deux. Je perçois que pour mon peuple une transition approche, soupira-t-il, nostalgique. Votre quête est commandée par les Dieux eux-mêmes et ces présents sont bien maigres, si on compare cela aux richesses que ma longue vie m'a offertes. Vous me faites un honneur en acceptant ces contributions.

Jeerdhs avait repris cet air mélancolique, songeant que ses deux jeunes mages combattraient Viktor lui-même, s'il ne réussissait pas à lui faire entendre raison. Ils avaient été créés pour ouvrir le passage de la mort, non pour la provoquer ! Il doutait d'ailleurs de l'aboutissement de cette confrontation avec son frère.

Olivia défit le lien qui retenait l'emballage et en ressortit un corset d'armure fait de cuir noir et serti de rubis. Au-dessus de la poitrine, un lacet rouge maintenait le tout en place. Lorsqu'elle la souleva, la Sitay réalisa que l'armure avait le poids d'une plume. De plus, sous le corset se trouvait une paire de gants du même cuir noir, aussi richement paré de pierres précieuses, ajoutant ainsi une touche féminine à l'ensemble.

— Aucune lame forgée par les hommes ne pourra percer ce cuir. Cet ensemble te siéra à merveille, dit Jeerdhs, voyant qu'elle n'arrivait pas à trouver les mots pour lui signifier sa gratitude. Mais attends, voici autre chose pour toi...

Il alla chercher deux autres paquets, beaucoup plus longs cette fois. Il déballa l'un d'eux et offrit à la Sitay la dague ainsi que l'épée courte qu'elle avait maniées avec brio la veille.

En s'en saisissant, elle réalisa que les gardes avaient été modifiées. Elles étaient maintenant légèrement matelassées de cuir noir et un fin filet d'or s'y enroulait. Sur la moitié des deux lames couraient de nombreux rubis.

— Jamais ces lames ne s'émousseront, finit-il par dire.

Jeerdhs fut pris par surprise lorsqu'Olivia déposa ses présents sur la table, l'enlaça et déposa un baiser sur sa joue froide.

— C'est un immense honneur pour moi de recevoir de tels présents, lui souffla-t-elle à l'oreille.

— Cela faisait des siècles qu'une humaine ne m'avait pas enlacé ainsi sans aucune crainte! répondit-il, souriant à nouveau. Puis il tourna son attention vers le mage, qui n'avait pas soufflé mot.

Devant lui se trouvait une veste d'un cuir marron, un plastron d'armure sans manche. Sa légère doublure était recouverte d'une soie bleue comme le ciel. Finement surpiqué, un motif de flamme s'élevait de chaque côté. Tout comme pour Olivia, Kelm y trouva un supplément: des protecteurs d'avant-bras, fabriqués avec le même souci du détail.

Le vampire lui tendit alors les deux cimeterres qu'il reconnut. Ils avaient également été modifiés et s'harmonisaient au reste de sa tenue de combat. Sous le reflet des étoiles, des saphirs incrustés semblaient irradier de bleu la lame qu'il brandissait.

— Les mêmes enchantements ont été portés à tes équipements, lui confirma le vampire.

D'une poignée de main, le Paetrym le remercia.

— Malheureusement, si je puis dire, ces présents nous serviront grandement, et ce, plus tôt que nous le pensons, répondit Kelm, qui devait avouer qu'il était ému de recevoir ces présents. Il ne sentait d'ailleurs plus d'animosité envers la nature vampirique de leur ami.

— Il est sage de lancer son cœur à la guerre tout en préférant l'éviter, songea Jeerdhs à voix haute. Pour l'heure, nous devons partir et rejoindre vos montures qui vous attendent toujours à l'orée de la forêt de Tykquarr.

Le froid était mordant, mais le vampire connaissait le désert et leur assura que le trajet serait relativement court. Si les deux mages peinaient à avancer, chacun de leurs pas s'enfonçant dans le sable, Jeerdhs semblait flotter au-dessus de cette mer sèche.

Enfin, lorsque la jeune femme sentit le froid engourdir ses pieds au point de ne pouvoir contenir une grimace à chacun de ses pas, les branches et les arbres morts commencèrent à être de plus en plus nombreux. Leur guide avait vu juste, car en moins de deux heures, ils retrouvèrent les chevaux, toujours sous l'hypnose de Kelm.

— Nous disposons de combien de temps avant le lever du jour? questionna Kelm.

— Dans moins de deux heures, l'aube pointera, estima Jeerdhs en tournant la tête vers les étoiles.

— Nous pourrons profiter des ténèbres de la forêt afin de continuer à voyager dans l'ombre, devina la jeune femme.

Jeerdhs posa une main sur l'épaule de la Sitay, qu'il aimait comme une petite sœur.

— Il n'y a pas d'autre choix que de voyager ainsi jusqu'au château, renchérit-il avant de pénétrer sous le couvert des arbres.

Ils purent poursuivre la route dans la forêt sans qu'aucune créature ose les approcher. L'être le plus dangereux en ces bois était certainement celui qui marchait aux côtés des mages ! Les humains purent se reposer davantage, puisque Jeerdhs n'avait pas autant besoin de pause et pouvait d'ailleurs se nourrir des animaux de la forêt, même si ce n'était pas là son mets le plus prisé...

Pour le trio, il fut beaucoup plus difficile de traiter avec les tenanciers des différents gîtes et auberges qu'ils trouvaient sur leur route. Bien que le vampire gardât constamment le capuchon de sa cape rabattu sur son visage, les gens ressentaient une méfiance incontrôlable en sa présence. Par chance, la réputation du Paetrym les devançait. Moyennant quelques pièces d'or, ils évitèrent d'être importunés pendant le jour, où ils dormaient tous à l'abri du moindre rayon de soleil.

Jeerdhs réussit toutefois à négocier l'achat d'un étalon ébène, ayant pris soin d'apporter quelques pierres précieuses. L'appât du gain surpassa la crainte naturelle qu'il engendrait. Les voyageurs franchirent enfin l'enceinte du château vers la fin de la quatrième nuit de chevauchée. Ils disposaient de peu de temps avant le lever du soleil. Olivia pria le jeune palefrenier de faire transmettre rapidement le message de leur arrivée au souverain par sa gouvernante, qu'elle savait inquiète elle aussi.

— Je t'en prie, demande à Merryl de convier le roi au banshal du Paetrym. Fais vite...

Le garçon n'avait plus son air intimidé. Il lançait des regards inquiets vers l'homme cachant son visage qui venait tout juste de descendre de sa monture.

L'aube commençait à peine à étendre son emprise lorsque les voyageurs franchirent enfin la porte menant aux appartements du mage. Olivia s'empressa de fermer les volets ainsi que les rideaux, plongeant la totalité des pièces dans une obscurité profonde.

— J'avoue que je suis ravi de me départir de cette lourde cape ! dit Jeerdhs en lançant son vêtement sur une chaise non loin de lui. Après quatre nuits entières à se cacher le visage, le vampire aimait voir ses interlocuteurs en face et sentir l'air frais sur sa peau.

— Pouvez-vous m'expliquer cette réaction qu'ont les gens à votre approche ? questionna Kelm, dont l'aversion de ses semblables ne lui avait pas échappé.

Le vampire se rapprocha, plongeant son regard vert translucide dans les yeux de Kelm, qui sentit le malaise s'insinuer en lui.

— Rappelle-toi la sensation de danger qui t'avait étreint à ton réveil dans ma demeure : tous les vampires signifient la mort. Mais il semblerait que les Dieux aient trouvé une autre façon d'ouvrir le passage vers le repos éternel. Je suis donc un des derniers de ma race à vivre selon nos anciens préceptes.

La voix de Jeerdhs était comme un murmure, grave et sérieuse. Les mages ne s'attendaient pas à ce que le vampire soit si sensible. Il renchérit :

— La mort qui rôde engendre une peur innée chez les humains, termina-t-il en se tournant vers Olivia.

— Je peux comprendre qu'ils ressentent ces émotions, mais pourquoi ne réalisent-ils pas que vous n'êtes pas une menace pour eux ? demanda-t-elle.

— Venant d'une femme ayant affronté la mort avec tant de sérénité, je ne suis pas surpris de cette question, dit-il en esquissant un sourire. Tout comme l'a fait Kelm, s'ils le voulaient, ils pourraient comprendre.

Le mage fut troublé. Il ne comprenait pas l'allusion du vampire concernant la mort de la Sitay. Il savait qu'Olivia avait dû renoncer à la vie sur sa terre natale, mais avait-ce été sa propre volonté ? Jeerdhs lut dans ses pensées.

— Non, Paetrym Hirms, ne pensez pas que votre Sitay désirait la mort, dit-il, réalisant que pour le mage, le suicide était inconcevable.

Olivia perçut le désarroi de son amant et décida de s'expliquer. Ils n'avaient en fait jamais réellement abordé le sujet.

— Kelm, je désirais vivre, mais la souffrance en moi était telle que la mort fut malheureusement une délivrance...

La voix d'Olivia se cassa. Elle avait presque effacé ce moment de sa mémoire. Elle se souvint alors de tout ce qu'elle avait enduré. Sentant le trouble envahir la jeune femme, Kelm la fixa avant que le bleu ciel ne vire à l'indigo et une vague de bien-être monta en elle. Il désirait lui apporter du réconfort, se sentant coupable d'avoir fait ressurgir ces souvenirs douloureux.

Avec un demi-sourire, Jeerdhs termina son explication.

— Lire en vous, les humains, est si facile pour un être de mon âge que j'oublie que cela est indiscret. Mais vous comprenez maintenant pourquoi Olivia ne ressent pas ces malaises à mon égard. Elle a déjà traversé la mort, expliqua-t-il.

L'invité se dirigea vers l'immense bibliothèque du mage. Livres et fioles innombrables s'y entassaient. Le tout lui servait à différents sorts, et rien n'était laissé au hasard sur la grande table de travail. Jeerdhs remarqua que le Paetrym était d'une extrême méticulosité.

— Vous êtes intéressé par la magie? demanda Kelm en s'accoudant sur le mur à côté de l'étagère, faisant ainsi face au vampire.

Celui-ci s'éloigna lentement, après avoir reconnu bon nombre de composants pour des sorts.

— Durant mes premiers siècles de vie, je m'y suis grandement intéressé, mais c'est un art que je pratique de moins en moins... De ce que je vois, vous semblez être versé dans l'élément du Feu, constata-t-il.

— Ne vous en faites pas, je n'ai pas l'intention d'en user en votre présence, répondit le mage. C'était maintenant à son tour d'user de malice. Cela fit rire le vampire.

Olivia, qui assistait à l'échange entre les deux hommes, se disait qu'ils se ressemblaient beaucoup. Si Jeerdhs changeait d'idée et combattait à leurs côtés, ils auraient un atout considérable. À cette idée, la Sitay sentait l'espoir s'installer en elle.

Les mages sursautèrent lorsque des coups retentirent contre la porte du banshal. Les sens du vampire lui avaient permis de déceler qu'une présence approchait. Il s'était assis au bureau de Kelm, affichant un air décontracté. Olivia alla ouvrir, sachant bien qui se tenait de l'autre côté.

— Bonjour, Monseigneur. Navrée de requérir un entretien si tôt, l'accueillit Olivia.

Malgré l'heure matinale, le roi n'affichait nullement la mine de celui qu'on tirait du lit. La jeune femme réalisa qu'il avait certainement été informé de leur arrivée, et ce, bien avant que le palefrenier ne transmette son message à Merryl.

— Je vous attendais, Milady. Et je vois que votre quête se solde positivement, dit-il en reportant son attention sur celui qu'il savait être le vampire et qui se tenait dans l'ombre. Il avait été lui-même extrêmement surpris lorsque son éclaireur était revenu, fébrile, avec cette information, deux jours auparavant.

La jeune femme sourit, tout en laissant le roi pénétrer dans la pièce.

Jeerdhs se leva à une vitesse qui le caractérisait. En une fraction de seconde, il se retrouva à moins d'un mètre de Shoëg, lui tendant une main polie. Tous purent remarquer le tressaillement des muscles de la mâchoire du roi. Il répondit pourtant à ce salut en surmontant cette étrange nervosité qui l'envahissait. Comment aurait-il pu savoir que chacun de ceux qui l'avaient croisé s'était retrouvé aussi troublé ? Sauf Olivia.

— Vous êtes donc *Celui qui n'est plus*, tel que les Yrshus l'avaient annoncé, dit Shoëg, brisant le silence qui s'était installé.

— Il semblerait, en effet. Mais ma participation est bien maigre face au fardeau qui pèse sur les épaules de ces deux jeunes gens, rétorqua Jeerdhs d'une voix calme.

Le charisme du vampire opérait et le souverain se détendait lentement. Jeerdhs expliqua en détail à Shoëg l'aide qu'il comptait leur offrir, en considérant les règles immuables dont il semblait être le seul à suivre encore les préceptes. Il répondit à toutes les questions du souverain, sous les regards de Kelm et d'Olivia qui se tenaient en retrait, laissant celui-ci diriger cet entretien. Le roi se rembrunit lorsqu'il comprit que le vampire n'accepterait jamais de combattre Viktor.

— Une lame telle que la vôtre aurait pu être un atout précieux pour nous, dit enfin Shoëg Shimrae. Mais je ne peux qu'honorer vos principes et vous remercier de l'aide que vous nous apportez.

— Néanmoins, il sera plaisant pour moi de jauger vos meilleurs escrimeurs ! Rien de tel pour eux que d'affronter un vampire, répondit-il en souriant à belles dents.

Assurément, Jeerdhs ne se souciait pas de l'image de mort qu'évoquaient ses canines meurtrières.

Cette aide était inespérée, mais quelque chose agaçait l'esprit du souverain. Shoëg s'adossa, songeur, puis fixant ses yeux gris sur son invité, il se décida à parler.

— Vous êtes bien prompt à nous enseigner comment assassiner les vôtres...

La Sitay put voir les yeux verts du vampire s'assombrir. Dès qu'on abordait le sujet, une profonde mélancolie s'emparait de lui. Son éternel sourire s'effaça subitement.

— Les temps changent, Monseigneur. Il est insensé de croire que ce qui arrive n'a pas un sens précis pour les Dieux. L'avenir d'une de nos espèces est en péril et j'ai fait mon choix... aussi cruel que cela puisse être, avoua l'aîné des vampires.

— Voilà une décision qu'aucun être ne devrait être appelé à prendre ! Sachez qu'aussi longtemps que vous voudrez être parmi nous, vous serez considéré comme il se doit : en invité de marque.

La réponse de Jeerdhs avait convaincu Shoëg sur ses intentions. Malgré sa nature, le vampire n'aurait pas pu feindre la peine profonde qu'on avait pu lire sur son visage.

— Je vous en remercie. Je dois vous avouer que cela fait bien longtemps qu'il ne m'a pas été donné de côtoyer le monde des hommes. Jeerdhs s'inclina en signe de respect, visiblement ravi d'être parmi eux.

Le roi se leva. La journée commençait à peine et il avait beaucoup à faire. Il prit tout à coup conscience de la grande lassitude qui se lisait non seulement sur les traits des deux mages, mais aussi sur ceux du vampire, qui, durant toute la chevauchée, n'avait guère pris le temps de se reposer. Toutes les nuits, il avait effectué des rondes autour des deux cavaliers, éloignant ainsi tout ennemi osant s'y risquer et leur permettant de couvrir une plus grande distance. Il avait d'ailleurs repoussé les limites de sa tolérance à la lumière du jour. Shoëg désirait leur laisser quelques heures de repos, mais il convenait que son Paetrym devait être mis au courant des dernières mises au point. La rencontre avec ses généraux avait abouti à des préparatifs de guerre plus intensifs.

— Kelm, vous êtes de retour au bon moment puisque dans cinq jours, nous devrons mener nos troupes, l'informa-t-il.

Le Paetrym sursauta à cette annonce : ils avaient encore moins de temps que ce qu'il pensait pour former tous les soldats aux tactiques à employer contre leurs ennemis. Les Dieux n'avaient pas fini de compliquer sa tâche, pensa-t-il.

— Je crois comprendre que des décisions ont été prises pendant notre absence ?

Les deux hommes se dirigèrent vers la sortie du banshal. La pièce était si sombre qu'Olivia ne distinguait plus que deux silhouettes. Le souverain souhaitait s'entretenir avec Kelm seulement.

— Reposez-vous et dans quelques heures, lorsque vous serez prêt, venez me rejoindre. Après le départ de notre émissaire pour le royaume du souverain Hezyr, nous devions planifier une défense, mais maintenant il faut anticiper l'offensive.

Shoëg lisait l'empressement du Paetrym d'en savoir davantage, mais chaque chose en son temps. S'il exposait tous les détails des décisions prises lors de la réunion avec ses généraux, ils en auraient pour un long moment. Il s'en voulait presque d'avoir abordé le sujet, mais Kelm figurait aux premières lignes de cette guerre : il devait être informé. Le souverain se retourna afin de s'adresser à Jeerdhs et à Olivia :

— Je vous suis reconnaissant à tous les deux, s'inclina-t-il, sincère. La survie de notre royaume dépend de vous, qui êtes étrangers à notre peuple.

Le vampire et la Sitay échangèrent un regard complice. Jeerdhs n'avait jamais côtoyé d'humain qui ne ressente aucune animosité innée pour lui. Il appréciait sincèrement la présence d'Olivia.

Un mince filet de lumière pénétra dans le banshal, sans toutefois atteindre le vampire. Ce dernier devait s'en préserver puisque dans l'état de fatigue où il se trouvait, le moindre rayon de soleil pouvait le blesser gravement. Shoëg les quitta afin d'aller terminer les préparatifs de cette bataille : il attendait le retour de Reesom, du royaume d'Olsheä, dans la journée. Son conseiller apporterait les informations nécessaires afin de permettre le regroupement de leur armée. Il restait tant à faire et le roi avait besoin de pouvoir compter sur tous ses effectifs.

Kelm rejoignit le vampire et la Sitay.

— Jeerdhs, je te prie d'utiliser ces lieux comme si tu étais chez toi. Nous serons dans les appartements d'Olivia. Il y aura fort à faire dès la prochaine lune, dit-il.

— En effet, lui répondit le vampire. Dès que sera passée l'appréhension des soldats envers... ma nature, ils subiront un entraînement des plus intensifs.

Il rejoignit le mage et lui toucha l'avant-bras avant d'enchaîner :

— Merci de votre hospitalité. Sachez que par les siècles passés, cela m'est rarement arrivé d'être traité avec tant de considération, termina-t-il, sincèrement touché.

— Vous nous avez sauvés du désert et recueillis en votre demeure. Voilà la moindre des choses. Mais sachez que c'est avant tout un honneur pour moi.

Les deux jeunes gens laissèrent le vampire dans le banshal de Kelm. À cette heure, le soleil laissait déjà pénétrer ses rayons par toutes les ouvertures du château.

À peine les deux mages eurent-ils trouvé refuge dans les appartements d'Olivia que le sommeil les emporta... Le temps de prendre connaissance des derniers préparatifs du roi viendrait bien assez rapidement.

***

De légers coups frappés à la porte tirèrent Olivia de son sommeil. Il lui semblait qu'elle venait tout juste de fermer les yeux ! En se levant difficilement, elle alla ouvrir, réveillant Kelm au passage. Tous les muscles de son corps réclamaient une pause supplémentaire.

Dans l'embrasure de la porte se tenait Merryl, visiblement navrée de la tirer du sommeil. Elle-même semblait n'avoir pas beaucoup dormi non plus. Sa robe beige et grise assombrissait encore son visage.

— Pardonnez-moi de vous déranger. Le jour se couchera dans près de deux heures et le roi vous attend à la salle du trône en présence de son grand conseil, dit-elle.

— Le temps d'enfiler des tenues convenables et nous arrivons, lui répondit la jeune femme, esquissant un sourire.

La gouvernante se mit à tortiller son tablier, baissant le regard, gênée. Puis, relevant des yeux gonflés par les larmes, elle enchaîna d'une voix hésitante :

— Lorsque j'ai eu connaissance de votre plan de traverser la forêt de Tykquarr... je n'ai eu de cesse de m'inquiéter. Apprendre de la bouche de Tollym, le jeune palefrenier, que vous étiez de retour m'a enfin permis de respirer !

Ne se souciant pas du fait qu'elle était en tenue de nuit, Olivia alla se blottir dans les bras de Merryl.

— Tu agis comme une mère pour moi et je t'en remercie ! lui murmura la Sitay.

— Allez vous préparer, Olivia !

La gouvernante rougissait à la place de la jeune femme, qui n'avait pas la même conception de la pudeur que les femmes du royaume. Olivia affichait une innocence enfantine aux yeux de Merryl. Même si elles avaient pris des habitudes plus familières en privé, la gouvernante tenait à garder un protocole en dehors du banshal de la jeune femme. Elle priait pour que cette candeur survive à la guerre qui frappait à leurs portes.

La repoussant vers l'intérieur sous les regards amusés des gardes qui patrouillaient non loin de là, Merryl lui lança un regard faussement réprobateur. La Sitay éclata de rire.

— Je vous attends à l'extérieur, vous et Paetrym Hirms, dit Merryl en refermant la porte, incapable de retenir un sourire et soulagée de retrouver sa protégée aussi sereine, malgré la tragédie de l'Ymalt.

— Tu finiras par causer un malaise à cette pauvre Merryl ! lâcha le mage d'un ton espiègle.

— Ce n'est pourtant pas la première fois qu'on m'aperçoit ainsi vêtue dans les corridors du château, dit-elle en ravivant le souvenir de leur première rencontre à la bibliothèque.

Se contentant de lui lancer un regard complice, Kelm entreprit de se préparer pour cet entretien avec Shoëg.

Il ne leur fallut que quelques minutes, Merryl en tête, pour regagner la salle du trône. La rumeur selon laquelle un vampire est au château est certainement la cause de ce silence de peur, se disait Olivia. Elle-même marchait sans parler derrière le mage.

L'immense table du conseil était éclairée de lourds chandeliers. Les militaires y examinaient avec attention divers documents et cartes. Au moment de pénétrer dans la pièce qui avait jadis accueilli Maëlay, Olivia perçut sept paires d'yeux d'une gravité ténébreuse qui se tournaient vers elle. La jeune femme en oublia immédiatement la bonne humeur qui avait souligné son réveil.

— Paetrym Hirms, Sitay Saint-Pierre, pardonnez-moi de vous tirer aussi rapidement de votre repos, nous savons que votre quête fut éreintante. Néanmoins, le temps s'écoule et nos soldats doivent entreprendre leur entraînement dans les meilleurs délais.

Le souverain se détacha du groupe afin d'aller accueillir ses protégés, laissant derrière lui ses conseillers. Les époux de ses trois amies de la cour la saluèrent d'un même hochement de tête respectueux. Seuls les stratèges politiques semblèrent, comme toujours, subjugués par son statut.

Ce fut Kelm qui prit la parole afin de répondre à cet accueil.

— Le repos viendra lorsque la menace aura retiré son ombre de votre royaume.

— Et nos hommes y veilleront. Venez prendre place !

Prenant la main de la Sitay, le roi lui offrit une place à la droite de son siège, puis Kelm s'installa à sa gauche.

Il ne fallut pas plus d'une heure pour s'informer de part et d'autre des dernières mises au point. Les militaires croyaient avoir fait le tour du sujet, lorsqu'on frappa à la porte. Le roi tourna son regard vers le Paetrym, qui lui confirma d'un hochement de tête l'identité de la personne qui requérait audience.

— Vous pouvez vous joindre à nous, Seigneur Lëanoläk, tonna le roi, d'une voix suffisamment forte pour convier le vampire auprès de leur assemblée.

Le vampire souriait devant la mine perplexe des deux soldats gardant la porte, ces derniers ayant cerné la nature de l'inconnu qui se tenait devant eux. Ce n'est pas à moi que votre souverain s'adresse... N'osant les narguer, Jeerdhs garda cette réplique pour lui, car les deux hommes comprirent enfin que celui que Shoëg interpellait était bel et bien cet être menaçant.

Les six conseillers ne purent cacher leur malaise. Le vampire engendrait une peur irrépressible, et certains d'entre eux gardaient en mémoire l'image du jeune homme qui s'était vidé de son sang le soir de l'Ymalt. Jeerdhs s'avança avec douceur, l'aversion de ces hommes ne lui échappant pas. Toujours vêtu de lin couleur sable, sa tunique arborant cette fois une fine broderie témoignant de la richesse du tissu, le vampire s'inclina avec respect devant le souverain de Shimrae, puis sans se soucier davantage du protocole se dirigea vers la grande table. Il leva un sourcil en examinant les cartes du secteur de Nomelhan.

— Je ne peux que vous concéder la justesse de ces plans. Je sais que ces cartes se font maintenant bien rares!

Puis, dévisageant Zoguar, il posa une question qui sidéra tout le monde, y compris le principal intéressé, et plongea la salle dans un silence d'incompréhension.

— Êtes-vous prêt à reconquérir votre trône, Messire?

— Trône? Mais de quoi parlez-vous? répondit Zoguar. Où veut-il en venir? ajouta-t-il pour lui-même. Sa voix semblait mal assurée, ses frères d'armes ne l'avaient jamais vu dans cet état. Est-ce que ce vampire usait d'autant de fourberie que ses congénères ?

Jeerdhs choisit ce moment de confusion pour sortir un morceau de papier d'une de ses poches arrière. Il le déplia et le déposa sur l'amas de plans qui jonchaient la table.

— Voici la généalogie des souverains de Nomelhan.

Effleurant le bas du vieux papier, le vampire continua :

— La chaîne familiale s'est arrêtée il y a maintenant près de deux cents ans, comme la plupart d'entre vous le savent déjà.

— Et en quoi cela me concerne-t-il ? Zoguar posait cette question, mais commençait à craindre la réponse.

— La dague que vous cachez à votre ceinturon, fixée dans votre dos, montrez-la-nous, je vous prie, demanda fermement Jeerdhs.

Zoguar s'exécuta, mais sans toutefois se résigner à tendre au vampire le seul souvenir qu'il gardait de son père. D'un mouvement brusque, il lança la lame, qui se planta juste au-dessus de l'en-tête du document fourni par le vampire.

Ce fut le roi qui comprit le premier :

— Eh bien, mon ami, il semblerait que vous traîniez la réponse de l'énigme de Nomelhan avec vous depuis toujours, finit-il par dire à l'attention de Zoguar.

Le général du roi souligna de son index le blason qui ornait le papier jauni par les âges. Un serpent s'enroulait autour d'une épée longue : copie conforme du motif qui ornait la garde de la dague, toujours figée dans le bois de la table.

La rumeur était donc fondée... murmura le Paetrym. Olivia le questionna du regard, elle était probablement la seule personne présente à ne pas avoir eu vent de cette légende.

— Ne compte pas sur moi pour t'appeler Monseigneur, s'exclama Bemyrl, en abattant une main amicale sur l'épaule de Zoguar, qui n'avait pas soufflé mot depuis cette révélation.

— Un lieu où vivent la mort et la désolation, vous parlez d'un héritage ! Pourquoi avoir apporté cette information ? demanda-t-il enfin au vampire.

Jeerdhs arracha la dague, puis la lui tendit en lui présentant le manche d'or. Il lui répondit d'une voix calme, qui résonna dans toute la pièce.

— Il s'agit d'un lieu que vous devez enlever à la mort. Cela fait maintenant trop de siècles que la guerre a ravagé Nomelhan et il est grand temps que la vie revienne en ces lieux.

Marquant une pause, Jeerdhs renchérit :

— Avec les explications de vos deux mages, j'en étais arrivé à la même conclusion que vous concernant l'emplacement des troupes de Viktor... et concernant ce document. Avec le temps, un vampire finit par amasser un grand nombre de petits trésors !

— Je perdrai donc un général dans cette bataille, mais j'y gagnerai un allié ! s'exclama le roi Shoëg.

— À la volonté des Dieux, répondit Zoguar, puis se tournant vers Jeerdhs, il lança : Vous êtes loin de me simplifier la vie !

Le vampire ne put réprimer un large sourire, qui éclaira son visage. Il allait apprécier ce général bourru... Mais son sourire masquait l'urgence qui l'avait poussé à préparer cette annonce : les hommes ne pouvaient négliger aucune source de motivation face à Viktor. Vaincre ne serait pas chose aisée !

— Malheureusement, ce n'est là qu'un début. Je vous convie à commencer l'entraînement de vos soldats cette nuit même, si vous le souhaitez.

La Sitay affichait toujours un regard ébahi. Tout venait de se dérouler à une vitesse désarmante et si simplement ! D'un commun accord, le conseil quitta la grande salle afin de lancer l'appel à tous les soldats.

— Suis-moi, allons nous mettre en tenue de combat. Nous nous sommes suffisamment reposés, dit le mage au creux de l'oreille d'Olivia.

Jeerdhs les rejoignit. Mais avant qu'ils ne puissent quitter la grande salle, Novan vint vers la jeune femme.

— Milady, je tiens à vous remercier de votre présence parmi nous... Joyssa m'a fait promettre de quérir de vos nouvelles. Elle vous estime grandement et s'inquiète pour vous, lui souffla-t-il à voix basse.

— Dites-lui que sa sollicitude me touche profondément !

Olivia comprit, au regard que le général lança à Kelm, que tous les deux devaient être des amis de longue date. Novan s'inclina. Lui aussi avait encore beaucoup à faire puisque les trois généraux du roi devaient rassembler leurs meilleurs effectifs dans l'arène centrale, le plus rapidement possible. Leur entraînement commencerait dès ce soir !

Laissé seul, le trio se lança dans le dédale de corridors sombres, loin de la lumière des bougies. Le vampire semblait prendre plaisir à son insertion dans le monde des hommes. Il confiait que ces joutes verbales lui avaient beaucoup manqué au courant des dernières années dans le désert. Et il admit qu'il n'avait pas ménagé le pauvre Zoguar !

— Où dois-je vous rejoindre ? demanda-t-il aux deux mages.

— Il n'est pas question de vous laisser entrer seul dans l'arène du château. Nous viendrons vous rejoindre à mon banshal, lui répondit le jeune mage. Mon ami, c'est avec moi et Olivia que vous offrirez le combat démontrant la force de vos dons.

— Alors, allons nous amuser un peu ! dit Jeerdhs, laissant le couple se préparer.

Chapitre 20

La jeune femme avait revêtu ses habits de combat et marchait derrière le Paetrym. En entrant dans l'arène, l'air frais lui mordit la peau, lui faisant presque oublier sa nervosité. Les semaines s'étaient succédé, et cela faisait maintenant longtemps qu'Olivia ne fréquentait que peu de gens. Elle n'avait pas eu l'occasion de revoir bien souvent ses trois nouvelles amies du soir de l'Ymalt. Les bains de foule de la vie citadine lui semblaient à des siècles de ce quotidien.

Les soldats ne relâchèrent pas leur concentration à l'arrivée des deux mages. Ils s'affrontaient en duo. Les coups fusaient avec force et leurs corps encaissaient attaques et esquives. Ils étaient près d'une centaine : les meilleurs soldats du royaume ! Leur mission n'était pas des plus aisées : ils devaient maîtriser cette technique de combat pour l'enseigner aux autres combattants en moins de quatre nuits.

Olivia acquiesça au regard interrogateur du mage. Tous deux étaient prêts et savaient comment ramener vers eux l'attention des soldats. Mentalement, Kelm communiqua avec Jeerdhs, l'invitant à se joindre à eux.

Lentement, les uns après les autres, les combattants cessèrent leur entraînement. Ils ressentirent tous un puissant malaise s'insinuer en eux, comme si, en cette nuit sans étoiles, la mort elle-même venait étendre son ombre. Un murmure d'appréhension parcourut l'air frais. Dès qu'il se retrouvait en présence d'humains, le vampire pouvait lire en eux cette émotion dont il était l'épicentre.

Jeerdhs comprenait et respectait ces militaires. Tenant fermement ses épées longues, il porta son poing droit sur son torse et s'inclina avec déférence.

Les soldats présents avaient eu vent de la présence du vampire derrière les remparts du château, et malgré leur aversion incontrôlable, ils savaient pourquoi il se tenait devant eux. Alors, comme un seul homme, ils répondirent au salut de Jeerdhs et attendirent les explications de leur Paetrym.

Sa voix s'éleva dans les airs.

— Comme vous le savez tous, dans quatre nuits, nous combattrons le mal qui terrasse nos frères et nos sœurs. Mes amis, ce soir vous prendrez conscience de la nature des êtres que vous affronterez.

Se tournant vers le vampire, il lui lança un sourire complice avant de continuer :

— Jeerdhs Lëanoläk est là pour nous aider à rétablir l'équilibre que les Dieux ont instauré. À ma droite, vous reconnaissez la Sitay de Feu, Lady Olivia Saint-Pierre, qui se joindra à moi pour cet affrontement. Dans les nuits à venir, nous nous entraînerons tous ici. Vous devrez habituer votre vue et vos mouvements à cette obscurité... Mon ami, termina-t-il en interpellant le vampire.

Kelm lui empoigna l'avant-bras, puis fit de même avec la Sitay. Enfin, les trois combattants prirent place, armes en main. D'un regard tacite, le combat s'enclencha, marqué par le bruit des lames qui frappent et bloquent chacun des coups portés avec force.

Un murmure parcourut l'assemblée. Certains ouvrirent des yeux béats devant la rapidité du trio, tandis que les autres étaient effrayés par l'ampleur de ce qu'ils devraient combattre.

Kelm enchaînait ses attaques rapprochées, valsant avec Olivia, comme ils l'avaient fait dans la demeure du désert. Si, à quelques reprises, Jeerdhs eut le dessus, envoyant au large tour à tour le Paetrym et la Sitay, les deux cimeterres de Kelm vinrent se poser en ciseaux à la base du cou du vampire.

À peine essoufflé, Jeerdhs souriait, en oubliant le spectacle de ses canines acérées, et Kelm lui rendit ce rire du guerrier dans la bataille. La jeune femme les observait légèrement en retrait, puis son attention se porta vers tous ceux qui demeuraient paralysés.

Kelm prit la parole une fois de plus. Le mage comprenait l'incertitude qui se lisait chez plusieurs d'entre eux. Un murmure s'élevait de l'assistance.

— Aucun de nous n'a usé de magie et si nous avons pu atteindre notre cible, vous le pourrez. Entraînez-vous cette nuit, nous combattrons à vos côtés !

Bien que perplexes, les soldats acquiescèrent à ce commandement. Olivia reconnut les trois généraux qui donnaient leurs ordres. Les duos se transformèrent en trios, puis les mêlées s'enclenchèrent. Novan lança un sourire à la jeune femme. Kelm avait dû être un précepteur coriace, à en juger par l'incroyable progrès de la Sitay ! se disait-il.

Chacun appréhendait le moment de croiser le fer contré l'ennemi, mais tous s'entraînaient afin d'en revenir vainqueurs.

* * *

Au lever du troisième soleil, le roi attendait les deux mages dans sa bibliothèque personnelle. Il savait très bien que les dernières nuits avaient été consacrées à l'arène militaire. Les soldats étaient prêts et les armées du roi Hezyr avaient aussi été informées des techniques de combat afin d'éloigner la défaite. Les préparatifs établis quelques jours plus tôt évoluaient comme prévu et le départ des troupes pour la plaine d'Hiur se rapprochait !

Les coups annonciateurs de l'arrivée de Kelm et d'Olivia se firent entendre.

— Vous semblez exténués ! s'exclama Shoëg en guise d'accueil, lorsqu'il les vit pénétrer dans la pièce. Une lassitude assombrissait effectivement leur regard. Tous deux s'offraient peu de repos, et si leurs nuits étaient constituées de simulations de combats, leurs journées étaient consacrées aux préparatifs.

— Tous ces efforts en valent la peine, nos armées sont fin prêtes. La confiance et l'espoir gonflent leurs âmes, dit Kelm en retirant sa ceinture d'armes, la déposant à côté de lui sur le banc matelassé de rouge sombre.

— Le repos a été décrété pour tous. À quoi bon partir si les troupes arrivent à destination épuisées ? continua la jeune femme.

Le roi ne put réprimer un rire à l'attention du Paetrym, tandis que, conformément à son habitude, il servait du vin pour chacun d'eux.

— Mon ami, vous en avez fait une véritable guerrière en peu de mois !

Il se disait que la jeune femme avait maintenant cette assurance qui lui permettait de croire qu'elle pourrait vaincre Viktor.

Kelm informa le souverain du départ prochain de Jeerdhs à la tête d'une équipe d'éclaireurs. Le plan établi au cours de la rencontre avec l'ensemble du conseil se déroulait donc selon les délais prévus. Shoëg ne désirait pas éterniser cette rencontre puisque l'épuisement gagnait les deux mages. Par chance, il ne leur fallut pas attendre bien longtemps avant que celui qu'ils attendaient ne vienne les rejoindre.

— Entrez, Reesom ! Nous vous attendions, dit le roi, l'ayant entendu s'approcher.

— Bonjour, Monseigneur. Comme j'ai pu le constater, nos soldats se sont bien entraînés. Paetrym Hirms, Sitay Saint-Pierre, vous avez fait un travail remarquable, dit Reesom en s'inclinant. Ce dernier était toujours trop respectueux au goût du jeune mage...

— Comment se solde votre expédition auprès de notre voisin Hezyr ? questionna Shoëg en se levant afin de servir une coupe de vin au nouvel arrivant.

S'asseyant tout près du souverain, le conseiller politique avait l'air tout aussi épuisé que les deux mages. Il but une gorgée avant de donner rapidement des explications.

— J'ai bien peur, Monseigneur, d'être porteur de nouvelles bien mitigées. Le Seigneur Hezyr a accepté d'emblée de m'accorder un entretien et a reconnu la nécessité de cette guerre. Mais je crains que ses troupes n'arrivent à la plaine d'Hiur que dans trois nuits.

Marquant une légère pause, il enchaîna avec la question qui le taraudait depuis son départ du royaume d'Olsheä :

— Devons-nous reporter notre départ afin de chevaucher de pair avec nos voisins du nord ? demanda-t-il visiblement nerveux, sachant que les armées de Shimrae prendraient la route une journée plus tôt que celles d'Hezyr.

Shoëg se leva, puis se dirigea vers la fenêtre. Habituellement, une multitude de gens s'affairaient dans l'enceinte du château. Maintenant, le silence régnait. Tous s'étaient habitués à vivre de nuit afin de leur permettre d'avoir une chance de vaincre.

— Que les Dieux m'en soient témoins, nous serons ceux qui donneront le coup d'envoi et apporteront la victoire à notre peuple. Depuis la mort de sa sœur, ma bien-aimée Fylia, Hezyr a maintes et maintes fois rompu ses engagements envers notre peuple. Les discussions ont, depuis ce jour, été tendues entre nos deux royaumes.

Reportant son attention vers ses interlocuteurs, il poursuivit :

— Au coucher du deuxième soleil, nous partirons à la suite de nos éclaireurs et tâcherons de ne pas laisser de vampires vivants pour l'arrivée des troupes de mon beau-frère !

Shoëg ne pouvait changer les ordres pour Hezyr Olsheä. D'ailleurs, ce dernier avait tout intérêt à leur prêter main-forte, car si Shimrae tombait, son royaume serait le suivant. Le départ était imminent et ils étaient prêts. Les généraux continuaient à répartir leurs effectifs et à distribuer les derniers ordres. Après une longue gorgée, le roi termina par un toast à la victoire de leur croisade : ils ne pouvaient se permettre d'échouer. Jamais un envahisseur aussi cruel n'avait frappé à leur porte, ils en étaient tous conscients.

Avec un Paetrym ayant à sa solde l'énergie d'un Yrshu, une Sitay envoyée par les Dieux et un vampire renégat, nous ne pouvons pas être vaincus ! se répétait Shoëg, qui priait pour que cela soit suffisant.

* * *

Pour les deux mages, vers qui les espoirs étaient tournés, et pour tous les autres soldats, le repos fut réparateur. Kelm et Olivia ne s'accordèrent que peu de sommeil... La magie leur permit de se régénérer plus rapidement.

Ils savaient que dès que le soleil aurait retiré ses rayons, les éclaireurs portés volontaires commenceraient leur chevauchée vers la plaine d'Hiur. Jeerdhs avait été nommé, de l'accord de tous, à la tête de ce contingent. Les deux mages l'aperçurent se déplacer non loin des écuries, telle une ombre évitant les dernières parcelles de lumière.

— Vous n'auriez pas sonné le départ sans nous saluer, demanda Kelm, le rejoignant derrière le bâtiment principal.

— Mon ami, je savais déjà que nos routes se croiseraient à cette aurore. Je suis navré, mais comme vous le savez...

— ... lire en nous, les humains, est chose aisée, le coupa le Paetrym avec un sourire.

— Vous apprenez avec rapidité ! renchérit le vampire en faisant un clin d'œil à Olivia.

La pénombre s'étant déjà installée dans l'écurie, Jeerdhs put rabattre le capuchon de sa cape. Offrant une poignée de main à Kelm, il déposa une main fraternelle sur l'épaule de la Sitay avant d'enchaîner :

— Je ne pourrai retarder davantage notre départ. Je sens mes éclaireurs qui approchent.

— La prochaine nuit, nous nous verrons aux abords d'Hiur, lui répondit Olivia.

Cette dernière savait que Jeerdhs les attendrait au lieu du campement, mais elle désirait s'en assurer.

— D'ailleurs, j'ose avancer que vous trouverez plus qu'aisément notre tente parmi celles de toute l'armée, dit Kelm, devinant que les sens du vampire ne le tromperaient pas.

— Effectivement, je peux prédire que je vous trouverai non loin de votre souverain... Mais déceler vos installations m'est très facile.

Le vampire affichait une telle sérénité qu'Olivia en oubliait presque la guerre qui se préparait autour d'eux. Comment pouvait-il être aussi serein ?

Ayant à peine terminé sa phrase, Jeerdhs se dirigea vers l'enclos derrière lui. Par la bride, il en ressortit son magnifique étalon ébène. La Sitay fut étonnée du calme que Jeerdhs avait réussi à lui insuffler.

— Tu as finalement opté pour la randonnée à cheval, dit-elle.

La jeune femme faisait allusion à leur retour du désert d'Ahamhs. La nervosité de leurs chevaux en présence du vampire ne lui avait pas échappé.

— Cela fait deux nuits que j'habitue ce cheval à mon contact. Chevaucher à la même hauteur que tous ces hommes me permettra de créer ce lien de frères d'armes, qui ne pourrait leur être inné face à qui je suis.

Tout en parlant, il caressait le museau du cheval qui ne bronchait pas, manifestant une totale confiance envers son nouveau cavalier. Il ajouta :

— Ils doivent impérativement me faire confiance s'ils veulent survivre.

Par le silence qui suivit, Kelm comprit que le vampire devait à présent partir.

— Alors, nous nous reverrons avant les premières lueurs de la bataille, lui dit le mage.

— J'irai vous quérir avant même de tenter un ultime raisonnement auprès de mon cadet.

Jeerdhs laissa retomber doucement la bride de cuir noir qu'il tenait toujours dans sa main, afin d'aller déposer ses lèvres froides sur le front d'Olivia en un baiser protecteur.

Il savait qu'une dizaine d'hommes attendaient. Il salua Kelm. Leur prochaine rencontre se ferait sous le signe de la guerre.

Quelques instants plus tard, le vampire rejoignit ses éclaireurs, pendant que les mages retournaient aux préparatifs qui souligneraient le départ des différentes divisions de l'armée du royaume. Jeerdhs aurait une seule nuit afin d'installer ses hommes et de sécuriser le lieu du campement. Après cela, le reste des soldats viendrait les rejoindre.

Chapitre 21

Une immense colonne de soldats traversait le royaume. Certains étaient des cavaliers, d'autres des fantassins parcourant le chemin à pied. À leur tête chevauchait l'élite du contingent. Les paysans qui s'inclinaient devant eux étaient gonflés d'espoir de voir leur roi diriger son armée. Sans compter que celui-ci était suivi de près par son Paetrym et une étrangère, qui était sans nul doute la Sitay dont tout le continent parlait !

Suivaient les conseillers politiques, qui n'allaient certainement pas rater une occasion de se faire valoir auprès du souverain, encore moins auprès de leurs vis-à-vis militaires. La grande marche des dignitaires était chose impressionnante, mais la discipline de l'armée l'était plus encore. De nombreux hameaux que traversait l'armée abritaient des survivants d'attaques menées par les vampires de Viktor. Des larmes étaient versées dans l'espoir que ces hommes et cette femme, menés par leur souverain, vengent enfin tous ceux et celles qui étaient morts ou avaient été capturés afin de servir les desseins de ces monstres.

Chacun des généraux dirigeait son bataillon. Novan Quiryan était le premier d'entre eux, toujours à la tête de la cavalerie. Les puissants chevaux étaient dressés au combat et faisaient la fierté du roi Shoëg. La section de Bemyrl Seyrguh se reconnaissait aux longs arcs fixés au dos des combattants, tandis que pour celle de Zoguar Dyhmaull, le combat à l'épée était privilégié.

Par chance, la journée était clémente et ils pouvaient avancer rapidement. La distance à parcourir n'était pas si grande, compte tenu du lieu que Viktor avait investi. L'armée du roi ne soutiendrait pas un siège, elle mettrait fin aux attaques des vampires, qui chaque nuit décimaient un hameau supplémentaire. Il n'était nul besoin de se rendre jusqu'au château de l'ancienne Nomelhan. Le campement servirait de bouclier, invitant les vampires à les affronter en face pour la première fois. Les généraux veillèrent au déploiement de leurs troupes. Les tentes de soins et d'habitation furent érigées avec autant de diligence que possible.

Le roi ordonna le rapatriement des éclaireurs afin de prendre connaissance des informations qu'ils avaient collectées, tandis que les fantassins eurent droit à quelques instants de repos en alternance.

La nuit serait longue et certainement sanguinaire. Combien d'entre eux ne reverraient jamais leurs femmes et leurs enfants? Shoëg n'osait pas laisser son âme s'y attarder. Malheureusement, la mort foncerait sur eux bien assez tôt.

* * *

La nuit couvrait maintenant la plaine de son ombre et au loin se dessinait un campement fébrile, où les hommes épiaient les environs avec fébrilité. L'éclaireur n'avait pas besoin de s'en approcher davantage. La rumeur d'une offensive humaine s'était répandue comme une traînée de poudre dans les villages du royaume.

Kurtoh avait croisé deux éclaireurs du camp ennemi, mais leur faiblesse d'hommes ne leur avait nullement permis de déceler sa présence. Il comprenait aisément l'aversion de leur chef pour cette race inférieure. Comment osaient-ils croire que ce monde leur appartenait, alors qu'ils étaient si faibles? Le vampire se riait de la facilité avec laquelle il avait pu se faufiler aussi près des soldats humains. Il était de loin l'éclaireur le plus rapide de son contingent. Il regagna donc promptement l'enceinte du château, où il savait que son chef l'attendait: la patience n'était pas sa plus grande vertu, et moins encore sa clémence en cas d'échec.

Il n'y avait qu'une seule silhouette dans la vaste pièce sombre. Viktor se tenait face à la nuit, buvant du sang à une coupe finement ciselée. Le vampire adorait s'abreuver de la sorte, la chasse étant pour lui reléguée au rang d'activité et non plus de besoin vital. Comme à son habitude, il avait revêtu une fine chemise blanche qui rappelait sa peau laiteuse. Ses cheveux noirs effleuraient à peine ses épaules. Le reste de sa tenue était aussi sombre que les ténèbres. L'éclaireur se disait que leur chef avait un raffinement qu'il ne pouvait espérer atteindre un jour...

— Je t'attendais, Kurtoh.

Sa voix était si grave que l'interpellé se figea. Viktor ne se retourna pas pour l'accueillir. Il attendit, appuyé à la lucarne, que son éclaireur vienne le rejoindre.

En retrait, celui-ci lui fit son rapport.

— L'armée de Shimrae se rassemble à la lisère sud de la plaine d'Hiur. L'étendard rouge et noir du roi Shoëg y est bien en évidence. Plus de cinq cents âmes attendent d'être cueillies, et selon les paroles entendues non loin de là, d'autres viendront bientôt.

— Je les attendais plus tôt... Ces humains sont si lents à réagir face à la mort ! ricana le vampire.

Il se retourna afin de fixer son interlocuteur. Il était visiblement ravi de cette nouvelle, ce qui rassura Kurtoh qui n'avait nulle envie de subir la colère de son souverain.

— Bien entendu, leurs éclaireurs étant trop faibles, ils n'ont pas eu vent de ma présence. Ils ne savent donc pas que nous sommes déjà avisés de leur arrivée.

Viktor marcha d'un pas léger et passant devant Kurtoh, il déposa une main sur son épaule, l'invitant ainsi à l'accompagner. Ce dernier ne comprenait pas en quoi l'offensive des hommes pouvait le réjouir.

Je ne suis pas dans le secret des Dieux, se dit-il alors. Ses doutes étaient-ils peints sur ses traits ? Viktor expliqua :

— Voilà bientôt près de deux semaines que nous lançons des attaques sur tout le secteur sud de notre château. Les hommes tombent et leurs femmes pleurent. L'espoir se meurt en leurs âmes.

D'un signe d'acquiescement, Kurtoh invita Viktor à continuer, heureux de la confiance que son chef lui témoignait tout à coup.

— Ce secteur est limitrophe de la plaine d'Hiur. Chaque nuit où nos rangs y massacrent hommes, femmes et enfants est une invitation à ce bal meurtrier qu'est la guerre ! Et enfin ce roi, qui espère qu'une simple Sitay pourra vaincre la force des vampires, a répondu à l'invitation que nous avons lancée.

Tout en longeant les corridors menant à la cour centrale du château, Kurtoh interrogea Viktor.

— Attaquerons-nous cette nuit même ?

— De ce pas, je vais donner l'ordre des préparatifs de départ. Dans moins d'une heure, nous devrons être en marche. L'attaque sera rapide et brutale. Je tiens à garder le plus de soldats en vie dans nos rangs. Nous reviendrons donc avant l'aube nous mettre à l'abri du jour, annonça-t-il.

— Si Monseigneur le permet, j'irais à l'instant quérir les troupes de mon régiment. C'est avec honneur que nous partirons à l'avant-garde, avança Kurtoh en s'inclinant.

— Va, mon ami. Partez dans les prochaines minutes. Nous vous rejoindrons à la lisière du boisé bordant la plaine, répondit Viktor.

Sous la lueur de la lune, il se dit que l'éclaireur n'allait peut-être pas survivre à cette nuit, mais il avait accompli ce pour quoi il était parmi eux. Souriant, sachant que sa soif de sang serait bientôt comblée, Viktor appela mentalement à lui Lamellya et Miryano.

Il ne fallut pas longtemps avant que les deux vampires ne le rejoignent. Il était rare maintenant qu'ils ne soient pas dépêchés à la tête d'un groupe, dans le but de mener des attaques contre les hameaux voisins. Tous deux avaient déjà revêtu leur tenue de combat. Le cuir noir matelassé par endroits seyait à leur silhouette musclée. Les deux généraux de Viktor savaient que le moment approchait où le sang coulerait à flots.

— Votre prévoyance vous honore ! dit-il en remarquant qu'ils étaient prêts : tout comme lui, ils avaient ressenti l'angoisse des hommes. L'armée devra partir dans l'heure qui suit.

— Ces humains entrent enfin dans la danse ! jubila Lamellya, dont les cheveux roux, rassemblés en une longue tresse, semblaient éclairer la nuit. Elle adorait guerroyer et se languissait de ces affrontements.

— Ils ne sont pas prompts à réagir, mais ne les décevons pas en tardant à les accueillir dans la mort, renchérit Miryano, souriant à l'idée de faire plus que diriger une vingtaine de tueurs contre les humains.

Tous les deux avaient attendu le signal de leur chef avec hâte et ils ne désiraient pas perdre une minute supplémentaire.

Miryano tourna les talons, désireux de se mettre en chemin. La nuit était parfaite pour une attaque. De légers nuages venaient couvrir les étoiles, ajoutant une ombre supplémentaire à l'atmosphère. Viktor continua à donner des directives à son général. Nul besoin pour cela de communiquer de vive voix. Le grand vampire blond serait prêt, il n'en doutait pas un seul instant. Ils en auraient pour quelques nuits seulement de ce régime d'attaques rapides. Il suffirait de peu de lunes pour que les hommes s'avouent vaincus.

Lamellya se faufila derrière Viktor, le bout de ses doigts caressant les épaules, puis s'attardant sur la nuque du vampire.

— Mon aimé, j'aurais une requête à formuler, susurra-t-elle au creux de son oreille.

— Cela doit être important pour que tu demandes avant de te servir, ricana le vampire. Formule ta demande.

Il n'avait pas tort : rarement la vampire s'abaissait à quémander une permission. Elle savait où étaient les limites à ne pas franchir avec Viktor. La remarque de ce dernier se trouvait tout à fait justifiée. Toujours lovée contre lui, Lamellya fixa son regard dans celui de son souverain et demanda :

— Pourrais-tu me faire l'honneur de m'offrir le combat contre la Sitay ?

Pris par surprise, il avait une tout autre fin pour cette femme que de la laisser mourir aux mains cruelles de Lamellya... et cette dernière en était parfaitement consciente. Prenant d'une main le menton de la vampire, Viktor mit quelques secondes avant de répondre.

— J'aime ta soif de tuerie, mais sache que l'âme de cette Sitay m'est réservée. Néanmoins, rien n'empêche que tu sois l'arme qui la mettra à genoux !

— Je n'en demandais pas moins, Monseigneur, le remercia-t-elle en s'inclinant, tout sourire.

La vampire le laissa donc seul, afin que tous deux puissent se préparer au départ.

Pour Viktor, il ne suffisait pas de posséder l'âme de cette Sitay. Elle serait plus qu'une alliée incroyable dans ses rangs, elle serait l'ultime affront aux Dieux ! Qui plus est, une maîtresse de choix, d'après les images qu'il gardait de la mémoire de Maëlay. Il ne se passait pas une nuit sans qu'il espère posséder l'âme et le corps de cette immortelle.

— Ils attaqueront cette nuit même, Monseigneur ! La voix tout comme les traits de Kelm ne trahissaient aucune incertitude.

Sous la tente du roi Shoëg, seul lui et Lyams, un des éclaireurs dépêchés à la limite nord de la plaine d'Hiur, avaient demandé audience. Ce dernier était relativement élancé et vêtu d'habits aux couleurs de la terre et de la forêt. Même ses cheveux reflétaient la couleur de la boue.

— Dites-moi ce que vous avez vu, le pressa le roi.

Non pas qu'il remettait en question l'analyse de son Paetrym, mais il était désireux d'entendre de la bouche de Lyams ce qu'il avait vu.

L'éclaireur s'avança, inclina respectueusement la tête, puis répéta ce qu'il avait annoncé au mage affecté à la protection du roi.

— Je scrutais l'horizon à bonne distance de mes camarades, haut perché dans un chêne.

Une ombre passa devant son regard vert. Hésitant, il poursuivit :

— Je m'étais fondu dans l'ombre en prenant soin d'appliquer les conseils de Jeerdhs, et cette abomination ne perçut pas ma présence. Je n'avais jamais ressenti pareille terreur : j'aperçus la silhouette d'un vampire qui se déplaçait à une vitesse incroyable. Cet être lorgnait les agissements de deux autres éclaireurs à l'est de ma position. J'ai craint pour leur vie, mais le vampire, ayant pris bonne note de nos avancées, s'en est retourné aussi promptement vers son maître.

Le silence accueillit ces derniers mots.

— Lyams, allez quérir les généraux, dites-leur qu'ils sont attendus d'urgence ! Et soyez fier de ce que vous avez accompli cette nuit. Votre vigilance a certainement sauvé la vie de bien des hommes, dit Shoëg, en invitant l'éclaireur à se presser.

Lorsqu'ils furent seuls, le roi et son Paetrym s'assirent à la table du conseil que les soldats avaient installée sous la tente du souverain.

— Nous avions malheureusement anticipé de combattre dès la première nuit, alors nous y voilà, dit enfin Kelm.

— J'aurais préféré donner un répit à nos hommes, soupira Shoëg, se levant afin de servir deux coupes de cidre.

— L'armée est prête à ce combat. Dès demain, nous accueillerons les troupes du roi Hezyr. Préparons-nous à peu de repos pour les nuits à venir. Kelm conclut en buvant une longue rasade.

— Est-ce que notre Sitay sera prête à affronter cette nuit d'horreur ? risqua le roi.

Le regard du mage s'assombrit. Il savait pertinemment qu'il ne pouvait protéger en tout temps la jeune femme, et que cette dernière ne pouvait se soustraire à cette guerre. La pensée de la voir tomber au combat le paralysait.

— Olivia se repose pour l'heure. Dès les ordres donnés, j'irai veiller à ce qu'elle soit prête. À mon grand désarroi, elle devra apparaître aux premières lignes avec nous, soupira Kelm.

Posant une main réconfortante sur l'avant-bras du mage, qui s'agrippait à la coupe de métal au point que ses jointures blanchissaient, Shoëg espérait soulager son âme.

— Sache que tu ne seras pas seul à veiller sur elle. Je la chéris comme ma propre fille, et je connais la peur qui t'étreint, mon ami, répondit le roi, visiblement navré du fardeau qui reposait sur les épaules des deux jeunes mages.

— Monseigneur, pour l'avoir vue combattre des loups dénaturés par la magie, je crois bien qu'elle pourrait nous surprendre tous les deux.

Le roi se leva. Ce fut à son tour d'arborer un sourire en coin.

— Je me garderais bien de me placer au-devant des éclairs que notre chère Olivia peut créer ! ricana-t-il, plutôt ravi d'en être l'allié. D'un instant à l'autre, mes généraux feront leur entrée, alors va la rejoindre. Nous vous attendrons le plus rapidement possible sur le champ de bataille. Je ne leur apprendrai rien qu'ils ne savent déjà, alors va.

Kelm se releva, ne laissant sur la table de bois qu'une coupe vide. Il offrit au roi une poignée de main de frères d'armes, puis inclina respectueusement la tête avant de sortir, pressé de préparer Olivia au déclenchement de cette guerre.

En soulevant le pan de la tente, il aperçut Novan, suivi de Bemyrl et de Zoguar, qui attendaient d'être conviés par leur roi à entrer à leur tour. Ils le saluèrent d'un hochement de tête, visiblement surpris que le Paetrym ne seconde pas le souverain lors de l'entretien qui allait suivre. Le jeune mage réalisa que Shoëg savait pertinemment que les généraux patientaient à l'extérieur depuis quelques minutes déjà.

Sa diligence n'aura de cesse de me surprendre, se dit-il tout en s'empressant de regagner la tente installée pour lui et la Sitay, à quelques pas de là.

* * *

Kelm pensait trouver l'obscurité et la jeune femme encore endormie, mais quelques bougies avaient été soigneusement dispersées afin de baigner l'endroit d'une fine lumière.

Olivia terminait de lacer son corset d'armure. Ses cheveux étaient remontés en un chignon serré : elle était prête pour la bataille qui s'annonçait. C'est probablement ce qu'aurait pensé le mage s'il n'avait pas capté l'angoisse qui émanait de la jeune femme.

— Lorsque j'ai ouvert les yeux, tu n'étais plus là… et j'ai pu ressentir ta nervosité ! Je crois d'ailleurs que c'est cela qui m'a arrachée au sommeil. J'ai compris que ce pour quoi nous sommes ici approche, dit-elle d'une voix faible, aussi tremblante que ses mains.

La prenant doucement par les épaules, Kelm la força à planter son regard abyssal dans le sien. Ce n'était pas le moment d'user de magie pour la réconforter, mais il devait la sécuriser. Sinon, c'était l'envoyer à la mort ! Toutes leurs forces seraient essentielles dans cette guerre.

— *Mi sayl*, ne doute pas que pour les vampires, tu es une ennemie redoutable. C'est avec fierté que je prendrai place à tes côtés sur le champ de bataille !

— Kelm, je ne crains ni la souffrance ni la mort. L'une comme l'autre, je les ai jadis affrontées. Non, ce que je crains, c'est l'échec, avoua-t-elle à mi-voix.

Un sourire peiné se dessina sur la fine bouche du mage. Du bout de son pouce, il caressa la ligne de la mâchoire de la Sitay, vers qui tous les espoirs étaient tournés.

— Sache qu'appréhender la défaite est ce qui étreint le cœur de chaque soldat ! dit-il à voix basse.

Kelm se détourna de la jeune femme afin d'aller se munir de ses cimeterres. Soupesant les deux lames incurvées, il lui donna son dernier enseignement militaire :

— Craindre la mort nous pousse inexorablement vers elle. Au contraire, refuser la défaite nous en éloigne. Battons-nous cette nuit non pas pour nos âmes, mais pour toutes celles qui croient en nous !

Les mots étaient lancés d'une voix forte et semblaient s'imprégner tant en lui-même qu'en la jeune Sitay.

— Te voilà poétique avant la bataille, *mi suyl*, dit-elle, plus sereine d'entendre que celui qui avait été désigné par les Dieux pour être son précepteur lui accordait une totale confiance.

Olivia alla chercher la tenue de combat du Paetrym, qu'elle avait disposée sur leur lit au moment de défaire son propre paquetage, et l'aida à s'en revêtir. Elle avait peine à croire qu'on puisse disposer d'autant de confort dans un campement militaire, bien que Kelm lui ait indiqué que seuls les dignitaires et les généraux bénéficiaient d'équipements de cette qualité.

Autour d'eux, le campement s'agitait. Les soldats commençaient à s'organiser, si bien qu'aucun des deux mages ne perçut les bruissements de tissu annonçant l'intrusion d'une tierce personne.

— Tu tiens un discours digne d'un meneur d'hommes, mon ami !

La voix s'éleva de l'ombre derrière les deux jeunes gens, qui sursautèrent en réalisant qu'ils n'étaient plus seuls. En éclatant de rire devant leur regard confus, Jeerdhs enchaîna :

— Ne vous inquiétez pas, je ne suis arrivé que sur ces mots... J'ose croire que vous auriez décelé ma présence bien avant, conclut-il d'un sourire moqueur.

— Nous sommes ravis de te revoir à l'écart du champ de bataille ! lança Kelm, soulagé que le vampire ait décidé de faire un arrêt auprès d'eux avant de se retrouver sous le couvert de la lune.

Jeerdhs plongea ses yeux dans ceux d'Olivia, qui semblait voir son âme mise à nue par le vampire.

— Petite sœur, je vois tes appréhensions, mais n'oublie jamais qu'il faut craindre la guerre et sourire dans la bataille, lui dit-il.

Jeerdhs voyait en elle la combativité et la force de la guerrière nées des enseignements du Paetrym. Il ne lui restait qu'à se faire confiance.

— Ces mots semblent plutôt légers venant de la bouche d'un vampire, répondit la jeune femme avec une moue moqueuse.

— Je te l'accorde, mais tu es à des lieues d'être une femme ordinaire, Sitay !

Olivia sourit franchement, trouvant que le sobriquet de «petite sœur» était finalement approprié au regard de cette rhétorique : à savoir lequel des deux aurait le dernier mot. De fins traits d'éclairs vinrent danser entre les doigts de la Sitay, qui les contrôlaient maintenant complètement. Jeerdhs éclata de rire, reculant instinctivement d'un pas face à cette démonstration.

Ce fut Kelm qui ramena l'ordre. Néanmoins, il était ravi de l'attitude du vampire envers la Sitay. Cette dernière arrivait ainsi à retrouver un soupçon de son innocence.

— Allons retrouver le roi et son conseil avant l'attaque contre nos ennemis, annonça-t-il.

Ils étaient prêts au combat. Même Jeerdhs avait l'air prêt à se défendre, malgré son désir d'implication pacifique. Il craignait au fond de lui-même que la réaction de son frère soit à la hauteur de la hargne que ses armées avaient déployée.

À l'extérieur s'élevait le bruit des hommes qui se préparaient afin de prendre leur rang. La marche vers les hordes de vampires approchait, et le désir de survie des soldats grandissait.

— Navré de vous importuner, Monseigneur, dit Kelm en levant doucement un des pans de la large tente du roi.

Soupirant, le souverain afficha néanmoins un sourire narquois.

— Ce qui m'importune, Paetrym, c'est votre goût pour les protocoles.

Shoëg alla les accueillir. Ils avaient raté de peu les généraux, qui avaient reçu leurs ordres de combat. Ces derniers prenaient déjà place à la tête de leurs divisions respectives. Il est vraiment né pour être roi, se disait Olivia, en le voyant se retourner vers eux. Si elle l'avait toujours connu richement vêtu et sensiblement décontracté, il arborait maintenant un plastron d'or et d'argent qui brillait au reflet des bougies. Les sangles de cuir qui retenaient sa tenue de combat étaient cachées par une lourde cape noire.

La prestance de cet homme appelait au respect.

— Seigneur Lëanoläk, je suis ravi de vous retrouver parmi nous avant que la bataille ne donne ses premiers coups, avoua-t-il, les invitant à venir prendre place près de lui dans la section du regroupement de stratèges.

Ils parlèrent des derniers préparatifs, mais la guerre n'attendrait pas, et encore moins leurs ennemis. Le temps passa trop rapidement avant que le souverain ne les convie à le suivre vers les premières lignes. Jeerdhs n'avait pas l'intention de s'éterniser auprès d'eux.

— Mon passage sera bref, je voudrais me rendre auprès de Viktor le plus rapidement possible, leur dit-il.

— Comment pourrons-nous savoir si tout se passe comme vous l'espérez ? Nous reviendrez-vous rapidement ? demanda Olivia.

L'air frais lui mordait le visage, mais elle ne voyait que les yeux vert sombre du vampire. Il était prêt au départ, le capuchon de sa cape relevé de façon à cacher une partie de son visage. Olivia ressentait une crainte qu'elle ne s'expliquait pas. Ce n'était pas pour elle ou pour le sort des hommes et des femmes de Shimrae qu'elle s'inquiétait, mais pour lui.

— Malgré mes siècles d'existence, il m'est impossible de prévoir les réactions de mon frère, murmura Jeerdhs.

Le groupe se maintenait à l'écart. Shoëg avait rejoint ses généraux après avoir salué le vampire, laissant les deux mages l'accompagner jusqu'à la pénombre qui bordait le campement. Jeerdhs fixa tout à coup Kelm. Il y avait une façon très simple de leur faire connaître rapidement le dénouement de sa rencontre avec Viktor. Toutefois, le jeune homme ne serait sûrement pas d'accord avec ce qu'il allait proposer.

— Je ne connais qu'une seule voie afin qu'un humain et un vampire puissent, d'une certaine façon, communiquer... risqua-t-il, tentant de le convaincre.

— Il n'est pas nécessaire d'expliquer davantage. Je crois deviner que vous faites allusion à cette morsure fatale, répondit Kelm, ne pouvant contenir un léger frisson d'appréhension.

Jeerdhs prit le temps d'expliquer aux deux mages qu'il n'était pas question de condamner leur âme : il ne ferait pas d'eux des vampires. Mais d'une simple morsure, un vampire de son âge pouvait lier des êtres humains à sa volonté.

Il leur suffirait alors de connecter leurs esprits et, le temps que leur plaie guérisse, le sort serait levé. Jeerdhs comprenait que Kelm redoute une telle chose et il respectait cela. La vie est un cadeau précieux, lui-même ne le savait que trop : il avait accompagné les âmes des siècles durant !

— Cela me semble très simple, dit Olivia. Mais lorsqu'elle croisa le regard de Kelm, elle comprit que cette solution semait un grand doute en lui.

— Le temps nous fait défaut, mais tu as raison, Paetrym : cela demande une totale abnégation ainsi qu'une confiance absolue.

Jeerdhs continuait à lire en lui avec facilité. Par chance, Kelm ne lui en tenait pas rigueur. Pour lui, cette faculté s'avérait tout simplement pratique pour le moment. Alors, avant même que le mage n'ouvre la bouche pour renchérir, le vampire leva la main afin de couper court.

— Je ne remets pas en question ta confiance en moi. J'arrive à lire ta certitude sur mes intentions, mais je perçois ton aversion naturelle pour ma nature. Comment t'en blâmer ? J'arrive moi-même à capter le désir de sang qui émane de mes semblables !

Il s'avança afin de déposer une main amicale sur l'épaule de Kelm, qui devinait où le vampire allait en venir. À cette pensée, son regard se voila. Il laissa Jeerdhs exposer ce qu'il avait en tête.

— Le lien qui vous unit dépasse même ce qui unit un vampire à son familier. Je n'ai pas besoin de me lier à vous deux... Et ce n'est pas toi, Paetrym, qui sera le plus ouvert à mon appel, conclut-il.

— Je me doutais que tu dirais cela, soupira Kelm, résigné. Il savait pertinemment qu'Olivia serait beaucoup plus réceptive que lui, mais il ne pouvait prévoir les effets que cela aurait sur elle. Le vampire tourna donc son attention vers la Sitay, qui avait déjà réfléchi à cette perspective.

— Kelm, je ne crains pas la morsure de Jeerdhs. Savoir s'il nous faudra réagir rapidement nous offrira un avantage considérable, et comme vous l'avez anticipé, Messieurs, j'ai une totale confiance en ton jugement, mon ami, dit-elle en s'avançant vers le vampire.

Le Paetrym sentit son estomac se nouer lorsque Jeerdhs rabattit le capuchon qui couvrait toujours son visage malgré la pénombre. Il devait faire preuve de courage en laissant la femme qu'il aimait risquer la morsure d'un vampire, aussi ami soit-il.

De sa main droite, Jeerdhs vint cueillir la nuque d'Olivia avec douceur. Il aimait la Sitay comme sa propre sœur. Il ne voulait aucunement la faire souffrir et briser cette confiance. La jeune femme ferma les yeux, ressentant enfin la fraîcheur de la nuit sur sa peau. Un long frisson irradia la totalité de son corps. Lentement, sa tête bascula vers l'arrière. Rien ne se passa et elle ouvrit de grands yeux incertains.

Le regard d'émeraude de Jeerdhs attendait de capter la profondeur de celui d'Olivia. Cette femme avait un regard sans âge : un abysse où la vie elle-même semblait se perdre. Le vampire savoura ce moment, ce qu'il savait être l'abnégation totale d'une femme pour l'être qu'il était devenu. Jamais il n'avait vécu cela et il savait que cela n'arriverait pas une seconde fois. Olivia hocha la tête en signe d'acquiescement, puis referma les paupières. Jeerdhs vint appuyer sa joue froide contre celle de la Sitay, puis lorsqu'elle prit une profonde inspiration, ses canines percèrent la peau de son cou afin d'aller s'abreuver à même sa jugulaire.

La douleur fut brève. La déchirure de sa peau lui soutira un gémissement, puis sa vue se brouilla afin de laisser, peu à peu, des images loin de la pénombre de la nuit envahir son esprit. Sans pouvoir les contrôler, Olivia fut témoin de la mort d'homme de Jeerdhs, lorsqu'il était un Bédouin vivant des périples du désert. Celui qu'elle devina être Kahinë Nostera se pencha au-dessus de l'homme, qui étrangement semblait accueillir la mort avec sérénité.

Pour quelle raison Jeerdhs avait-il renoncé à la vie avec tant de quiétude ?

— On t'a volé la vie de ta femme et la tienne... Mon enfant, je te propose de vivre à mes côtés, sous les lueurs de la lune. Aide-moi à faire en sorte que les défunts accueillent la mort avec autant de calme, demanda une voix profonde, d'une douceur inhabituelle.

Le brouillard s'ouvrit sur une autre scène : une femme s'offrait à Jeerdhs. Ses longs cheveux blonds cascadaient sur son dos, que les mains de ce dernier s'évertuaient à caresser. Olivia ressentit le désir du vampire, puis la souffrance qui le tétanisait lorsqu'il repensait à sa première femme... Jamais cet amour ne l'avait quitté.

Lorsqu'enfin la jeune femme rouvrit les yeux, la nuit où la guerre prenait naissance était de retour. Jeerdhs la maintenait au creux de ses bras et, la fixant toujours, il brisa le silence.

— Tu m'as permis de voir ta souffrance. Je suis navré de ce que tu as enduré, lui souffla-t-il à l'oreille.

Le souffle court, Olivia caressa la joue du vampire. Le bout de ses doigts pouvait sentir le froid de sa peau. La Sitay n'avait pas réalisé que ce dernier avait reçu, en contrepartie, la vision de sa vie et de sa mort à elle.

— Ta douleur est sans pareil, mon frère. J'aimerais tant soulager cette peine qui habite encore ton âme, répondit la Sitay.

Olivia tenta de reprendre appui, mais ses jambes ne purent supporter le poids de son corps. Elle se retrouva à genoux, sans toutefois être libérée de l'étreinte de Jeerdhs, qui la suivit dans sa chute.

— Je n'ai jamais cessé d'aimer votre race, et pour ma Yaëlla, jamais je ne pourrai vivre autrement. Le vampire enlaça la jeune femme qui frémissait d'avoir perdu une part de son sang. Néanmoins, elle ressentait une force nouvelle l'habiter. D'un mouvement franc, Jeerdhs l'aida à se relever, invitant Kelm à soutenir la jeune femme.

— J'espère que les Dieux me permettront de croiser votre chemin à nouveau, souffla Jeerdhs, s'inclinant devant le couple de mages, puis se fondant dans l'ombre de la nuit.

Il n'appréciait guère les adieux et priait de les retrouver sains et saufs.

— Comment te sens-tu, *mi sayl* ? demanda Kelm, en examinant la plaie qu'avait laissée la morsure à son cou.

Olivia reprit rapidement appui sur ses jambes. La jeune femme, aussi frêle soit-elle, le surprenait toujours.

— Allons rejoindre le roi Shoëg. Il sera ravi d'apprendre que nous serons aux premières loges pour suivre la rencontre de Jeerdhs et de Viktor, répondit-elle, sentant l'énergie du vampire se déployer dans son corps. Plus aucune trace de la faiblesse qui l'avait submergée ne subsistait.

Leurs chevaux attendaient non loin de là. L'herbe bruissait sous la brise du vent et la nuit était calme. La lune perçait à travers les minces filets de nuages. Kelm arrêta son pas, captif de la jeune Sitay. Sa peau semblait d'ivoire sous les pâles reflets de lumière... Il la revit sur le port, entièrement nue, à la merci des vampires. Il avait été là pour elle, découvrant leurs ennemis pour la première fois. Cette fois-ci, Olivia ne serait pas une victime, mais une guerrière, et il serait encore une fois là pour elle.

Il la regardait toujours lorsque, d'un simple élan, elle se retrouva sur le dos de Ryjns et, repoussant une longue mèche ayant quitté son chignon, lança sa monture au trot. Passant devant le mage, elle lui adressa un sourire narquois. Il ne manqua pas de s'élancer vers son cheval afin de la rattraper.

— Sourire dans la bataille, se dit-il, gardant en mémoire les mots de Jeerdhs. Olivia semblait les avoir assimilés.

Chapitre 22

Il ne fallut que quelques secondes à Jeerdhs pour déceler l'énergie de Viktor parmi tous les vampires qui se dressaient devant lui. L'inquiétude ne le gagnait nullement puisqu'aucun d'eux ne se souciait de sa présence.

Le capuchon toujours rabattu, il était pris pour un éclaireur. Ces vampires étaient tous trop faibles et trop jeunes pour comprendre qui il était. D'ailleurs, si le désir de Jeerdhs avait été de cacher son identité, aucun d'eux n'aurait jamais pu percer son secret. Le vampire ne souhaitait pas provoquer son frère au centre de ses troupes. Alors, marchant d'un pas lent, il passa à quelques mètres de ce dernier. Lorsqu'enfin les yeux noirs de Viktor se levèrent, incrédules, ils rencontrèrent le regard brillant de malice de son aîné. Le temps d'un clignement de paupière, il n'y avait plus aucune trace de cette vision. Viktor n'avait nul besoin de le voir, il sentait maintenant très clairement l'essence de Jeerdhs, qui sollicitait un entretien avec lui.

— Qu'est-ce qui vous trouble ainsi ? demanda la voix de Miryano.

Ils étaient tous là à établir le départ des troupes, lorsque Viktor suspendit sa phrase. Son général ne sut si l'ombre qui passa sur le visage de son chef était une inquiétude qui mettrait en péril leur attaque de ce soir.

Il était plus que rare que l'esprit de leur chef s'ouvre à eux. Lamellya, qui se tenait à quelques pas de là, fut aussi troublée par le regard d'incrédulité de leur maître.

— Nous avons droit à un invité de marque ! lâcha finalement Viktor la mâchoire serrée. Laissez-moi vérifier de quelle façon nous devons l'accueillir... termina-t-il à mi-voix, laissant à ses généraux la tâche de donner les derniers ordres de bataille.

Jeerdhs s'était arrêté à bonne distance de là, à l'orée de la forêt, à l'écart des curieux pouvant venir du campement. Adossé contre un large tronc d'arbre, il se redressa afin d'accueillir son cadet. Cela faisait maintenant plus de deux siècles qu'ils ne s'étaient pas vus !

— Que me vaut l'honneur d'une telle visite, Jeerdhs ? s'exclama Viktor.

Le ton menaçant de sa voix ne faisait pas écho au sourire et à l'étreinte qu'il servit à son frère. Il connaissait l'amour des humains qui avait toujours habité ce dernier. Il n'était donc pas dupe quant à ses intentions.

— Je suis venu constater par moi-même l'empire que tu t'efforces de construire... et celui que tu tentes d'anéantir, dit-il calmement, posant une main fraternelle sur l'épaule de Viktor.

Ce dernier avait revêtu un pantalon noir ainsi qu'une légère chemise de la même couleur, dont les manches étaient roulées jusqu'aux coudes. En guise d'armure, il arborait un plastron de cuir aussi noir que le reste de ses attributs et des protège-poignets du même matériau. Tout en lui en appelait aux ténèbres qui régnaient dans son âme.

— Mon frère, tu n'as guère changé depuis notre dernière rencontre, mis à part cette rage qui te consume, ajouta Jeerdhs en le toisant du regard.

Viktor se défit doucement de l'étreinte de son frère, afin d'effectuer quelques pas seul. Il soupirait. Il aurait espéré que Jeerdhs comprenne d'emblée ce qui se jouait en ces temps de guerre.

— Des siècles entiers à accumuler la haine et la rage des hommes... Comment des êtres porteurs eux-mêmes de la mort peuvent-ils garder la faveur des Dieux ?

Le vampire marqua une pause, puis se retourna. Il fixa Jeerdhs avant de poursuivre :

— Pourquoi notre peuple devrait-il continuer d'être à la solde de ces êtres inférieurs ? Les nôtres méritent de fouler cette terre et d'y régner ! conclut-il d'une voix forte.

— Oh, mon frère, je me souviens bien que tu n'as jamais pu te détacher entièrement des âmes que tu accompagnais vers le plan de Fortulgh. Te souviens-tu d'un temps où tu te raccrochais à ce qu'il y avait de meilleur en ces humains ? demanda Jeerdhs, visiblement affligé et soucieux de ne pas répondre directement aux questions de son frère.

Viktor éclata de rire.

— C'est toi, mon cher Jeerdhs, qui n'as guère changé ! Je devine aisément que tu as repris ta vie de Bédouin. Tes vêtements aux couleurs de la terre et du sable l'attestent. Tu n'as jamais cessé de croire en cette mission des Dieux ! Mon pauvre frère, cette rage et cette soif de pouvoir sont sans doute ce qu'il y a de plus humain... Tu as peut-être raison en définitive. Je m'abreuve de ce qu'ils ont de mieux à offrir !

— Rien ne change alors... murmura Jeerdhs entre ses dents.

Une lueur meurtrière illumina le regard de Viktor, qui balaya le paysage devant lui.

— Au contraire, mon frère, bien au contraire, tout va changer. Je te conjure d'ouvrir les yeux : toi à mes côtés, nous pourrons libérer notre peuple de cet esclavage dans lequel les Dieux nous ont enchaînés, lança-t-il avec véhémence.

Passant une main lasse dans ses cheveux châtains, Jeerdhs sentait une soif de sang émaner de Viktor. Son cadet avait tant changé depuis tous ces siècles ! Bien qu'il parlât de liberté et d'émancipation, Jeerdhs décelait bien que le but ultime de ses agissements était le massacre et l'asservissement.

— Tu as raison sur un point, Viktor. Je vis toujours selon les anciens préceptes : servir les Dieux au passage des âmes vers Fortulgh.

Jeerdhs s'avança vers Viktor et, posant une main sur sa nuque, l'obligea à le fixer. Les différents tons de verts avaient un effet hypnotique sur quiconque s'y perdait trop longtemps.

— Parmi ces préceptes, il est dit que nous ne devons pas provoquer la mort d'un de nos semblables. Mon frère, je t'implore d'ouvrir ton esprit. Réalise que tu risques la vie de plusieurs centaines d'entre nous, uniquement pour servir ta haine ! termina Jeerdhs.

Une brise fraîche vint traverser le lin beige de sa tenue, et ses cheveux vinrent lui chatouiller le visage en une fine caresse. Comment un vampire aussi puissant que son jeune frère ne pouvait-il pas savourer tout simplement les douceurs que l'éternité leur offrait ?

— Ton charisme n'a pas faibli avec le temps. Malheureusement, nos convictions prennent naissance de qui nous sommes. Nous voilà donc à des lieues l'un de l'autre, murmura Viktor au creux de son oreille.

Se détournant de Jeerdhs, le seigneur des assassins n'éprouva que du dégoût pour son aîné.

— Je repartirai donc le cœur brisé, en espérant que tu ouvres ton âme à la vérité qui maintient l'équilibre de ce monde. Grâce à toi, nous verrons une nouvelle ère et à cela nous ne pourrons échapper.

— Mon frère, je t'ai connu d'humeur plus joyeuse ! dit Viktor d'un ton malicieux, en souhaitant provoquer son aîné.

— Je te dis adieu, mon frère. Et si les Dieux me sont cléments, je ne croiserai plus jamais ton chemin.

Jeerdhs s'éloigna sans réagir à ce sarcasme, réalisant que rien ni personne n'aurait pu détourner Viktor de la voie qu'il avait lui-même tracée.

Ce dernier ne l'entendait pas de la sorte. D'un mouvement souple, il dégaina une longue et fine lame et s'élança dans le dos de Jeerdhs.

Percevant le mouvement, le vampire se pencha prestement vers la droite. La pointe de la lame pénétra durement son épaule, déviant le coup qui l'aurait atteint en plein cœur.

— Ne me regarde pas ainsi, mon frère ! lui cracha Viktor à la figure. Tu ne devrais pas être surpris. Si tu ne te bats pas à mes côtés, il n'est pas question que tu te ranges contre moi.

Affichant un sourire carnassier, il sortit de sa botte une dague sertie de pierres bleues qu'il fit tournoyer avant de la pointer, menaçante, vers Jeerdhs.

Le vampire blessé sentait déjà sa meurtrissure se refermer. Il n'avait guère le choix. Allait-il se laisser tuer ou combattre pour sauver le monde Faöws ? La surprise dans ses yeux se mua en une haine implacable. Laissant tomber sa cape sur l'herbe trempée de rosée, Jeerdhs dégaina deux cimeterres, qu'il gardait dans le même fourreau. Les deux lames étaient identiques en tout point.

— Eh bien ! Il reste encore de l'espoir, ricana Viktor, ravi que son frère lui donne l'occasion de se battre.

— Ne pense pas que le respect des règles fait de moi une proie facile ! souffla-t-il.

Ce fut lui qui lança la deuxième attaque. Les deux vampires entrèrent dans un ballet d'une vitesse incroyable. Viktor devait concéder que Jeerdhs déployait beaucoup plus de force que ce qu'il avait anticipé. Le vampire du désert lança tout son corps sur la gauche, tout en appliquant un mouvement circulaire à ses lames. Sa bouche se mua en un sourire malicieux en remarquant une fine goutte de sang qui perlait sur le cou de son adversaire.

Bien entendu, la plaie peu profonde se referma presque aussitôt.

— Mon maître d'armes n'a finalement rien perdu de sa vivacité, à ce que je constate, cracha Viktor.

Tenant toujours sa dague, il essuya la blessure qui coulait le long de sa jugulaire, puis lécha la traînée de sang sur ses doigts.

— Je dois te concéder que tu as fait bien des progrès : auparavant, tu en aurais perdu ta tête, ricana Jeerdhs.

D'un simple regard, les deux ennemis se relancèrent dans un échange serré de tailles et d'estocs. Les minutes s'écoulèrent sans que l'épuisement se fasse sentir. Il était clair que les deux escrimeurs avaient la même force physique et la même adresse, sachant quand mettre un genou au sol ou quand bondir afin de déjouer l'adversaire.

Viktor ne désirait pas passer la nuit à se battre avec son frère. Il savait que la tromperie restait sa meilleure arme. Si chaque ouverture de ses lames était contrée et anticipée par Jeerdhs, il devait le battre sur un terrain que ce dernier ne saurait deviner. Après tout, son aîné avait été son mentor au maniement des armes...

Habilement, Viktor créa une ouverture que Jeerdhs ne put ignorer, une occasion si brève qu'un vampire moins expérimenté n'aurait jamais pu déceler. Ce dernier planta une partie de sa lame incurvée dans l'épaule gauche de Viktor, lui arrachant un cri de douleur. Suivant le mouvement de l'impact, il tomba à la renverse et en perdit son épée longue sous le choc.

Le souffle coupé par la lame toujours incrustée dans sa peau, Viktor sentit le froid de la deuxième lame sur son cou.

— Tu... tu avais raison, mon frère, balbutia Viktor, je vois enfin la vérité.

Jeerdhs se tenait au-dessus de lui. Une larme vint nettoyer le sang qui lui tachait la joue. Le vampire souffrait de dépendre de la mort de son jeune frère.

— J'aurais aimé que cela se termine autrement, murmura Jeerdhs.

Tous ses traits se figèrent en un douloureux rictus. La dague de Viktor avait réussi à atteindre son cœur, son propre sang coulait le long du bras de son assaillant.

— Moi, j'aurais aimé que tu rejoignes ma cause, mais comme je te le disais, je vois la vérité. Il n'y a qu'une seule façon pour que nous soyons unis, cracha-t-il, grimaçant de douleur.

Se relevant d'un bon, Viktor brava la souffrance et laissa la lame du Bédouin pénétrer encore plus profondément dans sa chair, sectionnant muscles et tendons, afin de plonger ses canines à même la jugulaire de Jeerdhs. De cette façon, plus aucune guérison ne serait possible pour lui.

— Mon frère... tu nous condamnes tous.

Accueillant la mort sans aucun autre choix, les dernières paroles de l'aîné des vampires ne furent plus qu'un murmure.

***

— NON !

Olivia hurla, puis, comme si elle avait reçu un coup de plein fouet, elle tomba à genoux et se recroquevilla sur elle-même.

Son rythme cardiaque s'était accéléré depuis plusieurs minutes. Mais comme prisonnière d'un sort, elle ne put communiquer avec aucun de ceux qui prenaient place autour d'elle. Le roi et le Paetrym assistaient à sa transe, sans pouvoir lui venir en aide. La Sitay avait été témoin du duel entre Jeerdhs et Viktor, mais lorsqu'elle sentit le corps de son ami se désagréger, se vidant de son sang, elle fut terrassée.

Ceux qui demeuraient au premier rang échangèrent des regards intrigués. Par chance, Kelm ne la quittait pas, de même que le roi, qui se tenait près d'eux. Les deux hommes aidèrent Olivia, sanglotante, à se relever. Sachant que des soldats jetaient sur elle des yeux inquiets, elle inspira profondément, tentant de se ressaisir. Si la Sitay flanchait, comment pourraient-ils garder espoir en leur chance de vaincre?

Kelm la força à le regarder. Elle n'avait pas l'énergie de répondre à ses questions, alors elle hésita avant de lever les yeux vers lui. Pourtant, au moment de croiser la couleur du ciel à travers la nuit, Olivia comprit. Le mage avait ressenti la même chose qu'elle, tout comme Jeerdhs l'avait prédit. Les muscles tressaillaient sous la pression qu'exerçait sa mâchoire et son regard brillait par la douleur qui l'avait envahi lui aussi.

— Tu n'as pas à expliquer... Le Paetrym inspira profondément avant de porter son attention vers le roi, qui les fixait avec insistance.

— Je crois malheureusement deviner les événements qui viennent de se produire, souffla le souverain à mi-voix, afin d'être entendu uniquement de ceux qui se trouvaient à proximité.

D'une voix troublée, Olivia prit la parole.

— Viktor s'est joué de Jeerdhs. La fourberie l'a emporté sur l'humanité qui vivait en notre ami, finit-elle par dire.

Ouvrant de grands yeux, Shoëg interrogea son Paetrym, craignant que Jeerdhs ait rejoint les rangs de leur ennemi...

— Non, Monseigneur, Jeerdhs ne nous aurait jamais trahis... Il est mort, souffla le mage.

Ce dernier envoya une douce magie pour réconforter Olivia. Il en profita aussi pour remettre de l'ordre dans son esprit. Ce fut Shoëg qui parla afin de s'assurer que la Sitay se ressaisisse : la survie de la jeune femme en dépendait, ainsi que la leur !

— Malheureusement, les Dieux ont prévu une autre fin pour Viktor. Tant que vous êtes à nos côtés, Lady Saint-Pierre, le message divin n'est pas encore accompli. La certitude et l'espoir ne faiblissent pas en moi et je saurai l'insuffler à mes troupes.

Sur ces mots, le souverain sauta sur la selle de sa monture, dominant ainsi tous ceux qui étaient rassemblés près de lui.

Il retourna vivement son étalon, fixant durement ses hommes. Sa voix s'éleva, forte et grave. Portée par le vent, elle fut entendue de tous.

— Nous devons combattre cette nuit, non pas pour notre survie, mais pour la pérennité de la terre de Faöws. Les Dieux nous ont fait l'honneur de nous désigner pour être ceux qui mettront fin à l'horreur que ces êtres sèment sur leur passage !

Shoëg marqua une pause, lorgnant son armée de gauche à droite, son corps se mouvant au rythme lent de son étalon aussi noir que les ténèbres. Il enchaîna d'une voix encore plus forte :

— Notre allié n'a pu raisonner l'instigateur de cette rage. Encore une preuve qu'il en revient à nous, chevaliers du royaume de Shimrae, d'éradiquer la menace qui étend son ombre sur nous. Demain, nos alliés viendront nous rejoindre, mais pour l'instant, cette nuit est la nôtre. Cette nuit, nous vaincrons. VOUS vaincrez ! Car les Dieux en ont décidé ainsi ! termina-t-il, déclenchant les acclamations de ses hommes. Tous hurlèrent leur soif d'en ressortir vainqueurs, brandissant lames et arcs dans la nuit.

Tous ceux qui retenaient leurs montures par la bride sautèrent à cheval, afin de mener leurs hommes sur le champ de bataille.

**

Une vague de ténèbres s'élançait à la rencontre de l'armée des hommes. Aucun des adversaires ne songeait à des pourparlers, en saisissant l'inutilité. La capitulation des soldats de Shimrae ne figurait pas dans les plans de Viktor : il désirait massacrer ses opposants et non les conquérir.

Les premiers assauts, marqués par de nombreux traits de flèches, furent lancés dans la nuit. Olivia se surprit elle-même de son sang-froid. Elle et Kelm, combattant côte à côte, firent des dégâts considérables grâce à leur magie.

Les quelques nuits d'entraînement avaient porté leurs fruits. Sous les ordres du roi et de ses généraux, les soldats se défendaient et attaquaient avec justesse. Le Paetrym avait espéré avoir l'occasion de croiser le fer avec Viktor, mais le vampire ne se montra pas au cœur de la bataille. Malgré cette absence, Kelm pouvait sentir la présence de leur ennemi dans chacun des vampires qui trépassait sous sa lame et ses sorts.

Il savait pertinemment que le moment viendrait où, enfin, leurs regards se croiseraient.

Viktor avait aménagé son campement en retrait et dominait le champ de bataille. C'est de là qu'il commandait ses troupes, ses puissants dons de télépathie s'avérant très utiles.

— Sorik, c'est l'heure, tonna-t-il, sans qu'aucun mot soit prononcé.

— Tout est prêt, répondit l'interpellé.

Le chef de l'armée des vampires n'eut pas à attendre bien longtemps : il sentait Sorik s'approcher. Viktor déposa sur la table un tekkô à deux pointes. Cette arme de poing était rarement utilisée, mais il la jugeait de circonstance. Sorik releva un pan de la tente, puis, sans un mot, ajouta sur la table un petit flacon translucide laissant voir un liquide couleur lavande.

— Voici le poison que vous avez demandé, lâcha Sorik, non sans une pointe de fierté. Il avait mis plusieurs nuits à créer ce toxique, dont l'effet serait fulgurant.

— Et voici l'arme que tu devras utiliser. Je désire que tu puisses voir dans ses yeux la fin de sa vie. Viktor marqua une pause. Il savait que Sorik n'échouerait plus jamais, de crainte d'affronter sa fureur une seconde fois. Tu n'as qu'à agir exactement selon les directives que je t'ai données : porte l'attaque avec ce poison, puis prend tes deux assistants et veillez, par votre magie, à protéger nos meilleurs assassins... le plus grand nombre possible.

Viktor releva le pan de la tente, invitant le vampire à s'affairer :

— Tenez-vous en retrait, à l'abri de ces hommes, et n'oublie pas que l'échec sera puni... Notre victoire est liée à votre réussite !

Sorik s'inclina en signe d'acquiescement, sans répliquer quoi que ce soit. Il sortit, le regard brillant. Il n'échouerait pas puisque le plan avait été élaboré avec les meilleurs stratèges. Son maître verrait bientôt en lui le dévouement et la valeur qu'il mettait au service des armées. C'est donc le sourire aux lèvres et confiant qu'il se précipita dans la nuit de la guerre.

**

La nuit tirait à sa fin. Dans moins de deux heures, les hommes auraient enfin droit au repos qu'apporteraient les lueurs du soleil. Ramasser les blessés et incinérer les morts serait une tâche longue et pénible, mais pour l'instant, le roi Shoëg fit taire ses propres douleurs et relança sa monture contre l'ennemi.

Les soigneurs étaient préparés et son conseil politique savait se débrouiller sans lui. Les situations de repli avaient été envisagées et sa lame était bien plus efficace au contact de la mêlée. Alors que son massif étalon ébène atteignait le galop, le temps parut se figer autour du roi. Les formes et les couleurs devinrent floues au point de former une pièce sans issue.

— Mais que se passe-t-il ? grogna le souverain entre ses dents, faisant tourner sa monture à la recherche de son assaillant. Avant même qu'il ne puisse réagir, Shoëg sentit deux pointes de métal perforer la peau de son cou.

— Inutile de vous gratifier d'un « Longue vie au roi », Monseigneur !

La voix de Sorik était susurrée directement au creux de son oreille. Si ce dernier avait été humain, le roi aurait senti son souffle caresser sa nuque. Mais le rire sonore qui écorcha ses oreilles chantant sa victoire fut aussi troublant que la noirceur qui s'installa autour de lui.

En une fraction de seconde, tout reprit sa consistance normale. Le corps du souverain se vida de son énergie. Lorsque son armure tomba lourdement sur le sol, les hommes qui assistèrent à la scène furent envahis d'une terreur sans nom.

Aucun ne put dire ce qui s'était réellement passé. À leurs yeux, un mal invisible venait de terrasser leur souverain. Soudain, portant l'horreur de cette attaque à son paroxysme, les deux jeunes mages s'effondrèrent d'un même mouvement, vidés de leur énergie vitale.

Bien qu'ils n'aient pas eu connaissance de l'attaque de Sorik, la douleur qui envahit simultanément Kelm et Olivia fut insupportable : un sentiment de perte les foudroya.

Le mage n'avait pas voulu inquiéter la jeune femme : il lui avait caché le lien qui unissait un protecteur à son souverain. En cas d'attaque, le Paetrym ne pouvait se détacher totalement de celui qu'il protégeait, et leur douleur était partagée. L'essence de Cyrm le préserva en partie du mal qui coula dans les veines de Shoëg, mais ce même don le liait dorénavant à Olivia. Elle ne put donc se soustraire au tourment qui envahissait le mage.

Épuisée et affaiblie, elle ne maîtrisa pas les éclairs qui recouvrirent son corps. Kelm non plus, et cette manifestation incontrôlée de ses propres dons le déstabilisa complètement. Olivia se retrouva dans un cocon d'éclairs. Kelm fut recouvert de flammes, qui terminèrent de le vider de son énergie. Leurs corps furent ainsi protégés, et ce, malgré eux.

Chapitre 23

Lorsque Kelm sentit toutes ses forces l'abandonner, il lui parut inconcevable que se dégage de son corps un tel bouclier de flammes. À une vitesse que seul un mage sans âge aurait pu se vanter d'ordonner, les éclairs et les flammes créèrent deux coupoles grandissant jusqu'à entrer en contact. Le choc qui suivit l'impact de ces manifestations de l'élément du Feu fut retentissant. Les soldats qui se battaient avec leurs dernières forces furent propulsés au sol par l'onde qui envahit le champ de bataille.

Une lumière d'un blanc immaculé accompagna l'impact. Les fantassins de Viktor qui ne s'étaient pas repliés après les ordres lancés dans leurs rangs poussèrent un dernier cri de souffrance lorsque leurs chairs reprirent la consistance qui caractérisait les morts de longue date. Tissus et os se désagrégèrent sous la force de cette magie ! Malheureusement, une grande majorité des effectifs ennemis s'étaient réfugiés dans l'ombre, sachant que le lever du soleil approchait.

Novan fut le premier à se relever. Tenant à peine sur ses jambes, taché de son propre sang ainsi que de celui de ses ennemis, il aperçut les corps du Paetrym et de la Sitay, inertes parmi tous les autres qui se relevaient péniblement. S'il avait eu connaissance de la chute du roi Shoëg, sa panique aurait été bien pire encore. Toutefois, sans perdre une seconde, il courut vers eux. Il hurlait des ordres à ses hommes afin de porter secours aux nombreux blessés, préférant requérir l'aide à proximité de lui et faire porter personnellement les corps de ses deux amis auprès des soigneurs.

Lorsque le convoi portant les blessés arriva sous la large tente, un silence solennel s'installa autour d'eux.

Si un grand nombre de soldats recevait des soins, les plus éminents médecins s'affairaient autour d'une seule et même couche. On porta les corps inconscients de Kelm et d'Olivia sur des lits. Novan crut défaillir lorsqu'il vit celui qui retenait l'attention des soigneurs.

Le roi Shoëg gisait entre la vie et la mort, le poison ayant déjà abondamment circulé dans ses veines. Un voile violacé semblait s'être déployé sous son épiderme. Si le royaume devait perdre son souverain, son Paetrym ainsi que la Sitay lors des premiers assauts, leur sort serait immanquablement la mort. Interceptant un des médecins qu'il connaissait, Novan le força à lui faire face. Le regard perdu et incertain de ce dernier ne le rassura guère. Grand et maladivement élancé, le guérisseur semblait dépassé par les événements, au même titre que tous les autres autour de lui.

— Mearik, qu'est-il arrivé à notre roi?

Novan voulut contenir le ton de sa voix. Angoisser les soldats autour de lui ne ferait que semer un vent de panique dans ses troupes.

— Nous ne savons pas encore si cet éclair blanc a causé la chute du souverain, mais il semblerait qu'un poison inconnu de nos meilleurs mages coule dans ses veines, lui annonça-t-il, visiblement désemparé.

— Prions les Dieux que notre Paetrym et la Sitay ne soient pas atteints par le même mal, lança Novan à mi-voix.

— Je m'occupe personnellement d'eux. Viens me donner un coup de main...

Leurs effectifs étaient débordés. Les premiers assauts d'une guerre étaient toujours les plus dévastateurs. Mais jamais le général n'avait assisté à un carnage aussi rapide.

Novan suivit Mearik, obéissant à ses ordres, lui apportant de l'eau, des linges propres... Le médecin avait compris que le soldat avait besoin de se rendre utile. À dire vrai, chacun d'eux devait s'occuper l'esprit sinon la panique les gagnerait. Grâce aux bons soins du médecin, il ne fallut que peu d'incantations et de compresses pour que Kelm et Olivia ouvrent les yeux, pratiquement au même instant.

Ce fut le Paetrym qui eut la réaction la plus vive, surprenant les soigneurs qui le veillaient. D'un mouvement brusque, il se releva.

— Menez-moi au roi! tonna-t-il.

Sa voix était forte et il avait beau chanceler sur ses jambes, la sévérité de ses traits interrompit toute protestation de la part des médecins. Contrairement à ce que ces derniers pensaient, Kelm était au courant de l'état de Shoëg. Il s'installa près de lui, la mâchoire crispée par la douleur de son âme.

Posant une main sur le front humide du roi, le Paetrym lança une incantation, transférant une partie de ses faibles forces vitales dans ses veines. Au grand étonnement des soigneurs, ce dernier poussa un grognement et enfin ouvrit les yeux.

Le jeune mage fut près de défaillir. Son teint avait viré au gris, mais malgré la douleur, il soutint le regard mourant du roi. Les médecins s'étaient reculés pour leur laisser un minimum d'intimité. Le campement d'infirmerie regroupait un nombre croissant de blessés qui affluaient du champ de bataille. Les médecins et les mages s'affairaient dans tous les sens, et seuls les plus éminents d'entre eux veillaient aux soins du roi Shoëg.

— Monseigneur, que vous est-il arrivé?

Si quelques secondes auparavant la voix du mage avait été forte, elle était maintenant à peine audible.

La bouche sèche, Shoëg articulait difficilement.

— Je me souviens de la voix railleuse d'un vampire... Puis de la douleur et enfin du néant.

Le souverain avait du mal à parler. Chaque mot était une souffrance et chaque effort semblait augmenter la vitesse d'absorption du venin. Le filet mauve qui se dessinait sous la surface de sa peau prenait de plus en plus de consistance.

Malgré tout, le souverain tenta de se relever. Kelm appuya légèrement sur ses épaules, l'obligeant à s'adosser. D'un pas mal assuré, il alla chercher deux oreillers, aidant le roi à s'installer plus confortablement.

Tous deux savaient que le temps était compté, et le mage espérait apporter au souverain un minimum de dignité. Kelm ressentait une douleur profonde : il était de son devoir de protéger le roi. C'était lui qui aurait dû recevoir l'attaque, lui qui devrait être étendu dans ce lit de fortune.

Le roi se mourait, mais avait encore des choses à dire. Kelm lui tendit un verre d'eau, mais dut lui-même le porter aux lèvres de Shoëg.

Lorsque l'eau fraîche lui rafraîchit la gorge, celui-ci réussit enfin à articuler.

— Novan... Novan est-il toujours en vie? Les mots semblaient difficiles à assembler.

Le roi rassemblait ses dernières forces pour poursuivre, mais le Paetrym lui répondit que le général était toujours parmi eux, qu'il était parti à la recherche de ses deux frères d'armes.

— Envoie-le dans mon banshal. Sur le manteau de la cheminée, il trouvera un coffret en bois.

Le souffle court, il toussa et s'étouffa.

— Tu convoqueras mon conseil. Demande à Korsacq d'ouvrir le coffre avec la clé qu'il garde constamment à son cou. Novan lira le document qui s'y trouve.

Kelm se retourna, et le regard du médecin qui se tenait non loin lui confirma qu'il avait tout entendu de la conversation.

— Allez transmettre les ordres au Seigneur Quiryan. Dites-lui que l'ensemble du conseil l'attendra sous la tente du roi.

Sans un mot, le médecin les laissa afin d'aller quérir le général, comme les dernières volontés du souverain le commandaient. Mearik réalisait l'effroi qu'il allait causer au cœur des armées lorsque les hommes apprendraient cette nouvelle.

Le jeune mage se retourna vers son roi. Posant une main réconfortante sur son épaule, il le rassura.

— Il sera fait selon vos consignes, Monseigneur...

— Oh, je t'en prie, oublie les protocoles! En ce moment, il n'y a que toi et moi.

Malgré la faiblesse qui faisait trembler ses membres, Kelm sourit. Mais ses yeux brillaient de tristesse.

— Shoëg, me pardonneras-tu d'avoir failli à ma tâche?

— Failli? Kelm, ta tâche a changé il y a bien des mois maintenant. Au contraire, si tu savais à quel point ce que je ressens, c'est la fierté d'un père pour son fils... Tu n'as pas failli et je compte sur toi pour continuer!

— Je ne comprends pas...

Kelm n'osait pas formuler sa pensée. Les forces du souverain faiblissaient à vue d'œil, et d'ici quelques minutes, son âme serait en route vers Fortulgh... fauchée par un vampire.

Ce fut Shoëg qui déposa une main réconfortante sur le bras du jeune homme. Puis il tourna son regard vers Olivia.

Cette dernière avait voulu les rejoindre, ayant ressenti dans toutes les fibres de son corps l'état du roi. Mais sa constitution n'était pas aussi forte que celle de Kelm. Lorsqu'elle avait tenté de se relever, elle avait perdu connaissance et sombré dans les bras du médecin qui était accouru vers elle.

— Tu sais très bien sur qui tu dois veiller : prends-en soin. Je n'ai pas besoin de te dire que la survie du royaume de Shimrae en dépend. Mais plus encore, continue de la chérir. La vie au-delà de cette guerre : c'est pour cela que nous nous battons tous...

— ... Monseigneur !

La voix tremblante de la jeune Sitay parvint jusqu'aux deux hommes. Olivia avait faiblement repris connaissance et c'est difficilement qu'elle atteignit le lit où gisait Shoëg. Frémissante, elle s'assit près de lui, qui leva lentement une main afin de caresser la joue froide de la jeune femme.

— Vous ai-je dit récemment que vous êtes magnifique, Milady ? Sa voix n'était à présent plus qu'un souffle.

La tristesse de la situation n'empêcha pas la jeune femme d'offrir un sourire au roi, qui adorait la faire rougir en toutes circonstances. Il n'y dérogea pas malgré son état.

Une larme coula sur la joue d'Olivia. La souffrance la submergeait face à la perte de ce père d'adoption. Du bout de son pouce, ce dernier essuya les pleurs de la Sitay.

— Ce monde n'est peut-être pas celui qui vous a vue naître, mais vous y serez heureuse... Veillez sur Kelm, je vous en conjure.

Shoëg prit une grande inspiration, la dernière de sa vie. La souffrance quitta son visage, dont la peau reprit enfin une couleur normale.

N'y tenant plus, Olivia se lança au cou du roi, laissant ses larmes mouiller l'épaule du défunt. Elle eut l'impression de pleurer la perte de ses propres parents, en plus de cet être cher. Elle réagit à peine lorsqu'elle sentit une main se poser sur son dos.

La Sitay tourna vers Kelm des yeux gonflés par les larmes.

— Je t'en prie, n'use pas de tes pouvoirs pour apaiser ma douleur…

Il ne la laissa pas terminer, il ne comprenait que trop ce qu'elle ressentait.

— *Mi sayl*, cela n'était nullement mon intention. Nous devons vivre cette perte ensemble.

Lui aussi laissait les larmes couler sur son visage. Comment aurait-il pu faire autrement? Il avait passé sa vie à protéger le roi Shoëg, qui avait agi envers lui tel un père.

Olivia laissa Shoëg partir en paix. Kelm la ramena à son lit. Elle semblait à tout moment sur le point de s'écrouler. Il aurait aimé prendre le temps de vivre son deuil, mais la guerre n'attendrait pas. Il avait promis à Shoëg de réunir son conseil et il le ferait. Laissant la jeune femme aux soins des médecins, il prit, chancelant, la direction de la sortie.

***

Le silence était lourd. Aucun des cinq conseillers du roi n'osait le rompre, ne réalisant pas encore tout à fait que le dernier descendant des Shimrae n'était plus. La tente du souverain était à l'extrémité nord du campement, et tous demeuraient dans l'attente du retour de Novan. Kelm avait été clair: ils viendraient les rejoindre dès le retour du général de la cavalerie.

Les conseillers tressaillirent lorsque les pans de la toile se levèrent sur les deux hommes.

— Korsacq, je vous prie d'utiliser la clé que vous gardez précieusement sous votre tunique afin d'ouvrir ce coffret, lança Kelm de but en blanc.

Le Paetrym ne fit pas dans la dentelle. Ses traits n'avaient jamais été aussi tirés. Novan non plus ne se soucia guère des protocoles. Épuisé après avoir participé à la première ronde de cette bataille, il avait chevauché ventre à terre afin de combler la route séparant le château du champ de bataille, ne s'adressant à personne de peur d'alarmer l'ensemble du royaume. Il n'avait même pas vu sa femme, qui attendait nerveusement son retour.

Au moment où Kelm donna ses ordres, Novan déposa sur la table un vieux coffre dont le bois avait bruni avec le temps. Des miettes d'or ornaient encore les gravures qui habillaient toutes ses facettes. À titre de conseiller du roi, Korsacq avait reçu cette clé des mains de Shoëg, près de cinq années auparavant. Il n'avait jamais trahi sa parole : personne n'avait su qu'elle était en sa possession et elle n'avait jamais quitté son cou.

S'il était bouleversé, il se faisait un devoir de se contenir. La guerre n'attendrait pas, la mort foncerait bien assez vite vers eux et le destin des habitants de Shimrae se jouait en ce moment précis. Le moral des troupes chutait. Leur désespoir serait alors la meilleure arme de leurs ennemis.

C'est donc avec fébrilité que les conseillers attendirent. Même Novan semblait être étranger à la fatigue qui déchirait son corps. La serrure céda sous la clé et c'est avec douceur que Korsacq tendit au Paetrym le parchemin qui logeait au fond du coffret.

— Les dernières volontés de notre roi ont été très claires à ce sujet, que Mearik en témoigne : il en revient à Novan de procéder à la lecture de ce document, dit Kelm en levant la main en signe de protestation, signifiant que cette tâche n'était pas la sienne.

Novan écarquilla les yeux en entendant cet ordre. Il avait déjà été le messager en ce moment de deuil et il avait peine à réaliser toute la confiance que le souverain lui avait témoignée. Il en rougit de fierté. Il s'inclina donc, puis commença la lecture du parchemin que lui tendait Korsacq, qui avait peine à réprimer sa désapprobation face au choix du roi Shoëg.

Messeigneurs,

Vous êtes à nouveau réunis à ma demande. Malheureusement, c'est la voix d'un de mes généraux que vous entendez et non la mienne.

Avant même de me lancer dans les explications sur mes dernières volontés, sachez que cette missive fut rédigée après le drame qui secoua l'Ymalt. À la lumière des derniers événements, j'ai jugé nécessaire d'ajuster les clauses relatives à ma succession.

J'ose deviner qu'au moment de lire cette noire requête, la bataille fait rage autour de votre assemblée, alors j'irai droit au but : je vous ai tous réunis afin d'entendre mes dernières consignes et je crois à votre loyauté envers le royaume de Shimrae afin de respecter ce qui suivra.

En ces temps de guerre, où la survie du royaume tout entier se jouera dans les jours à venir, il est essentiel d'assurer une gouvernance pour Shimrae. Celui qui m'est apparu comme possédant les aptitudes tant militaires que politiques fera, je l'espère, l'unanimité auprès de vous, mes conseillers.

Kelm, tu n'auras pas à assurer la protection du prochain souverain. Ta fonction de Paetrym restera vacante un certain temps, à ta convenance il va sans dire !

À partir de cette minute, le rôle de protecteur de Shimrae te revient. N'ayant aucune descendance ni parenté proche, tu as été pour moi, tout au long de ces années, le seul fils que j'aurais voulu avoir.

Tout comme tu m'as conseillé et protégé depuis ton entrée à mon service à titre de Paetrym, tu devras user de cette clairvoyance afin de veiller à la survie de ton peuple.

Vous tous, mes conseillers de guerre et politiques, continuez d'épauler votre roi. De votre loyauté dépendra l'issue de cet affrontement. Maintenant, l'heure n'est pas aux larmes, vous devez tous raviver l'espoir dans le cœur de nos hommes, et vaincre !

Kelm, je prie les Dieux de te couronner d'un règne de paix, après cette guerre.

Aucun des hommes présents n'arrivait à souffler mot. Kelm semblait ne plus avoir une goutte de sang sous la peau de son visage. Contre toute attente, ce fut Korsacq qui brisa ce silence. Lui qui avait toujours affiché un mépris considérable envers ceux qui, selon son analyse personnelle, étaient en mesure de lui rafler sa place auprès du roi s'approcha du mage, puis inclina la tête en signe d'abnégation.

— Monseigneur, sachez que notre défunt Shoëg n'aurait pu choisir meilleur héritier pour notre trône. Menez vos hommes à la victoire et insufflez-leur l'espoir qui vient de les quitter.

Le conseiller se tourna vers les autres hommes, qui semblaient encore plus surpris par cette tirade que par l'annonce elle-même. Puis il poursuivit :

— Je vous suivrai et vous conseillerai avec la même dévotion, et il doit en être de même pour vous tous, Messieurs ! termina enfin Korsacq, d'une voix forte qui vibra sous la tente royale.

Tous s'inclinèrent devant le mage, qui peinait à croire en cette charge qui lui était maintenant dévolue. Ils attendirent que le nouveau roi reprenne ses esprits.

— Jamais je n'aurais pu anticiper cette décision de notre souverain. Kelm parla après avoir pris une profonde inspiration, tentant de mettre de l'ordre dans ses pensées. C'est un honneur, non pas seulement d'être nommé à titre de successeur, mais de savoir que Shoëg voyait en moi ce fils que la vie lui avait arraché. Soyez assurés qu'aussi longtemps que les Dieux me laisseront sur cette terre, je poursuivrai sa mission de paix dans tout le royaume.

Devant les conseillers militaires se dressait le Paetrym de Shimrae. Du sang séché tachait sa joue gauche. Ami ou ennemi, ce sang ne lui appartenait pas, mais l'entaille sur son bras droit montrait qu'il n'avait pas réussi à bloquer toutes les attaques des vampires, et son visage était toujours aussi sévère.

— Il ne sera pas chose aisée de rallier ceux qui se battaient et dont l'espoir s'en est allé avec le souffle de notre souverain, risqua Loers Hourkoth, celui qui secondait habituellement Korsacq Adojhs. Plus jeune que celui-ci, à peine sorti de la quarantaine, il arborait une lourde crinière blonde et son regard vert fixait avec hésitation celui qui prenait la tête du royaume.

La nature nerveuse de ce conseiller était bien connue de Kelm, et malgré cela il était celui dont le Paetrym avait toujours été le plus proche dans le conseil politique. Le nouveau roi trouva la force d'esquisser un léger sourire, comprenant que ce dernier exprimait ce que tous pensaient, lui y compris. Néanmoins, la réponse était simple puisque les solutions n'affluaient pas en cette situation. Kelm leva sa main droite, tenant son avant-bras parallèle à son torse.

— Très peu de gens ont été mis au courant, mais je juge que vous êtes en droit de savoir... Kelm s'interrompit, préférant illustrer ce qui allait suivre.

Une lame de flammes prit naissance le long de la musculature de son bras, puis embrasa la peau afin de créer une boule de feu autour de son poing fermé.

Les yeux incrédules qui le fixaient indiquaient davantage l'incompréhension que la surprise. Ce fut Novan qui interrogea. Il ne comprenait pas quelle était l'information que son ami lui avait cachée.

— Il n'y a pas âme qui vive qui ignore les dons découlant de votre statut de Paetrym... Aucun de nous n'est versé dans les arts occultes, mais en quoi votre contrôle de l'élément du Feu pourrait-il ressouder les liens de notre armée ?

Kelm ferma les yeux, puis se concentra sur la chaleur qui bouillait en lui. Il sentait le pouvoir de Cyrm prendre possession de toutes les fibres de son corps. Il ne fallut que quelques secondes pour qu'une parfaite maîtrise envahisse son esprit. Lorsqu'il ouvrit ses yeux bleus translucides, une vague de feu parcourut son corps jusqu'à le recouvrir entièrement.

Un mouvement de recul général s'exécuta en même temps. Il n'aurait pas fallu que les flammes abîment la toile de la tente qui les abritait. Par souci de sécurité, le mage arrêta net le sort qui normalement aurait dû le priver d'une grande part de son énergie vitale.

— Atteindre un tel contrôle des sorts de Feu demande un âge qu'aucun homme n'a jamais pu atteindre, dit Bemyrl à mi-voix, lui qui n'avait pas soufflé mot depuis le début de la réunion.

— Tu as raison, Bemyrl. Je suis navré que nous ayons passé sous silence les tenants et les aboutissants de ce pouvoir. Bien que je ne puisse l'utiliser à volonté, jusqu'à présent cela m'a valu de vaincre bon nombre de nos ennemis.

— Mais d'où tirez-vous cette force ? continua le Seigneur de guerre, qui semblait en savoir plus long que les autres sur le contrôle des sorts.

Kelm alla s'asseoir au bout de la grande table sur laquelle s'entassaient des cartes et des parchemins. D'un mouvement de la main, il invita les membres du conseil à s'asseoir auprès de lui. Le nouveau roi attendit que chacun ait pris place et que du vin soit servi pour tous, avant de se mettre à parler. Ses explications durèrent près d'une heure.

***

Les heures qui les séparaient du deuxième assaut s'égrenaient. Néanmoins, Kelm ne pouvait se laisser aller au repos. La nouvelle de la mort de Shoëg se répandait tel un murmure, et les soldats tentaient tant bien que mal de se ressaisir. Alors, Kelm donna ses premiers ordres : les trois généraux devaient rassembler leurs contingents. Le nouveau roi allait devoir repousser ses propres limites afin de leur insuffler le courage de vaincre.

C'est aux côtés d'Olivia que le roi se présenta devant la centaine d'hommes réunis. Leur nervosité était aussi palpable que la sienne. Il inspira profondément et lança un coup d'œil à la Sitay. Ils avaient planifié tous les deux ensemble ce qui allait suivre.

— Nous avons tous le droit légitime de pleurer notre roi !

La voix de Kelm, toujours aussi grave, était propulsée grâce à sa magie. Comme à son habitude, il alla droit au but.

— Mais nous ne pouvons prendre ce droit qui est le nôtre ! Que les Dieux m'en soient témoins : notre roi Shoëg Shimrae m'a mandaté afin de vous mener à la victoire. En sa mémoire et en celle de tous nos frères qui sont tombés en braves cette nuit... nous vaincrons !

Sa voix prit de l'ampleur et parut vibrer en chacun de ceux qui entendirent ces mots. Tous les soldats étaient attentifs à ses propos, alors il poursuivit :

— Les troupes d'Hezyr arriveront avant la tombée du jour, mais je fais le serment que cette victoire sera celle de Shimrae !

Lui et Olivia, sur cette dernière phrase, laissèrent libre cours à leurs pouvoirs respectifs. La jeune femme s'avança d'un pas afin de rejoindre Kelm, puis tous deux prirent l'allure de silhouette, l'une de flammes et l'autre d'éclairs. Au cœur de la déflagration, brandissant un de ses cimeterres, Kelm rugit ces simples mots qui furent repris par tous, d'une même voix :

— Pour Shoëg Shimrae !

319

Brandissant lames ou arcs, tous avaient besoin de croire en leur chance de succès. Apprendre que l'armée d'Hezyr leur apporterait sous peu main-forte leur insufflait du courage, mais lorsque les soldats réalisèrent l'ampleur de la force qui émanait des deux mages maintenant à leur tête, le murmure d'angoisse se métamorphosa en un véritable cri de guerre. Malgré l'excitation, il leur fallut se disperser. Ils profitèrent du reste de la journée pour soigner leurs meurtrissures. Les vampires n'attaqueraient pas sous le soleil.

* * *

Le nouveau roi avait insisté afin de conserver ses quartiers dans sa propre tente. La dépouille de Shoëg avait été scellée par un de ses sorts et déposée sous les installations royales. Sous ses ordres, seul l'accès à la pièce aménagée pour le conseil avait été maintenu accessible.

Sans la magie de Kelm, ni lui ni Olivia n'auraient pu fermer l'œil. Mais dès leur réveil, ils se préparèrent avec hâte : les éclaireurs étaient formels, Hezyr approchait à la tête de plus de deux cents soldats. Le royaume d'Olshëa n'était pas réputé pour la force de ses armées, mais plutôt pour ses échanges commerciaux maritimes. Kelm fut soulagé que cette aide n'accuse aucun retard, ce qui aurait pu leur être fatal. En peu de temps, les deux mages, déjà vêtus de leur tenue de combat, furent prêts et attendirent l'arrivée du souverain d'Olshëa.

Lorsque le rabat de la tente se leva, ce fut un homme affligé qui fit son apparition. Approchant maintenant de la fin de la soixantaine, le roi s'était déplacé non pas dans l'optique de combattre, mais dans celle de commander aux côtés de Shoëg. Pour les deux souverains, cette rencontre était une occasion de renouer les liens. Alors, quand la sombre nouvelle parvint aux oreilles d'Hezyr, bien avant d'atteindre le campement, il avait ressenti une terrible culpabilité.

— Seigneur Hezyr, navré de faire votre connaissance en ces circonstances.

Kelm se leva, invitant Olivia à faire de même afin d'accueillir le roi.

— Voici donc le Paetrym et nouveau souverain de Shimrae, secondé par la Sitay de Feu.

Hezyr s'inclina brièvement, puis riva son regard sur le mage avant de poursuivre :

— Pourrais-je prendre le temps de me recueillir auprès de Shoëg ? Par la suite, nous pourrons discuter.

Kelm s'était attendu à cette requête. D'un simple hochement de tête, il indiqua au roi Hezyr que tout avait été préparé à son attention.

— Venez, Monseigneur, dit-il, en relevant l'ouverture menant au lieu de repos du défunt.

Le Paetrym s'inclina respectueusement avant d'ajouter :

— Nous vous attendrons tous les deux ici, le temps qu'il faudra.

Sans un mot de plus, Hezyr s'avança près du corps de Shoëg. Plusieurs chandelles avaient été allumées et une unique chaise était disposée près du lit. Il devait reconnaître que ce jeune homme avait tout prévu. En s'asseyant, il sentit le poids des années peser lourdement sur ses épaules.

— Mon frère, le chagrin de la culpabilité me ronge. Hezyr parlait avec lenteur, comme s'il devait soupeser ses mots. Je pleure encore la mort de ma sœur, notre bien-aimée Fylia. Il m'était impossible de te revoir sans raviver cette douleur.

Appuyant son dos contre la chaise, il poursuivit les aveux qu'il avait trop tardé à faire.

— Maintenant, je réalise quel sot j'ai été et à quel point nous avons souffert tous les deux. Ce soir, je te fais la promesse de veiller aux allégeances de ton héritier. Il sera un bon roi. Je perçois en lui ce qui a dirigé ton choix. En ta mémoire et en celle de Fylia, lui et moi ressouderons les liens qui jadis unissaient nos royaumes. Repose en paix, mon frère, et puisses-tu un jour me pardonner...

De longues minutes passèrent. Le roi d'Olshëa laissa le calme solennel apaiser son âme avant de rejoindre Kelm et Olivia.

— Vous voilà maintenant souverain du royaume de Shimrae !

La voix d'Hezyr fit sursauter les deux mages, qui n'avaient pas perçu le mouvement de la toile séparant les deux pièces.

L'homme élancé aux traits sombres leur semblait plus en paix maintenant. Kelm l'invita à prendre place auprès d'eux.

— Nous commencerons par tenter de sauver le royaume de ce massacre, avant d'en réclamer la légitimité. Votre arrivée est plus que providentielle.

— Si nous étions arrivés plus tôt, aurions-nous pu éviter cette tragédie ? risqua Hezyr, visiblement affligé.

— D'après les dernières paroles de notre roi au sujet de l'attaque dont il fut victime, je suis plus enclin à croire que cela fut orchestré et dirigé directement à son attention. Peu importait le nombre de nos effectifs, nous n'étions pas préparés à ce type de magie.

Kelm laissait là parler sa propre culpabilité. Il poursuivit ses explications jugeant qu'Hezyr devait savoir.

— Un des vampires a utilisé une arme empoisonnée. Le venin était inconnu de nos meilleurs soigneurs !

— Mais sa place aurait été avec moi, en retrait, à veiller au commandement des troupes et non sur le champ de bataille, l'épée à la main, maugréa le roi d'Olshëa, coupant court aux explications du Paetrym.

— C'était son désir de prêter main-forte à ses soldats, et ce, en dépit de mes propres recommandations, ajouta le nouveau roi. À présent plus que jamais, je comprends sa pensée et suivrai moi-même ses traces.

Hezyr s'adossa, plongeant ses yeux noirs dans le regard du Paetrym, dont la voix était ferme. Olivia, quant à elle, préféra laisser parler les hommes. Être en retrait, dans l'ombre de Kelm, lui convenait parfaitement.

— Et vos hommes n'en attendent pas moins de votre part… Si je pouvais vous y accompagner, soyez certain que vous me trouveriez à vos côtés dans la bataille ! Le regard du vieil homme brilla au souvenir de ses belles années à guerroyer et à négocier.

— Sachez, Monseigneur, que cela me rassure de vous savoir présent. En cas d'échec de nos armées, il vous faudra malheureusement prévoir une situation de repli afin de protéger les survivants, soupira Kelm, souhaitant ne pas avoir à exiger cela du souverain d'Olshëa.

Surprenant la jeune femme, le vieux roi riva ses yeux noirs sur elle avant de poursuivre.

— Avant d'ordonner l'allégeance de mes troupes à vos commande-ments, pourriez-vous me faire l'honneur de me permettre de constater la véracité des récits qui ont envahi les royaumes? La deuxième Sitay des Dieux qui combat pour notre salut !

Si Kelm avait été surpris de recevoir les pleins pouvoirs afin de com-mander les soldats du roi Hezyr, Olivia, elle, s'était attendue à ce que ce dernier manifeste une curiosité à son égard. La Sitay créa rapidement une boule d'éclairs qui fourmillaient au creux de sa main. Sous le regard péné-trant du vieux roi, elle lança son pouvoir vers Kelm. Le Paetrym, sans sourciller, attrapa en plein vol le trait magique qui, à son contact, se trans-forma en un amas de flammes. Cet échange qui aurait dû être un danger pour d'autres mages ne paraissait qu'un simple jeu entre eux, tant le geste fut machinal.

Ébahi, Hezyr sourit pour la première fois.

— Eh bien, peut-être aurons-nous une chance de vaincre...

Le trio ne tarda pas à mettre fin à la conversation. La pénombre se le-vait lentement et avec elle des centaines de vampires, qui viendraient as-souvir leur soif de sang. Il restait quelques préparatifs à terminer avant de se relancer dans la mêlée, où les deux rois combineraient enfin leurs forces.

Chapitre 24

Les hommes mouraient trop nombreux sous les coups de leurs ennemis. Leurs rangs avaient beau être plus garnis que l'armée adverse, la force et la célérité surnaturelles des vampires leur permettaient de faire mouche à chacune de leur attaque.

Étrangement, les assauts magiques qu'Olivia et Kelm laissaient méticuleusement fuser ne pouvaient atteindre que les vampires les plus jeunes. Les plus âgés, en plus d'être féroces, semblaient protégés contre le feu et les éclairs, comme si un bouclier les encerclait.

Olivia s'épuisait. Elle savait qu'elle risquait de se vider de son essence vitale, tout comme Kelm. Poussant ses capacités à leur limite, elle faillit vaciller, lorsqu'elle vit enfin ce qui annulait leurs sorts. En haut d'un monticule délimitant la partie ouest du champ de bataille, trois vampires demeuraient en retrait. Olivia en était assez éloignée, mais elle pouvait constater qu'il s'agissait bien de mages. Se concentrant sur eux, la Sitay réussit à percevoir qu'ils étaient en effet les maîtres d'œuvre de ce puissant bouclier.

Elle devait agir, sinon ils échoueraient. En une fraction de seconde, la silhouette d'Olivia disparut, ensevelie dans un cocon d'éclairs. Sans rien ressentir de la chaleur qui y régnait, elle se laissa tomber à genoux, plongeant les mains dans la terre. Ne sachant pas si sa sœur pouvait intervenir, la Sitay essaya.

— Maëlay ! J'ai besoin de toi... La voix forte d'Olivia résonna dans le sol.

— Ma sœur, je t'entends ! La terre pleure le sang des hommes qui s'y répand. Mes pouvoirs en ces temps sont limités, mais si je puis, je le ferai...

Olivia avait la sensation que la voix de son aînée vibrait dans la terre pour parcourir tout son corps.

— Puise en mon esprit l'image de trois vampires. Olivia restait concentrée, oubliant jusqu'aux affrontements qui rugissaient non loin d'elle.

— Je vois de qui tu veux parler... Et j'avoue que je suis curieuse de savoir ce que tu as en tête ! Dans la voix de Maëlay vibrait une envie de vengeance, cette soif de rétablir l'équilibre de la terre des hommes.

— Pourrais-tu sacrifier cet arbre et les emprisonner de ses racines ?

Un grand chêne s'élevait non loin de là. Toutes deux savaient que les racines d'un chêne étaient fortes et abondantes. Maëlay n'avait pas besoin de donner son avis. Bien que les végétaux fassent partie intégrante de son âme, les arbres autant que les hommes allaient et venaient en ce monde, mais trop mouraient en ce jour...

— Nous n'aurons que peu de temps, Olivia. Sois prête, car tu n'auras pas d'autre occasion. Je ne pourrai matérialiser à nouveau mes pouvoirs. Bonne chance, petite sœur ! lui souffla-t-elle.

Sur ces mots, le contact se rompit entre les deux Sitay.

De longues racines escaladèrent les jambes d'Olivia jusqu'à ses hanches, puis entourèrent ses poignets pour en recouvrir ses paumes. Toujours au centre de ce maelström de lumière, la Sitay fit abstraction du vacarme qui faisait rage autour d'elle.

Le bruit des lames qui se heurtaient et les cris de ceux qui souffraient finirent par s'évanouir. Seul le crépitement des éclairs calmait son rythme cardiaque, malgré son énergie qui faiblissait rapidement. Elle n'aurait su dire quel allait être le signal qu'elle attendait, mais trois cris de stupéfaction déchirèrent la quiétude qui l'enveloppait.

Ce fut clair pour Olivia. Les trois mages vampires hurlèrent de concert lorsqu'ils se retrouvèrent prisonniers des cages de racines créées par Maëlay. Malheureusement pour eux, ils mirent plusieurs secondes avant de reprendre conscience de la guerre qui se poursuivait autour d'eux et de leur mission dans la victoire des leurs. C'est exactement sur ces quelques secondes que comptait Olivia afin de sauver ceux qui étaient maintenant les siens.

Ses paumes s'illuminèrent et les faisceaux parcoururent les racines du chêne, les enflammant au passage. Le feu semblait être attisé par la détermination des deux Sitays réunies !

Les flammes suivirent le trajet des racines sur les jambes d'Olivia pour disparaître dans la terre. Grâce au concours de Maëlay, les traits de feu ne moururent pas au contact du sol, mais pénétrèrent à l'intérieur des rhizomes du chêne afin de renaître à la lueur de la lune, là où les mages se trouvaient. Comme elle l'avait espéré, les cris de surprise se muèrent rapidement en hurlements de souffrance. Les vampires se retrouvèrent immobilisés, sans pouvoir se sauver ni éteindre les flammes qui les dévoraient. Sur la colline, trois colonnes de feu dominaient le paysage. Les flammes disparurent au moment où se turent les hurlements de douleur.

La protection qui empêchait leurs lames d'atteindre les vampires se volatilisa, exactement comme Olivia l'avait prévu.

Kelm sentit l'énergie vitale de la jeune Sitay diminuer, sans toutefois remarquer le moindre danger autour d'elle, avant de réaliser le tour de force qu'elle venait d'accomplir : des vampires poussaient des cris de douleur çà et là dans la plaine. Le champ de protection qui amortissait les coups de leurs lames et empêchait ses flammes d'atteindre leurs cibles s'était enfin levé.

Lorsqu'il esquissa un mouvement afin de rejoindre la Sitay, un vampire d'une stature impressionnante se posa en travers de son chemin, une lourde épée à la main. La lune frappa sur le métal de manière à éclairer le visage du grand blond. Une cicatrice rappelant une larme plus profonde que jamais était soulignée par son sourire carnassier. Ce visage, Kelm aurait pu le reconnaître entre mille. Il percevait déjà toute la rage et la force de ce nouvel adversaire.

— Viktor sera ravi lorsqu'il verra ta tête libérée du poids de ton corps, grogna le vampire.

— Et à qui ai-je l'honneur ? répondit Kelm, d'une voix amère au souvenir exact de ce vampire au hameau de Tyurn. C'est lui qui avait égorgé le pauvre Jerym avec un détachement sanguinaire.

— Je me nomme Miryano Judarfin, misérable roi ! dit-il en s'inclinant ridiculement, désireux de narguer le Paetrym en soulignant sa nouvelle ascension au trône... et donc la mort de Shoeg par le fait même !

Kelm se demanda si ce vampire n'était pas au fait de l'attaque de la Sitay sur les mages. Ce Miryano suintait d'une arrogance déplaisante et sa certitude de réussir à décapiter le roi de Shimrae le rendait aveugle à ses semblables, qui tout à coup tombaient de plus en plus nombreux.

Embrasant ses cimeterres, Kelm porta les premiers coups. Le vampire perdit son sourire lorsque les premières étincelles vinrent brûler sa peau d'albâtre. Sans plus aucun enchantement, Miryano redoubla de force et de rapidité, tant et si bien que le jeune mage dut puiser dans ses pouvoirs avec plus d'intensité. Soudain, un mouvement derrière lui capta son attention. Une lame s'abattit, dans le but de séparer sa tête de son corps. Heureusement, le corps massif de Zoguar s'interposa, bloquant farouchement l'attaque sournoise, sauvant de ce fait la vie du nouveau souverain.

— Bien tenté, Nivar, grogna Miryano, mais il semblerait que la mort de ce roi me revienne. Il n'aimait pas visiblement que le vampire sous ses ordres ait tenté de s'interposer dans ce duel.

— Il me semble bien confiant celui-là ! souffla Zoguar à l'attention de Kelm, qui reconnut tout à coup le vampire qui avait froidement assassiné la mère et son fils à Tyurn. Il aurait bien voulu mettre en garde son frère d'armes, mais les deux vampires, d'un même sourire meurtrier, relancèrent leurs attaques.

Zoguar encaissait les coups portés par le vampire, mais si ce dernier pensait occire l'homme avec facilité, il s'était bien trompé ! Les coups pleuvaient avec force de part et d'autre. Le général désirait éloigner ce Nivar de son nouveau roi.

Ce fut à l'écart du champ de vision de Kelm que son général ne put éviter l'épée longue du vampire, qui ricocha sur une de ses côtes, l'entaillant douloureusement au thorax. Tombant à genoux sous l'impact, Zoguar en perdit son arme. Le vampire victorieux s'avança, arme à la main.

Son général l'ayant sauvé d'une mort de lâche, Kelm se concentra et enflamma tout son corps, incendiant l'herbe à chaque pas qu'il effectuait. Miryano réalisa enfin son erreur, mais trop tard. Lorsqu'il tenta de fuir,

Kelm lança un puissant jet de flammes dans sa direction. Sans bouclier magique pour le protéger, le vampire fut rattrapé par le feu et se tordit de douleur.

Plusieurs vampires périrent dans ce brasier avant que les flammes ne diminuent, puis disparaissent. Kelm eut une pensée pour les pauvres paysans que lui et Olivia avaient incinérés : ils étaient enfin vengés !

Inquiet, le Paetrym chercha Zoguar du regard, connaissant la fourberie de Nivar. Lorsqu'il le vit enfin, il était agenouillé et, d'une main, effectuait une pression sur son torse afin de stopper le sang qui s'écoulait de sa plaie. Au moment où Nivar se préparait à lui donner le coup de grâce, le général serra la mâchoire afin de contenir la douleur, puis, à l'insu de son adversaire, dégaina sa fameuse dague arborant un serpent d'or et plongea sa lame jusqu'à la garde sous le menton du vampire.

Haletant sous la douleur, ouvrant sa blessure sous l'effort, Zoguar arracha sa dague, puis visa le cœur dans un deuxième assaut. Malgré l'état de son ami, Kelm fut rassuré de le voir en ressortir vainqueur. C'était lui qui, en définitive, avait vaincu grâce à la fourberie. Kelm partit donc retrouver la Sitay, qu'il avait sentie s'affaiblir dangereusement. Le mage en oublia que lui-même utilisait à outrance ses énergies vitales.

***

Viktor hurla sa rage. La noirceur de la nuit n'arrivait pas à engloutir son regard brillant de haine envers cette Sitay, une simple femme, qui avait réussi à percer ses défenses. Lui-même n'osait s'approcher du brasier qu'elle avait engendré. Toutefois, son attention se tourna momentanément vers une nouvelle déflagration, certes de moindre importance, mais qui ne semblait pas vouloir prendre fin.

Il leur avait fallu plusieurs mois pour former ces mages ! Viktor avait donné des ordres bien précis à Sorik. Sachant qu'il redoutait le châtiment de l'échec, il se doutait que ce dernier avait tout fait pour ne point faillir... et le voilà à l'état de poussière.

— Voici donc leur nouveau roi... Certes un mage, mais possédant une expérience de néophyte, dit-il enfin à l'attention de Lamellya, qui l'avait rejoint afin de réviser l'alignement de leur troupe.

La vampire se ressaisissait à peine de la perte de trois de leurs meilleurs lanceurs de sortilèges. Viktor les avait sommés de s'installer à l'écart afin d'être protégés pendant qu'ils maintiendraient actifs des sorts de protection visant les plus expérimentés de ses soldats. Cela n'avait pas suffi ! Et maintenant, c'était au tour de Miryano de tomber sous les coups de ce pitoyable mage.

— Décidément, je dois tout faire moi-même, ragea-t-il.

De longues mèches de cheveux roux s'étaient échappées des attaches de Lamellya et du sang humain luisait sur le cuir de sa tenue sous les maigres lueurs de la lune. Elle avait combattu avec toute la hargne que lui avait enseignée son maître. Elle s'adressa à Viktor d'une voix légèrement essoufflée.

— Comment allons-nous contrer les flammes qui enveloppent chacun des assauts de ce roi ?

— Sa magie ne vient pas de ce monde et, étrangement, je reconnais cette technique de combat... Nous avons, semble-t-il, eu lui et moi le même maître d'armes ! confessa le vampire.

Lamellya écarquilla les yeux, ne comprenant pas tout à fait ce que cela signifiait. Avant même qu'elle ne puisse émettre le moindre commentaire, Viktor fit volte-face et prit douloureusement son menton dans sa poigne d'immortel. Fixant son regard de mort dans ses grands yeux verts, il ordonna :

— Ramène-moi la Sitay ! Prends les effectifs qu'il te faudra. Elle doit certainement être affaiblie après cette attaque... Je la veux sans aucune égratignure !

Il libéra le visage de Lamellya avant d'enchaîner :

— Grâce à elle, ce faux roi viendra à nous de son plein gré.

Un sourire illumina les traits délicats de la vampire. Peu lui importait la rudesse de son mentor. C'est ce qu'elle aimait en lui. Viktor avait capté une similitude dans l'essence magique qui entourait les deux jeunes humains. Lien qu'aucun autre des siens n'aurait pu discerner. Il allait se servir de cet avantage.

— La grande faiblesse des hommes est l'attachement qu'ils ont les uns pour les autres. L'amour portera donc celui-ci à sa perte, et s'ensuivra celle de son peuple.

Replongeant dans la mêlée, Lamellya laissa Viktor seul. La terre était maculée de sang. Amis et ennemis se défendaient puis attaquaient, mais la vampire eut vite fait de repérer sa proie. Mentalement, elle appela une dizaine de vampires sous son commandement. Les ordres étaient simples : ils devaient encercler la Sitay qui s'était éloignée du noyau central de cette bataille.

— Notre maître sera satisfait, la cible rend cette mission des plus aisées ! finit-elle par annoncer à voix haute aux vampires qui la suivaient.

Son pas chaloupé était leste et rapide. Elle s'arrêta à bonne distance d'Olivia, qui lui tournait toujours le dos. Elle indiqua à sa troupe de lancer l'offensive.

Malgré la distance, Kelm sentit la peur grandir dans le cœur de la jeune femme. Dix vampires avaient pris place autour d'elle. Au commandement de leur roi, des hommes se lancèrent pour lui venir en aide.

Les vampires eurent à se défendre contre des soldats n'ayant qu'un seul but : protéger leur Sitay ! Les coups pleuvaient et les hommes se battaient à deux contre un, comme ils l'avaient appris. Même Olivia enchaînait les tailles de son épée courte de traits d'éclairs. Malheureusement, la jeune femme venait de s'affaiblir. Il lui avait fallu user d'une grande part de son énergie pour percer les protections des mages vampires. À présent, son manque d'expérience jouait contre elle.

Lamellya devait agir avec toute la célérité qui caractérisait ceux de sa race. Telle une danseuse dont la douce fluidité apparaissait incongrue dans ces circonstances, la vampire, qui jusque là avait veillé en retrait sur sa milice, plongea en esquivant les différents ballets meurtriers déjà enclenchés. Deux des siens étaient tombés sous les coups des hommes, mais elle discerna que le double de leurs ennemis avait succombé à cette attaque. Lamellya se glissa derrière Olivia qui était aux prises avec un des vampires : Mireph, excellent escrimeur œuvrant sous ses ordres. Lamellya discerna une légère odeur de muguet qui émanait de la Sitay. Elle était aussi menue qu'elle-même, mais contrairement à elle, la jeune femme faiblissait comme l'avait prédit Viktor.

Olivia avait espéré un répit lui permettant de rejoindre Kelm et de re-prendre des forces. Au moment où elle réalisa que des soldats accouraient vers elle sous les ordres de leur roi, des vampires au regard menaçant pre-naient place autour d'elle. Malgré l'étourdissement qui la gagnait, elle dé-gaina une de ses épées courtes, puis tenta de puiser dans ses dernières réserves.

Les événements se suivirent à une vitesse folle. Les combats s'enclen-chèrent tout autour d'elle, puis un des vampires se détacha des autres afin de l'affronter. La dernière image qui s'imprégna dans son champ de vision fut une crinière rousse qui se glissa derrière elle. Le choc sur sa nuque fut si brutal que le néant et la noirceur la cueillirent avant même que son corps ne heurte le sol.

***

Lamellya se retrouva rapidement devant Viktor, suivi de Mireph qui tenait la jeune femme inerte sur son épaule. Leur maître laissa un large sourire strier son visage de marbre. Caressant au passage le visage de Lamellya, sans jamais détourner son regard de son objectif, il vint soutirer délicatement la Sitay de la poigne de son soldat.

La vampire sentit une pointe de jalousie prendre naissance dans ses entrailles lorsque, sous ses yeux, son amant porta délicatement au sol le corps de sa proie. Doucement, comme si aucune guerre ne sévissait autour d'eux, Viktor dégagea la mèche de cheveux sombre qui masquait une par-tie du visage d'Olivia. Ses doigts continuèrent leur caresse vers son cou, puis longèrent sa clavicule qui se soulevait au rythme régulier de sa respi-ration. Toutefois, il retint subitement son mouvement : son regard venait de croiser la trace de la morsure d'un vampire... Jeerdhs !

Sans un mot, Viktor arracha la manche gauche de sa chemise noire, afin d'en couvrir les yeux de la jeune femme. Il ne voulait pas courir le risque qu'à son réveil elle prenne pour cible l'un d'eux avec ses éclairs. De ce fait, lorsque la brise fraîche vint effleurer la peau moite d'Olivia, elle ne put que se mettre sur ses genoux, les mains attachées dans son dos et les ténèbres ayant pris la place de la nuit devant ses yeux.

Au loin, la Sitay pouvait entendre la bataille qui continuait. Impos-sible de discerner de quel côté penchait la balance. Elle n'eut pas le loisir de se questionner davantage puisque devant elle, le bruissement de l'herbe lui indiqua que quelqu'un venait de s'agenouiller afin de lui faire face.

— Vous êtes aussi impénétrable que votre sœur, Milady.

Une voix profonde, pleine de douceur, vint jusqu'à elle. Le souvenir de sa visite dans le corps de Maëlay, dans les donjons de leur ennemi, revint à sa mémoire. Elle reconnaissait cette voix.

— Bonsoir, Viktor, réussit à dire Olivia d'un ton qui indiquait son indignation. Elle-même ignorait où elle puisait un tel courage... ou une telle stupidité, puisqu'elle ne se trouvait pas en position de force.

— À deux, vous et votre roi arrivez à infliger des dommages étonnamment considérables à mon armée...

— Et nous continuerons volontiers ! cracha la Sitay à mi-voix.

Viktor gloussa.

— Vous serez parfaite à mes côtés, lorsque j'aurai terminé ce que mon frère n'a pas eu la force de faire !

Le vampire alla caresser l'empreinte de la morsure que Jeerdhs avait laissée sur la peau d'Olivia, ce qui provoqua un brusque mouvement de recul chez cette dernière. Elle ne désirait pas provoquer Viktor sur ce terrain. Un goût d'horreur lui fit serrer douloureusement la mâchoire, la jeune femme ne pouvant concevoir de devenir vampire et de combattre à ses côtés.

— Pour l'instant, celui que je désire atteindre préférera mourir plutôt que de vous savoir sous mon joug, termina-t-il au creux de son oreille.

Alors, Olivia comprit enfin pourquoi elle était toujours en vie.

Le vampire l'empoigna à la gorge et la jeune femme sentit un ongle aussi dur que la pierre créer une entaille à l'endroit exact où Jeerdhs avait ouvert la connexion mentale. Poussant un gémissement de douleur, la Sitay n'eut pas à se concentrer pour qu'une décharge d'éclairs frappe la main qui comprimait l'air dans sa gorge.

Éclatant de rire, surpris par cette maigre tentative, Viktor jeta un coup d'œil sur la brûlure qui se cicatrisait déjà. Retenant une partie de sa force, il abattit sa main sur la joue d'Olivia, l'envoyant heurter le sol dans un gémissement de douleur.

Impassible, Viktor se releva lentement, puis reprit la Sitay à la gorge, la forçant à se remettre sur ses pieds.

Il lui parla sans jamais relâcher son étreinte ni craindre les éclairs qu'elle pourrait libérer.

— Ne t'avise jamais de retenter une telle chose, car ma vengeance ne sera pas pour toi, mais pour tous ceux qui habitent ton cœur, grogna-t-il.

Olivia réussit à inspirer l'air nécessaire afin de répondre sur un ton similaire :

— Je n'oserai jamais vous faire une promesse que je ne pourrai tenir.

— Quand tu auras goûté à mon immortalité, tu ne tiendras plus le même discours, répondit-il, ne se souciant nullement de cette menace.

Viktor vint lécher le sang qui s'était écoulé le long de la jugulaire de la jeune femme. La respiration de celle-ci s'accéléra et un long frisson parcourut son échine. Viktor mordit sa propre lèvre, mélangeant alors son sang à celui d'Olivia. Sous le regard de Lamellya enfiévré par la rage, le vampire cueillit la Sitay par les hanches, puis de son autre main fit basculer la tête de sa captive. Appuyant son corps contre le sien, il la sentit frissonner. Ce qui aurait pu sembler du désir était en fait toute la hargne que la Sitay contenait. Les lèvres du vampire se soudèrent aux siennes, lui volant durement un baiser. Viktor savourait la combativité avec laquelle la jeune femme refusait son étreinte.

Leurs sangs mélangés finirent par couler dans la bouche de la Sitay. Le goût métallique glissa sur sa langue, et c'est à ce moment que la connexion désirée par Viktor s'enclencha.

L'image qui s'imprégna dans l'esprit de Kelm lui fit stopper net tous ses mouvements. Sa vue s'obscurcit, plus aucun son, plus aucune lame ne lui importaient. Il vit celle qu'il aimait, les poings liés, les yeux bandés par un morceau de tissu noir. Elle était blottie contre son gré sur le corps de Viktor. Le mage sut qu'il ne s'agissait pas d'une illusion.

Du sang perlait sur la gorge d'Olivia et sa joue portait la trace d'une meurtrissure.

Le vampire relâcha son étreinte, laissant un dernier baiser sur les lèvres rouge sang de sa captive, puis il tourna son regard noir vers Kelm qu'il savait attentif.

— Je te conseille fortement de venir nous rejoindre... seul. Et ne tarde pas, jeune roi.

Aussitôt le contact rompu, Kelm poussa un hurlement de rage. Viktor avait vu juste : le Paetrym ne pourrait jamais risquer la vie de sa Sitay, et ce, au péril de la sienne. Tous les vampires se trouvant sur son passage goûtèrent de sa fureur. Sa peau tout entière laissait s'échapper une chaude vapeur qu'il ne contrôlait pas. Les hommes qui le secondaient, surpris de l'ordre de rester loin de lui, eurent la conviction que son corps entier était sur le point d'entrer en combustion.

Les traits de son visage étaient tirés et l'anxiété le rongeait tout entier. Et si Olivia tombait sous l'emprise de Viktor, aurait-il la force de la libérer de cette malédiction? N'osant se mentir à lui-même, Kelm sauta à cheval puis chevaucha à travers la mêlée, sous les yeux ébahis des soldats. Les combats continuèrent, tous avaient confiance en leur souverain, mais aucun d'entre eux n'aurait pu se douter que ce dernier allait offrir sa propre âme afin de sauver celle qu'il aimait.

— Bonsoir, Kelm.

Viktor fixait la bataille du haut d'un promontoire naturel, formé aux abords de la plaine d'Hiur. Dos au nouveau venu, il le laissa s'approcher en sachant très bien que dans son champ de vision se trouvait aussi la Sitay, à genoux sous l'emprise de Lamellya, qui elle-même bouillonnait d'une envie meurtrière envers la jeune femme.

— Olivia?

Le mage s'adressa directement à la Sitay, sans quitter des yeux le vampire, qui arborait toujours sa chemise dont une manche avait été arrachée.

— Je vais bien, ne t'inquiète pas...

Les mots de la jeune femme furent absorbés par le choc, puisque Lamellya lui assena un coup de pied afin de lui imposer le silence. Quand elle tomba sur le sol, le tissu satiné bougea légèrement sur son visage, lui permettant un contact visuel avec Kelm. Pendant une fraction de seconde, elle eut de la difficulté à le reconnaître. Le mage se dressait devant elle, ses vêtements tachés de sang. Il tenait ses deux cimeterres, prêt à combattre Viktor vers qui il se dirigeait d'un pas ferme. Il se permit un regard vers

Olivia, s'assurant qu'elle se portait réellement bien, compte tenu de sa captivité.

Les yeux du mage viraient maintenant à l'indigo. Jamais la jeune femme ne l'avait vu dans un tel état de fureur. Elle seule avait été témoin de la bataille qui avait coûté la vie à Jeerdhs, et elle craignait pour Kelm. Toutefois, voyant la détermination et la haine qui se peignaient sur son visage, elle pensa qu'il aurait peut-être une chance de vaincre.

— Bonsoir, Viktor, répondit enfin Kelm, qui s'était arrêté en attendant que le vampire daigne effectuer quelques pas dans sa direction.

— Ne crains rien pour ta Sitay. Je n'aurais pas osé te priver de l'honneur de la voir rejoindre mon armée, ricana-t-il.

Kelm n'entendait pas à rire. En guise de réponse, il leva une de ses lames.

— Après notre affrontement, vous n'aurez nul besoin d'une armée.

— En effet, je prédis qu'après ce combat, l'issue de ce monde sera scellée. Viktor parla d'une voix forte et pleine d'assurance, en dessinant un mouvement vers ceux qui se battaient et mouraient contre son armée.

Enfin, le vampire se retourna lentement, afin de faire face au mage. Terminant le mouvement de la main qu'il avait fait dans le but de balayer la scène qui se dressait devant eux, Viktor arracha la dernière manche de sa chemise, la laissant suivre la course du vent. À son tour, il dégaina sa longue épée ainsi qu'une dague. Le vampire adorait varier le combat entre l'escrime et le corps à corps, et il ne put s'empêcher de constater que le jeune mage optait pour le même type d'arme que Jeerdhs.

— Jolies lames... mais je constate que vous fumez, Monseigneur.

Le ton du vampire était moqueur, ce qui exacerba la rage de Kelm. Une vapeur s'élevait effectivement toujours de ses bras. Il avait dépensé une grande quantité de son énergie vitale lors des derniers combats, et son corps entier fumait d'un désir de vengeance.

— Ne vous en faites pas, d'ici peu, vous fumerez bien davantage, lâcha-t-il, certain que le vampire goûterait à son courroux.

Malheureusement, il fut incapable de réitérer le sort qu'il avait lancé à Miryano...

Un sourire carnassier se dessina sur le visage de Kelm. Pour Olivia, qui s'était mise à genoux, les deux ennemis offraient une image incongrue : leur ressemblance était frappante ! Leurs cheveux sombres dans cette nuit semblaient identiques, tout comme leur peau aussi froide que l'ivoire, mais ce qui coupa le souffle de la Sitay fut leur posture. Vêtus de leurs gilets sans manches, leurs musculatures saillant sous chacune de leurs inspirations... La jeune femme craignit pour le mage lorsqu'une évidence s'installa en elle.

— Jeerdhs fut leur maître d'armes à tous les deux, murmura-t-elle entre ses dents.

— J'en fus aussi surprise que toi, Sitay, susurra Lamellya à son oreille, la faisant sursauter.

Libérant sa longue crinière rousse, la vampire se retourna afin d'ordonner à Mireph de retourner combattre auprès de ses frères. Effectuant de longues enjambées, elle alla river son regard vert dans celui d'Olivia, puis arracha la manche satinée servant de bandeau qui s'était glissée jusqu'à son cou, ce qui soutira un grognement de douleur à la captive.

— Surtout, ne pensez pas que je vous laisserai prendre ma place auprès de notre maître, lâcha la vampire.

— Humaine, Sitay ou vampire, jamais je ne vous laisserai vaincre !

— Voilà pourquoi je vais devoir vous tuer, très chère. Mais auparavant, je vous offre la mort de votre roi en spectacle.

Kelm baissa la tête et prit sa position de combat. Poussant une longue expiration, il releva les yeux : ses deux cimeterres s'embrasèrent. Viktor avança lentement, puis il s'élança en un bond gracieux. Le choc des lames provoqua de longues étincelles, s'échappant des flammes maintenues par l'esprit du mage.

Le Paetrym se défendait comme Jeerdhs le lui avait appris, mais pour chaque esquive, Viktor enchaînait d'une parade violente d'une rapidité tout aussi terrifiante que celle de leur précepteur. Par chance, le feu du mage gardait le vampire à distance, rendant l'utilisation de sa dague impossible. S'il n'avait pas reçu l'énergie de Cyrm, Kelm aurait déjà succombé aux attaques du vampire.

Viktor jubilait: cet homme, aussi futile que ceux de sa race, se battait avec la rage d'un vampire. Il prenait un réel plaisir à ce combat! Tournant sur sa gauche, il plongea en un estoc. L'impact fut absorbé par la cuisse de Kelm. La pointe de l'épée pénétra dans sa chair, déchirant les muscles au passage, défaisant la concentration qui maintenait les flammes sur ses lames.

Hurlant sa douleur, Kelm tituba vers l'arrière tout en continuant à se défendre. Les coups de l'épée longue continuaient de pleuvoir. Mais cette fois, Viktor enchaînait les attaques rapprochées de sa dague, dont les joyaux luisaient sous la lueur de la lune. Le mage ressentit un léger picotement là où la lame s'était enfoncée. Il osa un regard vers Olivia, qui lui confirma qu'elle venait de lancer un sort de guérison. Il ne fut pas le seul à réaliser d'où venait ce sort.

— Occupe-toi de la Sitay, mais garde-la en vie! hurla Viktor à l'attention de Lamellya.

Le vampire avait à peine relâché l'intensité de ses attaques. Même si Kelm était guéri, il faiblissait, et les lames de Viktor avaient déjà réussi à lui infliger deux nouvelles entailles aux bras.

Lamellya jubilait. Elle qui avait craint de devoir laisser sa place à cette Sitay dans les bras de Viktor voyait là l'occasion qu'elle attendait. Murmurant une douce mélodie, elle sortit son épée courte, puis valsa jusqu'à se retrouver à la droite d'Olivia. Retenant son souffle et fermant les yeux, la Sitay se concentra sur l'air frais qui lui caressait le visage. Affaiblie comme elle l'était, elle ne trouva que l'énergie nécessaire pour créer une détonation d'éclairs qui dévia la lame qui se dirigeait droit vers son cœur. Son épaule fut transpercée. Ne pouvant échapper à son assaillante, elle poussa un cri de douleur. Par chance, ses liens s'étant rompus dans la déflagration, elle put éviter des représailles immédiates.

Le mage voulut la rejoindre. La souffrance d'Olivia raisonnait encore au creux de ses oreilles. En désespoir de cause, il s'élança. Glissant à genoux grâce à la légère rosée de l'herbe, il réussit au passage à atteindre Viktor à l'abdomen. Si le vampire fut pris au dépourvu par le geste de Lamellya, il se ressaisit avec la vélocité de ceux de sa race.

La plaie se cicatrisait avec plus de lenteur, puisque Kelm avait réussi à matérialiser un trait de flammes sur la lame de son épée. Le vampire ne s'en souciait guère, plongeant à la suite du mage.

Il perfora son épaule et l'entraîna au sol dans sa chute. Retirant sa lame, Viktor vint en appuyer le tranchant sur sa gorge, retenant sa tête face à la Sitay, dont la vampire maintenait un genou apposé directement sur sa plaie. Les deux mages échangèrent cette vision de la défaite et Olivia ne put retenir une larme qui roula sur sa joue.

— Monseigneur, vous mourez donc sans savourer la vision de votre bien-aimée qui partage mon sang, susurra Viktor au creux de l'oreille de Kelm.

Dans un dernier sursaut d'énergie, haletant de douleur, Kelm libéra un court brasier de son dos. L'impact des flammes, aussi court soit-il, avait requis ses dernières ressources. Il se retrouva inconscient, le visage perdu dans l'herbe à quelques pas d'Olivia. Quant à Viktor, il fut propulsé près d'un mètre plus loin, le visage convulsé par la douleur.

Une peur insoutenable envahit toutes les fibres du corps de la Sitay. Sans qu'elle comprenne d'où émanait ce sort, d'innombrables éclairs se mirent à la parcourir de part en part. Lamellya eut à peine le temps de fuir : elle fut brûlée sur une grande partie de ses jambes. Subitement, les éclairs disparurent dans la terre, la jeune Sitay étant maintenant trop affaiblie. Olivia affichait un regard incrédule, ne contrôlant plus son pouvoir qui la précipitait vers sa fin en épuisant ses ressources vitales.

— NON ! Viktor rugit à l'attention de Lamellya, qui avait voulu s'élancer, lame brandie afin d'occire la Sitay.

Le vampire prit le corps presque inerte d'Olivia contre son torse. Elle leva vers lui son regard abyssal, sa respiration était accélérée et douloureuse. Tel un amant, Viktor replaça une mèche de cheveux marron derrière l'oreille de la jeune femme. Il adorait effectuer ce mouvement tout en fixant ce regard hypnotique.

— Très chère, vous ne souffrirez plus. Votre force sera inimaginable. Ensemble, nous serons tels les Dieux !

Viktor souriait. Olivia tourna son regard humide de larmes vers Kelm, qui remuait à peine. Elle sentait la force qui habitait le vampire. Bien que le mage reprît connaissance, ils avaient tous deux épuisé leurs ressources vitales, et ce, bien avant ce combat en privé. Les heures de bataille s'étaient succédé, sans compter la souffrance de la perte de leur mentor.

La Sitay ferma les yeux, les larmes qui coulèrent vinrent se perdre dans le sol. Viktor dégagea la peau refroidie de son cou afin de s'abreuver là où Jeerdhs avait laissé sa marque.

Pourtant, les secondes passèrent et rien ne se produisit. Olivia rouvrit les yeux, tentant de comprendre si le vampire se jouait d'elle. Viktor fixait l'obscurité, les sourcils froncés. Il relâcha son étreinte, et cette fois-ci plus aucune douceur ne teintait ses gestes. Debout, il s'empressa de retrouver ses armes. Incrédule, Olivia put obtenir un contact avec Kelm. Il était blême et faible, mais conscient. Tous deux remarquèrent de légères secousses provenant de la terre.

— Que se passe-t-il ? demanda Lamellya d'une voix mal assurée.

— Ce... ce n'est pas possible ! murmura Viktor.

Rengainant son épée longue et sa dague, le vampire attendit que la silhouette qui se détachait de l'obscurité se rapproche d'eux. Sous les regards médusés des deux mages et de la vampire, il posa un genou au sol, gardant la tête baissée en signe de soumission.

— Père...

— Mon fils, quelle folie te gagne ? demanda une voix douce et profonde.

Devant eux se dressait un vampire sans âge. Grand, ce nouveau venu affichait une musculature impressionnante et arborait une chevelure blonde striée d'argent. Il tendit la main, invitant Viktor à se relever. Il tourna son regard vers Olivia, d'un bleu si clair qu'il paraissait presque translucide. Elle y vit à quel point il était affligé par les derniers événements. Malgré cela, la Sitay craignait qu'un vampire de cette force ne rejoigne les armées de Viktor.

— Kahinë, mon père, nous vous avons tous pleuré. Comment cela peut-il être ?

— Ma torpeur devait être sans fin. Mais l'équilibre sur lequel j'ai veillé pendant tant de siècles... Mon propre fils cadet a tout mis en œuvre pour me déshonorer !

Son ton était monté. Son calme glaçait l'échine d'Olivia, qui assistait sans un mot à la scène.

— Notre peuple mérite la place qui lui revient et non d'être à la solde de ces humains, dit tout aussi calmement Viktor.

Il semblait que les vampires continuaient une vieille discussion laissée en suspens la veille.

Tous deux s'étaient retirés pour discuter, fixant impassiblement la bataille qui continuait de faire rage.

— Mon fils, il ne te revient pas de remettre en question la place que les Dieux nous ont offerte... Mon âme fut tourmentée lorsque tu as pris la vie de ton propre frère, ajouta-t-il d'une voix affligée par le chagrin.

— Soit! D'ici le lever du soleil, mon armée aura percé les derniers remparts d'espoir de ces hommes et de ces femmes. Mon père, vous goûterez à l'honneur et à la puissance. Personne ne le mérite davantage, répondit Viktor, d'un ton mielleux, sans se soucier des accusations de celui-ci.

Kahinë se tourna vers son cadet.

— Je t'ai choisi pour ta fougue. Le dernier à qui j'ai fait don du pouvoir et des responsabilités qui en découlaient. Je suis navré, Viktor, du tourment que je t'ai infligé.

Ne le laissant pas renchérir, il se rapprocha rapidement de lui jusqu'à ce que leurs joues s'effleurent. Il murmura :

— Sauras-tu un jour me pardonner, mon enfant?

Avant même que Viktor ne puisse réaliser où son créateur voulait en venir, Kahinë plongea ses crocs dans sa jugulaire. Toute sa rage s'échappa en un hurlement, mais il ne put rien tenter contre la force déployée par son père.

Lamellya cria lorsque toute vie quitta Viktor. Sans réfléchir, elle s'élança afin de soutirer le défunt de l'emprise du vampire. Kahinë la laissa bercer son corps inerte : lui-même versa une larme.

Son cœur se brisa pour la dernière fois de sa trop longue existence, les Dieux lui en avaient fait la promesse.

— Pourquoi? Pourquoi avez-vous fait cela? Revenir d'entre les morts dans l'unique but de nous enlever celui qui pouvait libérer notre peuple?

La vampire pleurait, tenant toujours Viktor contre son cœur.

Kahinë s'agenouilla devant Lamellya, qui trembla de peur pour la première fois de son existence. Ses cheveux d'or et d'argent retombant devant son visage, il la surprit par la sincère douleur qui se peignait sur ses traits.

— Comment avez-vous pu croire que les Dieux laisseraient une de leur création anéantir la vie et l'équilibre sur la terre de Faöws ? Viktor a précipité notre race vers la fin de son histoire. Désirer la place de nos divinités, assassiner son propre frère...

Sa voix se cassa. Il avait tant aimé chacun de ses fils. Revenir d'une telle torpeur avait demandé le concours des Dieux, mais il lui restait autre chose à accomplir.

Caressant la joue humide de Lamellya, il l'embrassa tendrement sur le front. Une vague de froid s'étendit sur toute la plaine. Kahinë ferma les yeux, puis se concentra sur tous les autres vampires. Il se releva lentement après un long moment, tournant finalement son attention vers les deux mages.

Il tendit la main afin d'aider Olivia à se relever, mais elle dut s'appuyer sur Kelm, leurs blessures respectives les faisant grimacer de douleur.

— Milady, dans votre détresse, j'ai vu la mort de Jeerdhs et le désespoir d'un monde, souffla-t-il. Vous étiez le signal créé par les Dieux pour mon réveil.

— Le signal ?

— Ma crypte avait été scellée par les divinités de ce monde, mais récemment leurs voix sont venues troubler ma torpeur. Elles m'ont averti qu'une Sitay aurait le pouvoir de détruire les charnières de ma dernière demeure. Vos éclairs sont parvenus à les faire céder, et loin d'arrêter leur course, ils vinrent se répercuter jusqu'à mon cœur : les images de vos tourments se sont imprimées en mon âme. Le temps des vampires est révolu : voilà la décision divine.

— Alors, je ne devais pas combattre Viktor, souffla-t-elle, incrédule, en guise de réponse à cette étrange révélation.

— Au contraire, vous deviez le combattre ! Mais sa mort n'aurait pu être de votre main. Vous n'auriez pu laver cette terre de toute la rage qu'il

342

avait semée. Votre naissance sur la terre de Faöws a été prévue dans ce but précis : m'offrir ce réveil, aussi douloureux soit-il pour mon âme.

Olivia comprit alors que frôler la mort une deuxième fois, au creux des bras de Viktor, avait été le déclencheur.

Un murmure de voix mêlées s'éleva de la plaine vers laquelle Kahinë s'était pensivement tourné. La Sitay suivit le regard de Kelm : à leur gauche se trouvait la vampire, tenant toujours Viktor dans ses bras. Immobile, elle semblait figée comme le marbre.

— En est-il de même pour tous les vampires ? questionna le Paetrym, qui tentait tant bien que mal de permettre à ses jambes de soutenir le poids de son corps.

— En effet, jeune roi. Et d'ici peu, je les rejoindrai dans ce sommeil. Mon peuple s'éteindra au lever du soleil pour que le vôtre vive, dit Kahinë, se retournant pour fixer Kelm. Anticipant la réponse d'Olivia, il plongea son regard translucide au fond de l'âme de cette dernière.

— Ne soyez pas navrée, Milady. Notre temps était venu. Tous les deux, vous aurez beaucoup à faire. Nous vous laissons une terre ravagée et un peuple apeuré. Néanmoins, vous régnerez en justes, j'en suis convaincu. Toute la douleur que vous avez endurée pour la survie de ce monde, je vous en serai éternellement reconnaissant. Je vous souhaite une vie paisible à tous les trois.

Ces mots résonnèrent avec douceur directement dans le crâne de la Sitay. Son souffle s'arrêta sous le choc. Fermant les yeux, elle fut prise soudain d'étourdissements. Lorsqu'elle voulut reprendre contact avec les yeux du vampire, Olivia vit malheureusement qu'il avait rejoint les siens dans cette léthargie de pierre.

— Que t'a-t-il dit, *mi sayl* ? Kelm la fixait avec attention, son visage à quelques centimètres du sien.

Étant mentalement connecté à la Sitay, il avait perçu le bref contact entre elle et le vieux vampire.

— Plus tard, Kelm... Allons expliquer les derniers événements à tes hommes. Elle n'avait pas l'intention d'en discuter davantage, du moins pas en ces lieux.

— Je présume que les nôtres doivent n'y rien comprendre, ajouta-t-elle.

* * *

Lorsque le couple revint au cœur du champ de bataille, il fut sidéré de voir l'armée de statues figées dans un rictus de violence et de souffrance. Éreintés, n'ayant plus la force de se soigner eux-mêmes, les deux mages durent s'en remettre aux soins de Mearik, qui les avait rejoints, heureux de les retrouver en vie.

Olivia laissa Kelm, maintenant souverain de Shimrae, répondre aux innombrables questions de son conseil. Tous les hommes de marque attendaient sous la tente royale en compagnie du roi Hezyr. Les soupirs de soulagement qu'ils laissèrent tous échapper témoignaient de l'anxiété qui les avait gagnés à l'idée de perdre une fois de plus leur souverain.

Il était essentiel pour le nouveau roi de faire comprendre à ses hommes qu'ils devaient leur survie à un seul vampire : les pertes auraient été sans précédent sans l'intervention de Kahinë. Le Paetrym fut soulagé de retrouver Novan, Bemyrl et Zoguar. Les trois généraux avaient dirigé les soldats avec brio, limitant les pertes humaines. Zoguar gardait une profonde entaille au thorax, souvenir de Nivar, qui avait péri sous la fougue du général. La discussion ne s'éternisa pas, il restait tant à faire : les blessés à soigner et à rapatrier au château, les morts à incinérer et le campement à démonter. Mais pour les hommes et les femmes présents, le lever du soleil fut libérateur ! Ses premiers rayons créèrent un nuage de poussière lorsque tous les vampires figés se désagrégèrent au simple souffle du vent.

Le silence régnait sur la plaine d'Hiur. Sous les pieds des soldats, la terre trembla. Devant leurs yeux ébahis s'éleva un immense chêne, qui atteignit sa maturité en quelques secondes à peine : l'arbre qui avait été sacrifié par Maëlay quelques heures auparavant !

Olivia s'avança lentement. Sa plaie n'étant pas entièrement guérie, chaque pas la faisait souffrir. Elle posa sa main sur l'écorce de l'arbre et un sourire illumina son visage.

— Rien d'autre ne pourra pousser en ces lieux, mais ce chêne est un cadeau de Maëlay Mornëot. Sa vue rappellera à tous qu'ici les hommes et les femmes ont combattu et vaincu, dit-elle d'une voix forte.

Un cri de joie s'éleva dans l'air, chacun célébra ce présent, signe que la vie et l'équilibre allaient perdurer.

Pour Olivia, ce chêne représentait l'âme de la Sitay de la Terre. Il était encore plus fort et plus grand que l'arbre qui avait servi à capturer les trois mages. Permettre à sa sœur de puiser dans son énergie vitale afin qu'elle puisse intervenir auprès de son élément aurait pu lui coûter la vie, mais la victoire avait compté plus que tout.

Le retour au château se fit lentement. Les blessés étaient nombreux et tous en revenaient éreintés. Bien qu'ils demeurent affligés par la perte de Shoëg Shimrae, les soldats marchaient du pas des vainqueurs. Néanmoins, le travail de Kelm était loin d'être terminé : l'accueil du roi Hezyr au château, qui désirait l'établissement d'accord entre leurs royaumes, en plus des cérémonies de deuil et de couronnement. Il lui semblait que le repos ne viendrait jamais.

Les conversations autour de lui ne lui permirent pas de s'isoler et le roi Hezyr semblait avoir tant de choses à lui raconter... Ah, Shoëg, mon ami, c'est tout un héritage que vous m'avez fait ! songea-t-il.